D1240414

DEMAIN,
QUI GOUVERNERA
LE MONDE ?

Les ouvrages déjà publiés par Jacques Attali
sont en page 441.

JACQUES ATTALI

DEMAIN, QUI GOUVERNERA LE MONDE ?

Pluriel

Ouvrage publié dans la collection Pluriel
sous la responsabilité de Joël Roman

Couverture : Rémi Pépin
Illustration : Corbis

ISBN : 978-2-8185-0209-9
Dépôt légal : avril 2012
Librairie Arthème Fayard/Pluriel, 2010

Préface

Quand on écrit un essai à visée prospective, on aimerait parfois avoir tort et ne pas voir se réaliser ses prévisions les plus sombres.

On aimerait aussi, au contraire, voir surgir, au loin, dans les brumes du réel, la première esquisse de ce qu'on a rêvé de meilleur.

Il en va ainsi pour le gouvernement du monde, sujet de ce livre, qui évolue si rapidement. Bien des événements se sont produits depuis sa publication. Le pire avance en effet plus vite que le rêve : les désordres écologiques, financiers, militaires sont de plus en plus aigus même si, en apparence, la crise semble sous contrôle, et la pauvreté extrême se réduire.

Se confirme aujourd'hui la validité de la principale thèse du livre : la mondialisation de l'économie en marche depuis plus de deux mille ans ne peut conduire qu'au chaos si elle ne s'accompagne pas très rapidement d'une mondialisation de l'État de droit. Et si cet État de droit mondial en devenir se réduit à une police au service du droit de propriété, dans l'intérêt des seuls marchés, cela se traduira par une formidable aggravation des inégalités, une accélération de la dégradation de l'environnement ; et, en retour, par une réaction violente des peuples refusant la mondialisation, les marchés, la liberté même, au nom de l'éthique et du long terme.

Aujourd'hui, le monde avance dans cette direction : une formidable croissance alimentée par d'immenses ressources, dégagée surtout au profit des détenteurs de matières premières, et par de formidables progrès techniques, sans que nul État de droit nouveau ne se fasse jour. Le G20 a disparu dans le cimetière des illusions. L'ACTA, projet de traité international négocié en secret, prétend imposer une police des esprits sous prétexte d'une protection des brevets. Au sommet de cette mondialisation, les États-Unis dominent la planète, ne rivalisant de plus en plus qu'avec les idéologies religieuses et l'économie criminelle. L'assurance et la distraction, sous leurs formes les plus caricaturales, deviennent démocratie.

Et pourtant, l'unité démocratique du monde est de plus en plus un rêve à notre portée.

« L'Humanité, nation définitive,
est dès à présent entrevue par les penseurs,
ces contemplateurs des pénombres. »

Victor Hugo, « L'Avenir », 1867.

Introduction

Depuis aussi longtemps qu'il pense, l'homme s'est posé la question de la maîtrise du monde. Il a d'abord imaginé que des dieux gouvernaient la nature et qu'il n'y pouvait rien. Puis des hommes, prêtres, militaires, oligarques, ont prétendu gouverner des portions du monde, des mondes, puis le monde. Ils se sont efforcés de le conquérir. Par la foi. Par la force. Par le marché.

Demain, sera-t-il gouverné par les États-Unis ? Par une alliance de ceux-ci avec la Chine ? Par la Chine seule ? Par l'Inde ? Par l'Europe ? Par des entreprises ? Par des mafias ?

Sans doute ni par les uns, ni par les autres. Même si les premiers resteront très puissants et si les autres le deviendront. Car, contrairement à ce qu'on croit trop souvent, le monde sera de moins en moins sous le contrôle d'un empire, et de plus en plus sous celui du marché.

Jusqu'à ce que cette évidence s'impose : le marché ne peut fonctionner correctement sans un état de droit ; l'état de droit ne peut être appliqué et respecté sans un État ; un État ne peut durer que s'il est réellement démocratique.

Or, ni un empire, ni le marché ne pourront maîtriser les immenses problèmes qui attendent le monde. Il faudra pour cela un gouvernement mondial. Ce gouvernement revêtira une forme assez proche des régimes fédéraux d'aujourd'hui ; l'Union européenne en constituera sans doute le meilleur laboratoire. Laissant aux gouvernements des nations le soin d'assurer le respect des droits spécifiques de chaque peuple et la protection de chaque culture, il sera en charge des intérêts généraux de la planète et vérifiera que chaque nation respecte les droits de chaque citoyen de l'humanité.

Il naîtra à l'issue d'un gigantesque chaos économique, monétaire, militaire, écologique, démographique, éthique, politique ; ou, moins probablement, en lieu et place d'un tel chaos. Il prévaudra comme une thérapie de choc ; ou bien il adviendra peu à peu, dans les interstices de l'anarchie, par accumulation de réseaux tissés par les États, les entreprises, les syndicats, les partis politiques, les ONG, les individus. Il sera totalitaire ou démocratique, selon la façon dont il s'instaurera. Il est désormais urgent de le penser avant d'être pensé par lui.

*
* *

Depuis des millénaires, les hommes se rassemblent en groupes constituant des tribus, puis des villages et enfin des ensembles de plus en plus vastes. Ils s'imaginent d'abord soumis à des forces supérieures, la nature, des dieux, un Dieu, dont ils reçoivent tout : la vie, la nourriture, la santé, la mort. L'invisible, pour eux, gouverne le monde : les dieux constituent le premier gouvernement du monde.

Puis des hommes, rebelles, pensent qu'ils ne sont pas totalement soumis à la nature ni à des divinités. Ils reprennent à leur compte le gouvernement du monde. Parmi eux, des princes – babyloniens, égyptiens, assyriens, chinois, et d'autres en Afrique, en Amérique, dans le reste de l'Asie – se pensent et se veulent les maîtres du monde, au nom des dieux. Du moins, maîtres de ce qu'ils peuvent imaginer du monde, maîtres de mondes. Pour sceller leur alliance avec les dieux, ils organisent une religion et maintiennent ses prêtres sous leur coupe ; ils perçoivent des tributs, mettent sur pied une armée et une administration, espionnent le reste du monde, font régner leur propre justice, transmettent des ordres à longue distance, attirent les élites des peuples qu'ils conquièrent, prennent en otages les enfants des princes vaincus, gèrent des alliés, suscitent des conflits entre leurs rivaux.

Certains de ces princes ont des capitales sédentaires, d'autres sont sans cesse en mouvement. Gouvernant des espaces de plus en plus étendus, sans autres moyens, pendant des millénaires, que le cheval et la roue, ils s'éloignent de leurs bases pour se rapprocher de leurs nouvelles conquêtes. À leur mort ou après quelques générations, leurs empires s'effondrent. D'autres apparaissent. Ainsi, pendant des millénaires, se côtoient et se succèdent des gouvernements de fractions du monde, dirigés à chaque fois par des hommes à l'énergie et à l'*hubris* démesurées.

Les Hébreux sont peut-être les premiers à penser qu'il n'existe qu'un seul Dieu, et qu'une seule et unique espèce humaine, qui ne se réduit pas à eux et à laquelle ils ne sont pas supérieurs. Sans prétendre gouverner les autres, sans autre volonté de conquête que celle d'une Terre dite « promise », ils se dotent d'une Loi. Sept règles principales doivent, selon eux, être respectées de tous les hommes pour qu'advienne un Messie qui sauvera et gouvernera toute l'humanité. C'est la première définition d'un état de droit planétaire, d'un gouvernement du monde.

À peu près au même moment, cinq siècles avant notre ère, en un lieu voisin, certains philosophes grecs, sophistes puis stoïciens, voyageurs eux aussi à travers l'espace méditerranéen, pensent également l'homme comme un « citoyen du monde » (littéralement « cosmopolite ») ; ils proclament l'égalité des Grecs et des autres humains – tous les autres, dénommés les « Barbares ». Au IVe siècle avant notre ère, un jeune prince d'un petit pays voisin, Alexandre, tente d'édifier un gouvernement du monde sur les bases de cette philosophie. De l'Albanie à l'actuel Pakistan, de la Macédoine à l'Égypte, il y parvient durant quelques années, mêlant tous ces peuples en une conquête fulgurante.

Un peu plus tard, à partir de Rome, un nouvel empire, héritier du monde grec, conquiert et gouverne plus du tiers du monde, appliquant les mêmes règles que les empires antérieurs ; cependant qu'en Chine, en Inde, en Afrique, en Amérique s'esquissent d'autres gouvernements de fractions du monde.

Avec l'avènement du christianisme, en Occident et au Moyen-Orient, un nouveau pouvoir, l'Église, rivalise avec l'Empire romain. L'un et l'autre sont convaincus d'avoir reçu du Dieu unique et de son Fils mission de diriger l'ensemble des hommes.

Ailleurs, d'autres empires, de la Chine à la Hongrie, de l'Afrique à l'Amérique, se pensent eux aussi en maîtres d'un monde. Ce sont des empires infiniment plus vastes, plus civilisés et plus puissants que ceux d'Europe.

Tous appliquent les mêmes principes, utilisent les mêmes moyens, recourent aux mêmes ruses, exercent le même type de pouvoir. D'aucuns se reposent sur une foi, d'autres sur la force militaire, tous doivent contrôler les richesses et disposer de dirigeants ambitieux et sans limites.

Au VIIIᵉ siècle, l'islam conçoit l'*Umma* comme fondement d'un nouvel empire, militaire et universel, face aux deux empires chrétiens d'Orient et d'Occident et au pape. La Chine et l'Inde sont encore, économiquement et démographiquement, les premières puissances du monde, sans prétendre sortir de leurs frontières.

À partir de l'an mil, des grands empires d'Asie, de la Chine à Tamerlan, de Gengis Khan aux Moghols, s'épuisent en batailles ; en Europe, des villes marchandes organisent un nouveau mode de gouvernement du monde : alors que les empires, où que ce soit dans le monde, ne survivent que par la guerre, le marché a besoin de la paix. Tour à tour, Bruges, Venise, Anvers et Gênes imposent leur loi, devenant, l'une après l'autre, les « cœurs » du monde marchand. Elles gouvernent dès lors, à partir de l'Europe, des fractions de plus en plus importantes du monde.

À la fin du XVᵉ siècle, après la découverte par les Européens d'un nouveau continent et après la reconnaissance de la rotondité de la Terre, alors que les divers avatars de l'Empire romain ont disparu en

Orient et quasiment disparu en Occident, les empires d'Amérique s'effondrent et ceux d'Asie se referment ; l'Église catholique (c'est-à-dire « universelle ») se croit encore assez puissante pour décider de la répartition des terres et des mers de la planète entre deux nouveaux empires chrétiens, la Castille et le Portugal. En 1648, la fin de la guerre de Trente Ans laisse en apparence le pouvoir aux grands États d'Europe, au détriment de l'Église. En réalité, les cœurs marchands, nomades, s'imposent de plus en plus aux empires et aux nations sédentaires : Amsterdam l'emporte sur Lisbonne, Madrid, Paris et Vienne, et les Pays-Bas s'affirment à leur tour comme maîtres du monde.

La Chine et l'empire moghol en Inde produisent encore la moitié du PIB mondial avec une population supérieure à la moitié de la population mondiale. Et pourtant, ni l'une ni l'autre n'influent plus sur la dynamique du monde. À chaque étape, dans chaque « cœur », des théoriciens – tels, à la fin du XVIIIe siècle, l'abbé de Saint-Pierre, Kant et Hegel – conçoivent des projets de gouvernement mondial ou, à tout le moins, de traité mondial, destinés à assurer enfin la paix entre les nations.

En 1815, après l'échec du rêve révolutionnaire d'un gouvernement du monde au nom des droits de l'homme, et alors qu'émerge en Amérique un nouveau candidat à l'hégémonie planétaire, se met en place un gouvernement de l'Europe qu'on nomme « Concert des Nations ». En fait, sous cette étiquette, la Grande-Bretagne prend le pouvoir sur un vaste espace allant du Canada à l'Inde. Sous le masque de l'étalon-or, c'est la livre sterling qui maîtrise le système monétaire mondial.

Les technologies assurant le transport des hommes et des idées sont bouleversées. À la fin du XIXe siècle, il faut 80 jours pour faire le tour du globe. Darwin établit l'unité de l'espèce humaine. Le libre échange est présenté comme un moyen de réaliser la fraternité des hommes, en se débarrassant du carcan national. Pour que le marché fonctionne de la meilleure manière possible, des frontières tombent, des normes sont créées, par une conjonction d'initiatives venant à la fois d'entreprises capitalistes et de quelques utopistes. Les puissants vont avoir besoin d'établir des gouvernements du monde entier, et plus seulement de laisser des rêveurs les penser. C'est l'euphorie d'une mondialisation heureuse.

Apparaissent les premières internationales : celle des travailleurs voulue par Marx en 1864 ; l'Union internationale télégraphique en 1865 ; les premiers Jeux olympiques de l'ère moderne en 1896. En Occident, la paix semble assurée puisqu'elle y conditionne la poursuite du progrès. La richesse produite en Europe dépasse pour la première fois celle produite par l'Asie. Et les puissances européennes continuent de piller leurs colonies au nom de l'idée qu'elles se font de la civilisation.

Au tout début du XXe siècle, une nouvelle crise économique, puis politique, cette fois transatlantique, conduit au protectionnisme et à un conflit qualifié pour la première fois de « mondial ». De nouveau, les rivaux français et allemands de l'empire dominant s'épuisent dans une guerre, laissant un tiers, les États-Unis, qui se sont tenus à l'écart de l'essentiel des hostilités, prendre le pouvoir : le « cœur » quitte Londres et traverse l'Atlantique pour s'installer à Boston.

Une guerre mondiale, d'implacables dictatures et des idéologies haïssables envahissent alors le monde. Elles revendiquent elles aussi le gouvernement de la planète.

Deux tentatives de gouvernement mondial – chacune pensée après un conflit, et non à sa place –, la SDN et l'ONU, échouent, l'une face à l'avènement du nazisme, l'autre du fait de la « guerre froide ».

Après 1945, deux « cœurs » remplacent successivement Boston : New York, puis la Californie. Le dollar succède à la livre sterling. Le couple antagonique américano-soviétique domine le monde. Pour la première fois, avec l'arme nucléaire, l'humanité a les moyens de se suicider et commence à prendre conscience de la rareté de ses ressources.

En 1989, après l'éclatement du bloc de l'Est, les États-Unis dominent seuls le monde. Ou, en tout cas, le croient-ils. C'est, disent-ils, le « Nouvel Ordre mondial ».

Puis, comme à la fin du XIXe siècle, un optimisme mondialiste s'empare de la planète ; des continents s'ouvrent et s'unifient ; les marchés deviennent globaux ; des entreprises prennent une dimension planétaire ; des technologies, telles celles d'Internet, réduisent encore le coût et le temps nécessaires pour faire parcourir de longues distances aux hommes, aux choses et aux idées. Les valeurs de l'Occident, au premier chef la liberté individuelle, avec ses deux traductions concrètes, le marché et la démocratie, deviennent des revendications universelles, très récemment en Tunisie et en Égypte. Le monde semble s'uniformiser, broyant les différences culturelles. En Asie, en Amérique latine, en Europe de l'Est, dans le monde arabe, une partie des pauvres accède à la classe moyenne. D'innombrables institutions internationales, publiques et privées, formelles et informelles, semblent gérer tous les problèmes techniques, politiques, économiques, culturels, sociaux de la planète ; elles forment une sorte d'administration du monde, multiple et inarticulée : pour ne pas parler encore de gouvernement, on parle de « gouvernance ». Au total, les quelque deux cents chefs d'État du monde d'aujourd'hui peuvent se rendre chaque année à quatre mille conférences de leur niveau, contre deux en moyenne au XIXᵉ siècle. Et on compte chaque année plus d'États et plus de conférences.

Pourtant, une nouvelle fois, rien ne va plus, tout se désarticule : une crise économique mondiale majeure semble longtemps hors de contrôle ; les institutions internationales, de toutes natures, sont d'une faiblesse insigne ; leur impact quantitatif, sur tous les sujets, dépasse rarement 0,5 % du total de ce que les gouvernements y consacrent. Le marché devient mondial sans que s'instaure une règle de droit mondiale, encore moins une démocratie planétaire. Les États les plus puissants ne peuvent assurer le respect du droit, au mieux, que sur leur propre territoire, laissant béants des espaces où il pourra être contourné. Les États-Unis s'affaiblissent sans qu'aucun autre pays soit en situation d'occuper leur place dans la conduite des affaires du monde ; de très anciennes nations se défont ; des États par dizaines perdent les moyens de défendre leur identité et d'assurer chez eux un minimum de solidarité en faveur des plus faibles ; des régions entières deviennent des zones de non-droit ; la finance, l'assurance et les distractions prennent partout le pouvoir au détriment de l'économie réelle et de l'intérêt général ; les monnaies sont chahutées ; les inégalités se creusent ; les migrations s'accélèrent ; l'environnement se dégrade ; l'eau manque ; les moyens nucléaires, biologiques, chimiques, génétiques de détruire l'humanité prolifèrent ; les risques systémiques se multiplient. Enfin, des cataclysmes de toute nature, comme celui commencé en mars 2011 avec le tremblement de terre, le tsunami et la catastrophe nucléaire au Japon, nous rappellent que nous sommes à la merci de désastres naturels aux conséquences planétaires.

Nous en sommes là aujourd'hui, à la fois emportés par une forte croissance mondiale et au bord du chaos. Notre conception de l'avenir et de la façon dont il pourrait – devrait ou ne devrait pas – être maîtrisé découlera largement de cette longue histoire.

Qui peut, demain, être la nouvelle superpuissance ? Qui peut disposer de tous les moyens économiques, militaires, financiers, démographiques, culturels, idéologiques pour gouverner le monde ? Qui peut en avoir l'envie ? Peut-on refaire, comme beaucoup le firent dans les années 1970, le pronostic d'un effacement des États-Unis ? Et, cette fois, au profit de qui ? Qui pourra maîtriser les enjeux planétaires de demain ? En quoi l'histoire des trois derniers millénaires nous aidet-elle à répondre à ces questions pour les trois prochaines décennies ?

Si l'Histoire tend à se répéter, les États-Unis resteront pour longtemps encore la première puissance militaire, technologique, financière, politique et culturelle de la planète. Tout en régressant, au moins en valeur relative. Puis, pour la dixième fois, un nouveau « cœur » remplacera l'ancien, et le système mondial se réorganisera autour de lui. Ce « cœur » imposera son gouvernement comme l'ont fait, avant lui, les Flamands, les Vénitiens, les Génois, les Anglais et les Américains. Ce « cœur » encore indécidé sera américain, chinois, indien ou européen. Cela ne veut pas dire qu'il aura les moyens de gouverner le monde : un pays pourra dominer les autres sans pour autant être en capacité de maîtriser les menaces de toutes natures qui pèsent sur l'humanité. Aucun pays, aucune alliance, aucun G20 n'en aura les moyens.

Car l'Histoire ne répétera pas le même scénario : nulle puissance n'aura les moyens de prendre la direction du monde ; aucune ne pourra en assumer le fardeau. Les États-Unis ne seront plus le gouvernement du monde. La Chine n'en aura jamais les moyens ni le désir. L'Europe non plus, ni le G20. Un G2 entre les États-Unis et la Chine se substituera progressivement à la toute-puissance des États-Unis tout en ne pouvant les remplacer ni gouverner le monde. Nul n'est capable de maîtriser les problèmes systémiques à venir.

Un chaos polycentrique s'installera, avant de laisser place à un gouvernement mondial du marché, c'est-à-dire à des entreprises toutes-puissantes – des compagnies d'assurance pour l'essentiel –, à la disparition progressive de tout état de droit, à une anarchie explosive, à des inégalités extrêmes, à des migrations majeures, à de multiples raretés, à des guerres régionales d'une grande violence, à des désordres financiers et climatiques. Aucune institution internationale actuelle – ni ONU, ni G8, ni G20 – ne résistera à la puissance des marchés ni à l'âpreté de ces chocs. Rien ni personne ne sera capable de contenir l'économie criminelle, la prolifération des armes, les désordres écologiques et technologiques.

On pourrait alors voir s'installer à l'échelle de la planète ce qu'on a connu à l'échelle des nations au début du XXe siècle après l'échec de la première mondialisation : un retour des nations, des dictatures crispées sur des territoires affirmant l'ambition de protéger leur culture ou de gouverner le monde. Deux idéologies potentiellement totalitaires s'annoncent déjà avec cette ambition : celle de l'écologie et celle du religieux, curieusement symbolisées l'une et l'autre par la couleur verte. Elles tenteront d'abord de s'imposer par leur seule force doctrinale avant de s'insérer dans l'idéologie d'une nouvelle démocratie.

A priori, rien ne semble annoncer une pareille évolution : le monde est entre les mains de puissants, et d'abord des États-Unis, qui n'ont aucune raison de vouloir changer quoi que ce soit à l'ordre institué en 1945 ; et même s'ils le voulaient, ils en auraient de moins en moins les moyens. De leur côté, les nouvelles puissances – Chine, Inde, Brésil, Indonésie, Mexique, Turquie, Afrique du Sud, Nigeria, entre autres – refuseront, elles aussi, la création d'un gouvernement supranational et démocratique du monde, et préféreront revendiquer leur droit à la direction des affaires planétaires.

Oser penser un gouvernement du monde n'est pourtant pas illusoire : l'Histoire a bien plus d'imagination que tous les romanciers.

Il faudra sans doute attendre que des catastrophes d'ordre financier, écologique, démographique, sanitaire, politique, éthique, culturel, comme celle du Japon en mars 2011, fassent comprendre aux hommes que leurs destins sont liés. Ils prendront alors conscience de l'ampleur des menaces systémiques à venir. Ils réaliseront que le marché mondial ne peut fonctionner correctement sans état de droit mondial, que l'état de droit ne peut être appliqué sans État, et qu'un État, même mondial, ne peut perdurer s'il n'est pas réellement démocratique. Ils se rendront compte que l'humanité dispose d'atouts considérables pour réussir son avenir : des technologies, des compétences, des ressources humaines, financières et matérielles. Il lui manque seulement une organisation, un gouvernement démocratique efficace.

Bien des questions se poseront alors : un tel gouvernement démocratique supranational pourra-t-il exercer un pouvoir réel sur l'ensemble de la planète sans laisser subsister d'innombrables zones de non-droit ? En quoi sera-t-il moins corrompu, moins bureaucratique, plus efficace que les pouvoirs en place ? Comment pourra-t-il partager équitablement des ressources de plus en plus rares ? Sera-t-il à même de réduire les risques de conflit planétaire ? Pourra-t-il tenir compte des intérêts du long terme ? Est-il imaginable qu'un tel gouvernement combine la démocratie libérale américaine, la social-démocratie européenne et la capacité de penser le long terme de la Chine ? Enfin, comment éviter que ce gouvernement du monde soit la simple ratification de la nouvelle toute-puissance de quelques-uns, nations ou entreprises, qui viendraient imposer à tous les autres une nouvelle forme de totalitarisme, au moment même où les derniers peuples soumis se libèrent de leurs dictateurs ?

Bien des gens ont réfléchi à ces questions depuis des siècles. Surtout pour inventer des mécanismes de maintien de la paix entre les nations ; aujourd'hui, si la guerre reste un sujet d'importance majeure, elle n'est plus le seul : les hommes peuvent s'entre-détruire par bien d'autres moyens que la violence des armes.

Il existe d'innombrables projets de gouvernement du monde. La place occupée par les Européens dans cette réflexion ne doit pas surprendre : d'une part, huit pays au moins du Vieux Continent ont été des empires d'ambition planétaire (les Grecs, les Romains, les Espagnols, les Portugais, les Hollandais, les Français, les Allemands, les Anglais) ; le Vatican et les États-Unis sont eux-mêmes inspirés du rêve mondialiste européen ; d'autre part, tous les Européens et les Américains auraient intérêt à un gouvernement mondial qui prolongerait leur emprise sur le reste de l'humanité. Ce constat ne saurait faire obstacle à la réflexion : l'Europe a aussi été le berceau de la démocratie ; elle ne doit donc pas s'étonner d'être aujourd'hui un des lieux majeurs de l'invention d'un gouvernement démocratique de la planète. Elle n'est pas le seul : en Chine, en Inde, en Afrique, on y travaille également.

Par définition, le meilleur gouvernement du monde devra prendre en compte l'intérêt général de la planète et de l'humanité. Il ne pourrait donc être simplement multilatéral. Il devrait revêtir une certaine dimension supranationale.

Pour le dessiner, il ne pourra suffire de réformer un État imparfait : il n'y a pas de bastille à prendre, pas de monarque à remplacer, pas de ministères ou de palais nationaux à occuper. Non seulement il n'y a pas de pilote dans l'avion, mais il n'y a pas de cabine de pilotage. On ne peut donc penser le gouvernement du monde en termes de prise de pouvoir, ni se glisser dans un appareil de pouvoir préexistant.

C'est à la fois une difficulté et une chance : une chance pour penser, une difficulté pour agir.

Dans un monde idéal où chacun aurait le droit de circuler librement, on pourrait imaginer un gouvernement démocratique planétaire. Il serait doté d'un parlement, de partis, d'une administration, de juges, de forces de police, d'une banque centrale, d'une monnaie, d'un système de protection sociale, d'une autorité en charge du désarmement, d'une autre en charge du contrôle de la sécurité du nucléaire civil, et d'un ensemble de contre-pouvoirs. Il ne serait en charge que des intérêts généraux de la planète, aiderait les plus faibles à protéger leur identité et leur culture et vérifierait que chaque nation, chaque espace continental respecte les droits de chaque citoyen de l'humanité, laissant aux gouvernements de chaque sous-ensemble le soin d'assurer le respect des droits spécifiques de chaque peuple.

Dans le monde réel, un tel gouvernement est impossible à mettre en place. Un autre, plus modeste, plus pragmatique, transformant progressivement les organisations existantes pour les orienter vers le modèle idéal, est tout à fait possible. Il suffirait, pour s'écarter de la voie du désastre, de quelques réformes telles que la fusion du G20 avec le Conseil de sécurité des Nations unies, en plaçant sous son autorité toutes les organisations de compétence mondiale tels le FMI et la Banque mondiale et en soumettant l'ensemble au contrôle de l'Assemblée générale des Nations unies. Un tel traité peut tenir en dix lignes. Il peut être adopté en une journée.

Certains dénonceraient en lui une oppressante dictature à l'échelle de la planète. Il est vraisemblable que, si elle votait aujourd'hui, l'humanité s'y opposerait largement, alors qu'elle voterait sans doute un texte général, affirmant l'unité et la solidarité de l'espèce humaine, voire réclamant la tenue d'états généraux du monde. C'est donc par eux qu'il faudra commencer.

1

Premiers gouvernements de mondes

Depuis l'Antiquité la plus reculée, des dieux ont gouverné le monde, puis des hommes ont gouverné au nom des dieux ce qu'ils croyaient être la totalité du monde, ou du moins ce qu'ils pensaient en être la partie la plus importante. Gouverneurs de mondes, ils ont bâti des empires de plus en plus immenses, les inscrivant dans des cosmogonies qui conféraient un sens théologique à leurs projets.

Cette longue histoire mérite d'être contée et comprise. Elle détermine les conceptions les plus modernes du destin du monde ; elle explique la constitution des empires ultérieurs et les philosophies plus récentes de l'Histoire. Elle en dit long sur les raisons pour lesquelles tel ou tel peuple fut maître du monde – ou à tout le moins d'un monde – à un moment donné de l'Histoire. Elle conditionne la façon dont le monde est gouverné aujourd'hui et dont il pourrait – devrait, ou ne devrait pas – l'être mieux demain.

LES DIEUX,
PREMIERS GOUVERNEMENTS DU MONDE

Tout commence par des dieux créateurs et gouverneurs du monde.

Les récits qui traitent des origines mettent presque tous en scène un ou plusieurs dieux créant un univers à partir du chaos pour ordonner et gouverner le monde. Dans de très nombreuses cosmogonies, un œuf initial contient en germe tous les éléments constitutifs des dieux qui vont gouverner l'univers après éclosion. En Chine, P'an-Kou reste en gestation dans cet œuf originel pendant dix-huit mille ans avant d'en briser la coquille pour devenir le Ciel et la Terre. En Inde, les textes védiques évoquent l'Œuf d'or cosmique flottant sur les eaux originelles d'où émerge Prajâpati, divinité ordonnatrice du monde. En Égypte, sur un tertre émergé du Noûn, apparaît un œuf dont la coquille, en se brisant, libère le Créateur. En Mésopotamie, Apsû (l'eau douce) et Tiamat (l'eau salée) engendrent les premiers dieux ; l'un d'eux, Ea, crée l'humanité à partir du sang de Kingu ; celui qui l'a tué, Marduk, écarte tous les autres dieux. En Grèce, dans le récit d'Hésiode – un des plus anciens textes mythologiques connus –, les dieux sont créés avec le monde : Gaïa, la Terre, « engendre » Ouranos, le Ciel, puis s'unit à lui pour créer les Titans, qui engendrent eux-mêmes d'autres êtres naturels (fleuves, vents, etc.) et d'autres créatures divines, dont Zeus, fils de Cronos.

Dans ces mondes que les dieux créent, gouvernent et détruisent à leur guise, l'homme est soit l'une de leurs créations, comme en Mésopotamie, soit une espèce vivante parmi d'autres, comme en Égypte, soit encore un dieu déchu. En général, le nom d'« homme » est réservé aux seuls membres du peuple qui ont conçu cette cosmogonie.

En Afrique, chez les Dogon, le dieu Amma est un potier qui, après avoir créé le Soleil, la Lune et l'ensemble du vivant, fabrique le corps d'une femme et enfante avec elle des jumeaux, symbole de l'alliance des hommes avec la nature. Chez les Bambara, le néant des origines, *fu*, donne naissance au savoir, *gla* ; de leur union naît la première force créatrice de l'Univers, qui aboutit à l'émergence de la pensée, *Yo*, laquelle crée le monde matériel en créant Pemba, le « principe lourd », la Terre, Faro, le « principe léger », le Ciel, et l'ensemble du vivant ; Faro donne ensuite naissance à des jumelles qui engendreront les humains et les gouverneront.

En Grèce, quand Prométhée lui dérobe le feu, Zeus oblige les hommes au travail pour produire leur nourriture, les rend mortels et demande à Héphaïstos de façonner Pandore, la première femme, qui libère tous les maux.

Partout, de la Chine à l'Amérique, de l'Inde à l'Europe, de l'Afrique à la Sibérie, les dieux décident alors de toutes choses : de la pluie, du vent, de la richesse, de l'amour, de la vie, de la santé, de la mort. Leurs caprices énigmatiques – qu'on appellera plus tard, dans le monde chrétien, la « providence » et, dans l'islam, *kadar*, le « destin » – contraignent les hommes à négocier avec eux, à leur faire des offrandes pour obtenir la paix, la santé, la richesse ou un séjour privilégié dans l'au-delà.

LES HOMMES-DIEUX

Puis, il y a quelque six mille ans, des hommes, prêtres ou militaires, s'arrogent le pouvoir de gouverner le monde. Dieux et empereurs se mêlent alors en des dynasties communes. Les uns sont les héritiers des autres et gouvernent de vastes fractions de mondes, des empires.

Ces premiers empires – en Chine, en Mésopotamie, en Égypte, en Inde, en Amérique, en Afrique – gouvernent chacun un monde. Pour assurer leur pouvoir, les premiers princes utilisent des moyens à peu près immuables d'empire en empire pendant des millénaires : ils se prétendent d'origine divine, asservissent les prêtres, accaparent ressources naturelles et récoltes sur un territoire aussi vaste que possible ; ils mettent en place une armée et une administration, conquièrent les terres voisines, font régner leur justice, espionnent le reste du monde, transmettent des ordres à longue distance, attirent les élites des peuples qu'ils soumettent et suscitent des conflits entre leurs rivaux. Certains d'entre eux ont des capitales sédentaires ; d'autres sont sans cesse en mouvement. Gouvernant des mondes de plus en plus étendus, ils se coupent de leurs bases pour se rapprocher de leurs nouvelles conquêtes. Les cultures, les langues se mêlent ; l'empereur se veut démiurge syncrétique. À sa mort, ou après plusieurs générations, son empire s'effondre. D'autres apparaissent, suivant les mêmes règles et les mêmes stratégies.

Au troisième millénaire avant notre ère, en Asie, l'alliance du cheval, de la roue et de la métallurgie entraîne une formidable révolution politique : d'abord utilisé comme animal de bât pour charrier charges et tentes, le cheval est ensuite attelé à des chars de guerre, puis à des chariots, donnant le pouvoir à ceux qui les possèdent, d'abord sur les plateaux bordant l'Himalaya et l'Hindou Kouch. Ils disposent alors d'armes d'une puissance telle qu'aucun fantassin ne peut les contrer ; ils renversent les remparts, conquièrent les richesses accumulées dans les premières villes. Certains se contentent d'un espace borné comme en Chine, quand d'autres cherchent à conquérir le monde.

Dans le monde chinois, l'empereur est *Tianzi*, le « Fils du Ciel », l'égal du premier des dieux. L'Univers est sa maison, la Terre est son char. Il gouverne le *Tianxia*, qu'on peut traduire par « empire » ou plutôt par « tout ce qui vit sous le Ciel ». Pour assurer l'harmonie entre les hommes et la nature, l'empereur est Maître unique du Calendrier ; il fixe les dates des fêtes et des rites ; il est le chef de guerre contre les étrangers, et préside à la paix intérieure entre Chinois. Son rôle est, comme le fait le soleil, de mettre le monde en ordre, non de le dominer.

En Mésopotamie, des empires se pensent eux aussi, l'un après l'autre, maîtres du monde. Ils se fondent sur une religion d'État constituée autour d'un dieu, d'une loi, d'un calendrier. Ils ne survivent que brièvement à leurs fondateurs : autour de –2340, Sargon unifie Sumer et Akkad, puis vient Ur-Nammu ; vers –1688, Hammourabi se fait nommer « roi des Quatre Régions du monde » au nom du dieu Marduk : « Lorsque Marduk m'eut donné mission de mettre en ordre mon peuple et de faire prendre la bonne route à mon pays, j'y instaurai le droit et l'ordre, et ainsi apportai-je la prospérité à mes sujets. » Il fait connaître son code à son monde en érigeant des stèles dans les villes les plus importantes « afin de proclamer la Justice en ce monde, de régler les disputes et réparer les torts ». Il a cinq successeurs, puis sa dynastie disparaît vers – 1530 à la suite d'invasions hittites et kassites. Viennent ensuite les empires assyriens de Tukulti-Ninurta Ier, de Teglath-Phalasar III, de Sargon II, d'Assourbanipal, puis le royaume babylonien de Nabuchodonosor II. L'empire mésopotamien disparaît définitivement en – 539 quand un roi des Perses, Cyrus le Grand, l'intègre à l'Empire achéménide avant d'être lui-même défait par les Grecs deux siècles plus tard.

En Égypte, à partir du roi Ménès, au IIIe millénaire avant notre ère, le pharaon se proclame lui aussi « fils du Dieu, ayant reçu en héritage l'empire universel sur la Création ». Des nomarques administrent en son nom les provinces ; le pharaon leur rend visite pour s'assurer de leur loyauté. Au XVIIe siècle avant notre ère, l'empire de l'Égypte se disloque sous les coups de souverains étrangers venus d'Asie, les Hyksos. Après environ un siècle de troubles, Ahmôsis Ier rétablit l'empire. Au XIVe avant notre ère, l'un de ses héritiers, Akhenaton, proclame l'égalité entre tous les hommes et se dit représentant sur terre du Dieu-Soleil, gouverneur du monde en Son nom. Quand, un peu plus tard, la XVIIIe dynastie annexe le nord de l'actuel Soudan, elle ramène comme otages en Égypte les fils des dirigeants locaux. Vers l'an mil avant notre ère, l'empire égyptien se décompose à nouveau sous l'effet de causes internes (corruption des fonctionnaires, famines, pillages...) et externes (attaques des Peuples de la mer). Le départ des Hébreux, alors retenus en esclaves par les pharaons, est le symbole de ce déclin.

LE GOUVERNEMENT JUDÉO-GREC DU MONDE

Esclaves en Égypte, les Hébreux réussissent à s'enfuir vers leur terre « promise » à un de leurs ancêtres, Abraham – lui-même héritier de Noé, qui a partagé le monde entre ses trois fils, à l'un l'Afrique, à l'autre l'Asie, au troisième l'Europe. Ils pensent que tous les hommes sont égaux, issus d'un même homme, et que leur dieu unique est aussi celui de toute l'espèce humaine. Tous les hommes, disent-ils, doivent obéir à sept lois dites « noachides » (en référence à Noé) pour faire partie des Justes et favoriser la venue du Messie. Celui-ci gouvernera le monde et le conduira à la réalisation de la prophétie contenue dans un verset d'Isaïe aujourd'hui gravé devant la façade du bâtiment des Nations unies : « Ils [les peuples] briseront leurs épées pour en faire des socs, et leurs lances pour en faire des serpes. On ne lèvera plus l'épée nation contre nation, on n'apprendra plus à faire la guerre. »

Mettant en pratique cette doctrine, les Hébreux se donnent des Juges, puis des Rois. Il y a vingt-neuf siècles, le troisième d'entre eux, Salomon, entend donner une capitale au monde pour hâter la venue du Messie : Jérusalem. Pour lui, le peuple hébreu ne doit pas chercher à gouverner le monde, encore moins le conquérir, mais seulement être juste ; pour cela, il doit faire en sorte que les soixante-dix peuples qui l'entourent (c'est-à-dire le reste de l'humanité) soient heureux avant lui.

Quand, il y a vingt-cinq siècles, les juifs, ultimes Hébreux, sont dispersés de l'Ibérie à la Chine, ils mettent en place, pour maintenir au moins leur unité théologique, un tribunal suprême, le Sanhédrin, d'abord situé à Jérusalem, puis à Bagdad ; cas unique d'un gouvernement centralisé d'un monde dispersé. À sa jurisprudence doivent se soumettre les tribunaux des communautés dispersées. Dans l'attente d'un Messie qui viendra gouverner l'humanité.

En Grèce, au même moment, certains récits expliquent que les dieux ne gouvernent pas les hommes, qu'ils les méprisent même, et que ce mépris est libérateur : aux hommes de se gouverner eux-mêmes. Voici venu le temps de la liberté individuelle. En tout cas, pour les rares hommes libres...

À partir du Ve siècle avant notre ère, à Athènes, certains professeurs d'éloquence, les sophistes, proclament que les hommes sont libres et égaux, qu'ils soient grecs ou non. Parmi eux, Protagoras, Gorgias, Hippias d'Élis sont de grands voyageurs. Protagoras, par exemple, est envoyé par Périclès élaborer les institutions d'une colonie grecque, Thyrium. Leur nomadisme les conduit à relativiser les valeurs éthiques, les croyances scientifiques et religieuses de leur propre culture. Pour eux, tous les hommes appartiennent à la même espèce. Être grec n'est pas un privilège. Quant au patriotisme athénien tel que Calliclès l'exprime dans le *Gorgias* de Platon, c'est, disent-ils, une absurdité. Hippias, qui donne la réplique à Socrate dans le *Protagoras* de Platon, s'élève contre l'ethnocentrisme ; il explique qu'une norme morale universelle dépasse les lois et coutumes particulières et qu'une fraternité naturelle et éternelle se doit d'unir tous les hommes : « C'est par la nature que le semblable est apparenté au semblable ; la loi n'est qu'un tyran pour les hommes et fait maintes fois violence à la nature. » Hippias exprime aussi cette conviction en disant que « l'Asie et l'Europe [sont] toutes deux filles d'Océan ». Antiphon, contemporain d'Hippias, remet lui aussi en cause la distinction entre Grecs et étrangers (les « Barbares »), « car nous expirons tous de l'air par la bouche et le nez, et nous mangeons tous avec les mains [...]. Une fausse compréhension de la nature des choses ferme les hommes les uns aux autres et les empêche de s'entendre ». Un autre sophiste, Alcidamas d'Élée, ajoute : « Dieu a fait naître tous les hommes libres ; la nature n'a fait personne esclave. » Pour un autre encore, Ératosthène, Hellènes et Barbares doivent « se mêler comme dans un calice d'amour universel ».

Un siècle plus tard, vers –350, Diogène, fondateur de l'école cynique, en déduit une notion fondatrice : le « citoyen du monde » (« cosmopolite »). Pour lui, le « cosmopolitisme », mot forgé bien plus tard, définit une véritable solidarité humaine et non plus, comme pour les sophistes, un simple refus de nationalisme. À ses yeux, tous les humains participent de la raison universelle (le *logos*) ; ils sont frères, égaux et solidaires. Ils participent tous également de l'Univers, matérialisation de la pensée rationnelle, où tout est ordonné harmonieusement par ce qu'il nomme l'« Agent divin ». Les hommes forment un *politikon systema* (communauté de vie rationnelle), lequel « les soumet à un même devoir d'harmonie avec la nature ». Tel est le seul fondement pour lui d'un gouvernement du monde. Pour Isocrate, qui dirige alors à Athènes une école philosophique rivale de celle de Platon, « c'est l'esprit et non pas le sang qui fait le Grec ».

Au même moment, à Athènes, un autre géant de la philosophie grecque, élève d'Isocrate puis de Platon, Aristote, qui n'apprécie guère les sophistes, affirme pourtant, comme eux, que tous les hommes, grecs ou non, sont des « animaux politiques » et constituent la seule espèce animale à utiliser le langage articulé : « La parole est faite pour exprimer l'utile et le nuisible et, par suite, aussi le juste et l'injuste. Tel est en effet le caractère distinctif de l'homme en face de tous les animaux : seul il perçoit le bien et le mal, le juste et l'injuste, et les autres valeurs ; or, c'est la possession commune de ces valeurs qui fait la famille et la cité. »

Ces concepts d'universalité cosmopolite vont bientôt servir à l'un des élèves d'Aristote, autoproclamé empereur du monde, à concevoir et à instaurer son propre gouvernement, le premier dans l'Histoire à dominer des espaces situés sur trois continents. Les Grecs couvrent alors l'Afrique jusqu'à la Libye et l'Inde jusqu'au Gandhara, région elle-même en contact avec la Chine. Ayant, à vingt ans, en – 336, reçu en héritage de son père l'exiguë Macédoine et une alliance floue avec quelques cités grecques, Alexandre aspire à gouverner ce qu'on connaît du monde. Étrange personnalité faite de démesure, telle qu'on en retrouvera qu'une dizaine tout au plus dans l'Histoire. Se proclamant Dieu, descendant d'Achille et d'Hercule, il conquiert rapidement toute la Grèce, puis l'Asie mineure, le Levant, l'Égypte, se dit aussi « fils d'Amon » et exige qu'on lui rende un culte en tant que « Dieu invincible » (*théos anikètos*). Il conquiert ensuite, en quelques années, la Judée, la Samarie, l'empire des Perses, l'Iran oriental, l'actuel Afghanistan, l'Hindou Kouch, balaie l'empire scythe et le royaume de Chorasmie, très puissant empire du sud de la mer d'Aral. Il incite les habitants de son empire à apprendre les différentes langues de celui-ci et fonde des villes (dont sept portent son nom) où la citoyenneté est accordée tant aux Grecs, qui s'y orientalisent par l'habillement et les habitudes de cour, qu'aux autochtones, qui s'hellénisent par la langue et le comportement.

Après son retour à Babylone, à moins de trente ans, Alexandre réorganise son armée pour conquérir l'Arabie et ouvrir une route maritime entre le golfe Persique et l'Égypte. Il enrôle 50 000 jeunes gens de Perse et d'autres pays d'Asie et leur fait apprendre le grec et les techniques de guerre macédoniennes, ces nouveaux cadres de l'armée seront appelés les « épigones ». Il épouse la fille d'un satrape perse, Roxane, la « perle de l'Orient », puis, en − 324, à Suse, deux femmes de la famille royale perse, dont Barsine, fille aînée du souverain, Darius, en même temps que quatre-vingt-dix de ses officiers épousent des Perses ou des Mèdes, et que dix mille soldats grecs épousent des Perses. Les enfants nés de ces unions devront, dit-il, former la nouvelle classe dirigeante de l'empire et les cadres de l'armée. Commentant cet épisode, Plutarque écrira : « Il a réuni tous les peuples du monde comme dans un cratère à mélanger. [...] Il a ordonné que tous considèrent la Terre comme leur patrie. » Mais l'« orientalisation » du régime est mal acceptée par les Macédoniens, et l'armée se révolte.

Alexandre meurt à trente-deux ans, en − 323, sans laisser d'héritier adulte. Son demi-frère, Philippe III

Arrhidée, est trop faible pour empêcher son empire de se disloquer et de se répartir entre ses anciens généraux : Ptolémée en Égypte, Séleucos en Syrie, d'autres en Mésopotamie et en Perse. Les mariages organisés par Alexandre se défont. L'empire achève de disparaître à jamais.

Un demi-siècle plus tard, vers – 280, le fondateur du stoïcisme, Zénon de Citium, dont aucun ouvrage ne nous est directement parvenu, répète que tous les êtres humains doivent être soumis à la même loi parce qu'ils sont égaux, dotés du même *logos* qui leur confère une place égale dans l'ordre universel. Plutarque écrira plus tard : « Zénon a écrit une *République* très admirée dont le principe est que les hommes ne doivent pas se séparer en cités et en peuples ayant chacun leurs lois particulières ; car tous les hommes sont des concitoyens, puisqu'il y a pour eux une seule vie et un seul ordre de choses, comme un troupeau uni sous la règle d'une loi commune. »

En Chine, les Han gouvernent alors le pays le plus peuplé de la planète, le quart du monde, sans songer à sortir de leurs frontières. En Inde, à la même époque, les empereurs Maurya gouvernent un autre quart du monde, une population considérable et un immense espace allant du Tibet au Sri Lanka, de l'Afghanistan à la Birmanie. Au IIIe siècle avant notre ère, l'un de ces empereurs, Açoka, devenu bouddhiste, gouverne cet empire à l'aide d'une administration considérable et fait connaître ses ordres par des inscriptions gravées en plusieurs langues sur des colonnes érigées dans tout son empire, et au-delà.

Le monde selon Rome

À côté d'Alexandre et surtout après lui, Rome se veut le successeur de son empire en gouvernant un monde qui s'étend progressivement à une part considérable de la planète : entre le milieu du IVe siècle et celui du Ier avant notre ère, la dimension de l'espace romain quintuple, puis continue de croître jusqu'à dépasser la taille et la population de la Chine et de l'Inde. Écrasant les Gaulois à l'ouest et les Parthes à l'est, Rome s'organise comme les autres empires avant lui : des impôts, une armée, une administration, des alliances, des soumissions. Les habitants de la péninsule italienne reçoivent, pour la plupart, la qualité de citoyens et se voient appliquer le droit romain. Ailleurs dans le monde romain, on applique le droit romain ou un droit local. Les provinces sont administrées par des gouverneurs choisis pour quelques années ; pour transmettre ordres, armes ou marchandises, des esclaves ou des affranchis parcourent 30 kilomètres par jour à pied, 60 à cheval, 70 en carriole, 220 en bateau (ce qui met Rome à 39 jours d'Antioche et à 54 jours d'Alexandrie). Rome noue des alliances avec d'autres empires, tels le Bosphore et la Colchide de Mithridate ou l'Égypte de Cléopâtre.

Entre − 58 et − 51, un gouverneur de la Gaule cisalpine, Jules César, repousse la frontière de l'espace romain vers le Rhin et l'Atlantique, s'empare de l'Angleterre, puis prend le pouvoir à Rome. Il instaure un protectorat sur l'Égypte et annexe le Pont et la Numidie. Il organise la colonisation de ces territoires par les vétérans de ses armées. Ainsi est fondée Lyon (en – 43). Vers le milieu des années – 40, Suétone dénombre 80 000 de ces colons outre-mer. Installé au pouvoir, César gouverne par l'argent, les jeux, les alliances. À l'image d'Hammourabi dix-huit siècles avant lui, César se lance dans la codification du droit et du calendrier. Tout comme Alexandre trois siècles avant lui, il se proclame d'origine divine, descendant de Vénus et d'Énée, dont le poète Virgile, son quasi-contemporain, conte le destin, faisant dire à Jupiter : « Je n'assigne de limite ni à la puissance des Romains, ni à sa durée. [...] À toi, Romain, qu'il te souvienne d'imposer aux peuples ton empire. Tes arts à toi sont d'édicter les lois de la paix entre les nations, d'épargner les vaincus, de dompter les orgueilleux. » Il démet les sénateurs corrompus, nomme des princes vaincus comme sénateurs ou gouverneurs de province. Il choisit lui-même tous les magistrats, hormis les tribuns de la plèbe, qui continuent d'être élus. Il rayonne sur la planète : Orose raconte ainsi dans ses *Histoires* comment, « après avoir traversé le monde entier, les ambassadeurs des Indiens et des Scythes » viennent rendre hommage à César. En – 48, il se fait nommer dictateur, d'abord pour un an, puis pour dix (en – 46), puis à vie (en – 44).

Comme Alexandre, César s'aliène alors ses premiers amis. Lors des ides de mars – 44, tandis qu'il prépare une guerre contre les Parthes qui lui aurait permis de faire de l'Empire romain l'égal de celui d'Alexandre, il est assassiné par soixante conjurés. Un triumvirat (Octave en Occident, Lépide en Afrique, Marc Antoine en Orient) lui succède. En – 27, Octave prend le titre d'empereur et le nom d'Auguste. Il met en place un réseau de courrier qui permet de correspondre avec ses fonctionnaires dans tout l'empire : le *cursus publicus.*

La Rome impériale a alors pour ambition d'étendre son *imperium* sur l'ensemble du monde (*orbis terrarum*) dit « civilisé ». Les Romains ont une connaissance très limitée de l'Afrique subsaharienne. En – 20, Cornelius Balbus mène une dizaine d'expéditions à l'extrémité sud de l'Empire et se bat contre les Garamantes, tribus nomades de l'actuelle Libye, dont il conquiert la capitale, Garama. Mais ils ne s'aventurent pas plus loin dans le continent. En fait, les Romains ne ressentent pas le besoin d'investir au-delà du Sahara : cela serait trop coûteux et surtout trop risqué (les tribus de la région sont hostiles et difficilement assimilables). Une telle expédition apparaît de surcroît inutile depuis que les richesses du continent africain semblent affluer naturellement vers les ports de l'Empire. L'intérieur du continent noir leur reste donc largement inconnu. Les Romains se représentent les Chinois comme les Sères, peuples du pays de la Soie et localisent ce territoire mystérieux aux confins du monde connu, dans ce qu'ils appellent alors l'*ultimus.* Pomponius Mela, le plus ancien géographe romain connu, pense que le monde est divisé en cinq zones climatiques : deux extrémités gelées par le froid, un noyau central dévoré par la chaleur et deux zones vivables, l'une peuplée par les Antichtones (peuple imaginaire) et l'autre, peuplée par les habitants du monde connu. Il divise ce monde connu en trois zones ; la première, l'Afrique, s'étend jusqu'au Nil, la seconde, l'Europe, jusqu'au fleuve Tanaïs (dans l'actuelle Russie). « Tout ce qui se trouve au-delà s'appelle l'Asie », affirme-t-il dans l'ouvrage *Du monde et ses parties*. Il semblerait que les Chinois connaissent eux aussi l'empire romain, qu'ils nomment tantôt l'« empire des richesses », tantôt « Dat Qin », l'autre Chine.

Dans la seconde moitié du Ier siècle, sous Trajan, l'Empire romain atteint sa taille maximale avec la conquête de l'Arabie, de la Dacie et de la Mésopotamie. L'empereur romain se fait alors désigner comme *cosmocrator* (maître de l'univers). En 166, une flotte romaine, habituée au commerce avec l'Inde, parvient à la cour du Fils du Ciel, se faisant passer pour une mission diplomatique. Au IIe siècle, dit « des Antonins », Rome est la ville la plus peuplée du monde avec près d'un million d'habitants ; l'empire en compte environ 80 millions, soit plus d'un tiers de l'humanité. À la même époque, l'empire des Han, à l'unité beaucoup plus incertaine, ne compte qu'environ 50 millions d'habitants. On en compte presqu'autant en Inde. L'humanité, au total, atteint à peine les 200 millions.

Les possessions se répartissent alors entre « provinces sénatoriales » (sous la responsabilité du Sénat), qui ne requièrent qu'une administration civile, avec à leur tête un proconsul, et, aux frontières, « provinces impériales » moins romanisées, administrées par un légat militaire commandant des troupes. Les élites provinciales affluent à Rome, où elles fournissent marchands, poètes, sénateurs et plus tard empereurs : les Antonins viennent d'Ibérie, et la dynastie suivante, les Sévères, d'Afrique du Nord. Les dieux des peuples soumis sont progressivement inclus dans le panthéon romain, lui même simple traduction du panthéon grec. L'esprit stoïcien cosmopolite y est diffusé par de nombreux maîtres, tels Marc Aurèle, Épictète et Sénèque, qui écrit : « Je saurai que ma patrie, c'est le monde ; que mes protecteurs, ce sont les dieux ; qu'ils se tiennent au-dessus de moi, censeurs de mes actions et de mes discours. » La citoyenneté romaine s'étend de plus en plus : au IIe siècle, le rhéteur grec Aelius Aristide, devenu citoyen romain, écrit dans son *Éloge de Rome* : « Vous avez, en hommes généreux, distribué à profusion la citoyenneté. [...] Vous avez cherché à en rendre dignes l'ensemble des habitants de l'Empire ; vous avez fait en sorte que le nom de Romain ne fût pas celui d'une cité, mais le nom d'un peuple unique. »

En 212, pour « rendre grâce aux dieux » et mettre un terme aux « chicanes et réclamations », l'empereur Caracalla accorde la citoyenneté romaine à tous les hommes libres de l'empire, ce qui, surtout, augmente considérablement le nombre de contribuables.

Près de deux siècles plus tard, Claudien, poète d'Alexandrie, protégé à Rome d'un ministre de l'empereur Honorius, écrit encore, un dernier hommage à l'hospitalité romaine : « Rome seule a reçu dans son sein ceux qu'elle avait vaincus, et, se conduisant en mère et non en dominatrice, a donné un même nom à tout le genre humain. De ceux qu'elle a domptés elle a fait des citoyens. Elle a réuni par des liens sacrés les peuples éloignés. C'est grâce à son amour de la paix que partout nous retrouvons une patrie, que nous ne formons tous qu'une nation. Jamais il n'y aura de terme à la domination romaine. »

Classique syndrome des empires, qui se croient tous éternels gouvernements du monde.

2

Cité des hommes, cité de Dieu
(Ier-XIIe siècle)

Quand commence le premier millénaire, le monde est divisé entre des centaines d'empires gouvernant leurs mondes et s'ignorant les uns les autres. En Amérique du Nord, les Anasazi, au centre, les Olmèques, plus au sud, les Chimú et bien d'autres. En Afrique s'annoncent l'empire du Ghana, celui des Dogon et tant d'autres, sans traces écrites. En Asie, la toute-puissante Chine, où règnent les Han, s'assoupit. L'Inde, où règnent les Maurya, se déchire.

En Europe, l'Empire romain, comme tous les autres avant lui et après lui, est encore dominant et va bientôt s'effacer, du moins en apparence ; car l'ensemble de l'Occident et, au-delà, une part notable du monde deviennent romains dans l'esprit et dans les mœurs – c'est-à-dire, en fait, grecs.

Ou plutôt judéo-grecs. Car une autre foi, issue du judaïsme, se pense désormais digne de régner sur le monde. À cette fin, elle va prendre le pouvoir sur les esprits puis sur les corps dans les multiples avatars de l'Empire romain.

LE GOUVERNEMENT CATHOLIQUE,
C'EST-À-DIRE « UNIVERSEL »

D'abord confiné à l'intérieur du judaïsme, le message de Jésus vise à convaincre « jusqu'aux extrémités de la Terre ». L'ambition de ceux qui le portent juste après sa mort est bientôt de gouverner toutes les âmes du monde, et même tous les esprits du monde : « Allez, de toutes les nations faites des disciples, les baptisant au nom du Père et du Fils et du Saint Esprit » (Mt XXVIII,19). Dans son *Épître aux Galates*, Paul écrit, comme, avant lui, les sophistes, que tous les hommes sont fils de Dieu : « Car vous êtes tous fils de Dieu par la foi dans Jésus-Christ. Vous tous, en effet, baptisés dans Christ Jésus, vous avez revêtu le Christ : il n'y a ni Juif ni Grec ; ni esclave ni homme libre ; il n'y a ni homme ni femme ; car tous, vous êtes un dans le Christ Jésus. [...] Vous n'êtes plus des étrangers, ni des émigrés ; vous êtes des concitoyens des saints, vous êtes de la famille de Dieu. » Les hommes deviennent fils de Dieu s'ils se convertissent au christianisme, catholique et universel. Aussi, selon une tradition reprise aussitôt par les historiens de l'Église, les apôtres se partagent-ils les régions à évangéliser, et, même si Jésus ne parle pas explicitement de fonder une Église, il aurait, en s'entourant d'apôtres et en accordant à Pierre un rôle privilégié, pensé à un gouvernement mondial de ses fidèles par une Église.

Les premiers évêques qui succèdent aux apôtres cherchent à asseoir leur autorité et leur légitimité, et luttent contre la multiplication de mouvements religieux hétérodoxes. Ils prennent la tête d'églises locales à Antioche ou à Smyrne. Ils considèrent leurs églises comme l'« incarnation de l'Église universelle » et reconnaissent très tôt la primauté de l'Église de Rome qui trouve sa légitimité dans l'Évangile (« Et sur cette pierre, j'édifierai mon Église »). Les églises locales bien qu'indépendantes les unes des autres communiquent entre elles, comme le prouve la correspondance de l'évêque Ignace d'Antioche au tout début du IIe siècle, qui répand l'usage du terme « catholique » (« ce qui est universel » au sens étymologique) pour désigner sa communauté. Ces premiers évêques entendent bien faire de l'Église le substitut du peuple juif, la représentante du royaume de Dieu sur terre, un gouvernement en devenir du monde. Ils lui donnent mission de convertir toutes les nations de la Terre et de les régir. Selon eux, elle y parviendra, et ses ennemis sont vaincus d'avance, car l'Église a la grâce, tout comme l'avait Jésus. La nouvelle religion subdivise l'au-delà en « Royaume de Dieu » et « Géhenne » (enfer) : « Le royaume de Dieu est la portion de l'univers où Dieu veut que tous les hommes soient sauvés et viennent à la connaissance de la vérité », le lieu de l'Amour reconnu ; la « Géhenne » est la fournaise ardente, le lieu de l'Amour méconnu. Selon l'*Épître à Diognète*, écrite à Alexandrie entre 190 et 200, les chrétiens « passent leur vie sur terre, mais ils sont citoyens du Ciel » et ils « obéissent aussi aux lois extraordinaires […] de leur république spirituelle ».

Gouvernement d'ici-bas et de l'au-delà, le christianisme s'impose progressivement comme la religion majoritaire de l'empire, en dépit de mille disputes théologiques à propos, notamment, de la nature du Christ (Dieu, homme fait Dieu, fils d'un Dieu

esprit). Elle s'organise en miroir de l'Empire romain :
à Rome, le centre ; le reste du monde chrétien est
gouverné par une organisation pyramidale d'évêques
et de prêtres. Les saints reprennent le rôle des dieux
des religions précédentes. Jérusalem, Antioche,
Alexandrie et Constantinople deviennent des lieux
saints.

À la fin du IIIe siècle, l'Église ne se contente plus
de régner sur les âmes ; pour s'établir durablement,
résister à ses ennemis, elle doit gouverner le monde
des humains. Elle pourrait décider de se transformer
en puissance militaire, comme l'islam le fera après
elle. Si elle s'abstient de le faire pour l'instant – ce
sera le cas jusqu'aux croisades –, c'est qu'elle va
s'appuyer sur la force de l'Empire romain.

Ensemble, alliés et rivaux, Église et pouvoir impérial vont régir un monde de plus en plus vaste. Il va
falloir plusieurs siècles pour que l'un, l'Empire
romain, disparaisse totalement, et plus d'un millénaire
encore pour que l'autre, l'Église, se résigne à laisser
place, en Europe, à d'autres gouvernements séculiers.

Le rapprochement s'amorce au cours du IIIe siècle.
Une partie de l'élite impériale s'est convertie à cette religion et menace les fondements de l'empire. La
conversion de l'empereur Constantin – peut-être dès
la bataille du pont Milvius en 312 – officialise la relation entre l'Empire romain et la chrétienté.

Dès l'année suivante, en 313, par l'édit de Milan,
Constantin prône la tolérance envers les chrétiens. La
même année, l'Église reconnaît le pouvoir de l'empereur sur le monde. Eusèbe, évêque de Césarée et
conseiller de Constantin, explique que l'Incarnation
du verbe de Dieu, le *Logos*, en la personne de Jésus,

donne son sens à l'histoire de l'humanité et légitime le pouvoir de l'Empereur romain sur le monde : « Un Dieu unique fut proclamé à tous et, dans le même temps, une royauté unique, celle des Romains, s'établissait, florissante, chez tous [...]. Au même moment, une paix profonde saisissait l'univers. » Pour Eusèbe, dans le plan de Dieu, l'Empire romain doit, comme depuis l'époque des Antonins, faire régner dans le monde entier la *pax romana*, parce qu'elle crée les conditions qui permettent la mise en œuvre planétaire de l'ordre intimé à Matthieu.

Capitales de plus en plus rivales de l'Empire romain, Rome, Ravenne, puis Constantinople (la capitale de Constantin inaugurée en 330 sur le site de Byzance) deviennent aussi les deux principaux centres de la chrétienté. Tout en tolérant le paganisme et en restant *Pontifex maximus* des rites anciens, Constantin prend la tête de la religion catholique. Il est l'image de Dieu sur terre : « Le roi aimé de Dieu, portant l'image de la royauté d'en haut, tient le gouvernail et dirige, à l'imitation du Tout-Puissant, tout ce qui est sur terre. » L'empereur siège parmi les évêques et entend gouverner l'Église comme le reste de l'empire. Mais des évêques, tel Hilaire de Poitiers, revendiquent encore l'indépendance de l'Église face aux pouvoirs impériaux de Ravenne et de Constantinople. La question de savoir qui est le maître, de l'empereur ou de l'Église, des empereurs ou des Églises, n'est pas réglée. Elle va empoisonner leurs relations pendant des siècles.

L'Empire romain est alors attaqué aussi bien à l'est qu'à l'ouest, par les Perses, les Scythes, les Huns, les Francs, les Alamans, les Goths, les Quades et les Marcomans. En 337, après l'assassinat de l'empereur Dalmatius, l'Empire est divisé en trois : Constantin II règne sur la Gaule, la Bretagne et l'Espagne ; Constant sur l'Italie, l'Illyrie et l'Afrique ; Constance Ier sur l'Orient. La mort de Constantin II au combat, en 340, permet à son successeur de réunifier la partie occidentale de l'Empire. Après lui, en Orient, l'empereur Julien remet en cause la primauté de l'Église catholique et réinstalle les dieux romains ; il meurt en 363 au cours d'une bataille contre les Perses, après seulement deux ans de règne. Son successeur, Jovien, revient au catholicisme, reprend le combat contre l'ennemi perse, puis capitule avant de trépasser en 364. Valentinien Ier, qui lui succède, choisit de régner sur l'Occident et de laisser l'Orient à son frère Valens. Ces règnes sont marqués par de nouvelles guerres contre les Perses et les peuples germaniques. En 386, Ambroise de Milan explique à l'empereur d'Occident suivant, Valentinien II, couronné en 375 à l'âge de quatre ans, que « l'empereur est dans l'Église et non au-dessus de l'Église [...] ; les évêques sont juges des empereurs », et non l'inverse. Valentinien II gère les conflits entre les diverses Églises chrétiennes et les élites aristocratiques païennes de l'empire d'Occident. Théodose lui succède à la tête d'un empire une nouvelle fois ressoudé en 379. Être chrétien devient la condition nécessaire pour bénéficier du statut de citoyen de l'empire : les non-chrétiens appartiennent seulement au *populus* et non pas au *populus christianus*. Et l'évêque de toute ville veille à ce que soient exclus de la citoyenneté ceux qui refusent la conversion.

En 395, à la mort de Théodose, l'Empire romain entérine de nouveau sa division, voulue par le défunt :

le fils aîné de Théodose, Honorius, régnera sur l'Occident ; son autre fils, Arcadius, sur l'Orient.

En Occident, l'Empire romain subit les attaques des Huns, des Wisigoths, des Vandales, des Suèves et des Alains, chaque fois plus proches de Rome, jusqu'à ce qu'Alaric prenne la ville en 410. Choc énorme : Rome occupée par des Barbares !

Pour les païens, la chute de la ville-phare s'explique par son ralliement à la religion du Christ. Un théologien chrétien vivant dans ce qui deviendra l'Algérie, Augustin, leur répond en distinguant la « Cité de Dieu » de la « Cité terrestre » : « Deux amours ont bâti deux cités. L'amour de soi jusqu'au mépris de Dieu a bâti la Cité terrestre, l'amour de Dieu jusqu'au mépris de soi, la Cité céleste. » Pour lui, seule la religion chrétienne pourra instaurer la Cité de Dieu qui rassemblera toutes les nations enfin converties. Cette Cité de Dieu dépasse toutes les formes d'État et les transcende ; elle « attire à elle des citoyens de toutes les nations […], de tous les points de la Terre », pour les conduire « vers le Royaume qui n'aura point de fin ». La Cité terrestre, qui peut faire régner la paix et la concorde, ne suffit nullement à garantir l'immortalité. C'est la Cité de Dieu qui rassemblera l'humanité dans un au-delà éternel.

Divisé entre de multiples empereurs dits « barbares », pour la plupart déjà devenus chrétiens, sous les multiples formes que le christianisme revêt encore, l'Empire romain d'Occident s'affaiblit de plus en plus et disparaît en 476.

À Rome, la papauté résiste. Elle reprend certaines fonctions de l'empereur, en particulier pour le soutien aux plus démunis. Reste à régler les rapports du pape avec l'empereur romain d'Orient. En 494, le pape Gélase écrit à l'empereur byzantin Anastase Ier une lettre qui deviendra la charte de la papauté : « Sachez, auguste empereur, que le monde est régi par deux grandes puissances, celle des Pontifes et celle des Rois ; mais l'autorité des Pontifes est d'autant plus grande qu'ils doivent rendre compte à Dieu, au jour du Jugement, de l'âme des Rois. » L'Église et l'Empire doivent être séparés ; l'empereur n'a qu'un pouvoir temporel. La dispute entre Eusèbe et Gélase va durer plus de huit siècles encore.

Au VIe siècle, Justinien Ier hérite d'un empire solide, organisé en provinces, elles-mêmes subdivisées en préfectures ; à la tête de chaque province, une autorité civile, le gouverneur, et une autorité militaire, le duc. Justinien fusionne les deux fonctions et impose parfois, comme en Égypte, un gouverneur militaire. Il établit le *Corpus juris civilis* (appelé aussi *Code Justinien*), mettant largement l'accent sur le droit privé. Il se veut au-dessus de l'Église, affirmant qu'il « gouverne sur l'ordre de Dieu notre Empire qui nous a été confié par la Majesté céleste ». L'empereur « a été envoyé par Dieu pour être la Loi vivante ». L'Église se résigne à accepter son pouvoir pour bénéficier de la protection du « bon empereur ». Il intervient dans le recrutement du clergé, lance des missions de conversion à travers l'empire, lutte contre le culte d'Isis, convertit les Hérules et les Maures de Ghadamès. Il reprend l'Afrique du Nord aux Vandales, l'Italie aux Ostrogoths, une partie de l'Espagne aux Wisigoths, recréant ainsi en partie l'unité perdue de l'Empire romain. Il exerce une influence jusqu'en Arménie et dans le Caucase. Des généraux comme

Bélisaire reconquièrent pour lui le nord de l'Afrique, la Corse, la Sardaigne et les Baléares. Justinien se fait représenter portant un globe qui symbolise les pouvoirs universels de Dieu et des empereurs. Pendant sept siècles, tous les empereurs romains et leurs successeurs reprendront ce symbole ; chacun sera à la fois *basileus* et prêtre, et prétendera gouverner le monde entier.

Mais cette unité retrouvée des deux empires issus de Rome est fragilisée à l'ouest par les invasions germaniques et, à l'est, par les attaques des Perses de l'Empire sassanide. Après avoir reperdu l'Italie, puis l'Égypte au VIIe siècle, l'Empire romain d'Orient devenu Empire byzantin s'affaiblit très lentement : son déclin va durer encore mille ans.

LE GOUVERNEMENT BARBARE DU MONDE

Ailleurs, et partout dans le monde, d'autres empires organisent d'autres « gouvernements du monde ».

En Chine, où vit encore le quart de l'humanité, au niveau de vie très élevé, la chute de la dynastie Han en 220 ouvre une longue période d'instabilité. Les Wei, les Shu, les Wu, les « trois royaumes », se déchirent pour dominer un empire réunifié à partir de 265 par la dynastie Jin. Au début du IVe siècle, la guerre civile reprend, les Jin se réfugient dans le Sud et diverses familles se succèdent sur le trône. Au nord, de petits royaumes guerroient les uns contre les autres. La plupart conservent encore les structures mises en place par les Han avec un pouvoir hiérarchisé entre provinces, commanderies et sous-préfectures. En 589, la

Chine est de nouveau réunifiée par Yang Jian, qui fonde la dynastie des Sui, lance la construction du Grand Canal, rallonge la muraille de Chine, modifie la répartition des terres et unifie la monnaie. En 618, la dynastie Tang lui succède, sans jamais chercher à sortir de ce qui est alors la Chine.

En Inde, après la disparition de l'Empire maurya, le IVe siècle est marqué par la fondation de la dynastie des Gupta, qui débouche sur un siècle de stabilité et de prospérité. Leur empire s'étend de l'Himalaya jusqu'au fleuve Narmada au centre du sous-continent. Un dense réseau administratif en garantit la cohésion : provinces, districts, villages sont administrés par des conseils ; les guildes de quartier régissent les professions. Patronné par la dynastie impériale, l'hindouisme prend sa forme définitive ; le modèle social fondé sur les castes devient la norme, dans le nord du pays, avec l'apparition des « intouchables ». Cependant qu'est finalisé le mode de numération décimal, on assiste à un formidable développement artistique et littéraire, tant sacré que profane, dont témoignent les grottes d'Ajanta.

Au début du VIe siècle, face aux menaces des Huns venus d'Asie centrale, l'Empire gupta éclate. En 607, le chef d'un royaume du Penjab, Harsha, restaure une certaine unité au nord. À sa mort en 647 s'ouvre une nouvelle période de division de l'Inde.

Au milieu du Ve siècle apparaît dans le reste de l'Asie un nouveau candidat au gouvernement du monde ou, au moins, d'un monde : un chef venu d'Orient, Attila, hérite d'un vaste royaume allant de l'Oural aux Carpates. Comme quelques rares hommes avant lui, dont Alexandre et César, il est animé d'un goût du pouvoir et d'une capacité stratégique illimités. Il fédère son peuple, les Huns, avec divers autres peuples, notamment les Ostrogoths et les Gépides. Pour l'historien grec Priscus, son contemporain, sa volonté est de « dominer le monde entier », qu'il croit limité aux terres de l'Eurasie ; il devient le « Grand-Roi », chef suprême de tous les chefs de tribu et seigneur de la guerre. Il reçoit l'appui des Vandales, dirigés par leur roi Genséric, qui le pousse à attaquer les Wisigoths. Il n'a pas de capitale fixe ; dans sa tente qui fait office de palais, au milieu du campement de la horde, il reçoit les ambassadeurs et donne ses ordres. Il s'entoure de « lettrés » étrangers : des scribes grecs ou germains comme Edéco. Sa stratégie repose sur la terreur : il rase les villes et procède à des égorgements collectifs. Puis il élabore des justifications juridiques à ses expéditions militaires.

À partir de 441, Attila menace d'attaquer l'Empire d'Orient pour mieux négocier un tribut. Mais il envahit, en 450, l'Empire d'Occident, en prenant prétexte d'un mariage empêché avec la propre sœur de l'empereur. Il tire ensuite parti des divisions entre ses adversaires – Romains d'Occident, Romains d'Orient et Wisigoths. Il exploite les conflits de succession d'Honorius (dans l'Empire d'Occident) et de Marcien (dans l'Empire d'Orient). Ayant un temps envisagé de marcher sur Rome, il hésite, reçoit la moitié de l'Empire d'Occident, recule, et connaît son unique défaite, en Gaule, à la bataille des Champs catalauniques. Il envisage une nouvelle attaque contre l'Empire romain d'Orient quand il meurt en 453, vingt ans avant la disparition de l'Empire romain d'Occident.

Son empire ne survit pas au partage entre ses fils. L'aîné, Ellac, meurt au cours d'une bataille en Pannonie. Un autre, Dengizich, tente une expédition contre l'Empire romain d'Orient et y périt à son tour : sa tête est exposée au milieu du cirque de Constantinople.

Fin très provisoire des gouvernements mongols du monde…

L'Empire du Ghana est alors le premier grand empire commerçant en Afrique de l'ouest ; il s'étend sur une zone sahélienne située entre le sud Sahara et les sources des fleuves Sénégal et Niger (soit l'actuel ouest du Mali et le sud de la Mauritanie) ; il contrôle de nombreuses mines aurifères et la route caravanière des échanges commerciaux, notamment en or et en sel, entre le nord de l'Afrique dominé par les Arabes et le sud.

L'*Umma*, GOUVERNEMENT MONDIAL
PAR L'ISLAM

En 622, en Arabie, commence une nouvelle aventure théologique ; elle va, elle aussi, prétendre avoir reçu mission de gouverner le monde – au moins, là encore, le monde connu. Cette fois, à la différence de Jésus et de Bouddha, le prophète, Mohammed, est simultanément fondateur d'une foi et organisateur d'un État, ou plutôt d'une *Umma*, une communauté. À la différence de Moïse, il ne revendique pas seulement une « Terre promise », mais toute la Terre. Dans la sourate 110 du Coran, la communauté des musulmans est en effet considérée comme la « meilleure *Umma* », sans limite ni géographique ni politique. Elle transcende les différences entre les peuples dès lors qu'ils deviennent musulmans, et les rassemble. Elle est établie par Dieu comme la « communauté la plus centrale […] afin que vous puissiez être des témoins pour l'humanité et que le Messager soit témoin pour vous-mêmes » (sourate 2, verset 143).

En 632, Mohammed meurt sans descendance masculine, sans désigner de successeur et sans préconiser un mode d'administration politique de l'*Umma*. Une lutte commence entre ses héritiers, qui perdure aujourd'hui encore. Les *muhajirun* mettent en avant leur participation à l'Hégire, alors que les *ansâr* font valoir qu'ils ont accueilli le Prophète à Médine. Après de houleux débats, Abu Bakr, compagnon de la première heure du prophète, premier des quatre califes dits « bien guidés », lui succède. En 634, son successeur Omar part en conquérant vers le nord-est (Syrie et Iran actuels), vers l'Afrique du Nord puis l'Andalousie ; en 651, les troupes arabes battent les troupes sassanides et assassinent le dernier roi de la dynastie, Yazdegerd III ; ces conquêtes se poursuivent jusqu'à la mort, en 661, du quatrième calife, Ali, gendre et cousin de Mohammed, sans donner lieu à une véritable organisation politique de l'*Umma*.

Celle-ci commence alors à se mettre en place avec l'avènement de Muawiya, victorieux d'Ali, qui prend Damas pour capitale et instaure – pour la première fois dans l'histoire de l'islam – une dévolution dynastique du pouvoir : les Omeyyades. Pour Muawiya, la priorité est de créer un État séculier fondé sur une caste dirigeante arabe. Il prend Jérusalem, l'Égypte, et pousse jusqu'à la plaine de l'Indus, la Transoxiane, une partie de l'Asie centrale et, à l'ouest, l'Espagne.

Il met en place des gouverneurs dans les provinces conquises et un réseau de communication entre la capitale et les principales villes de son empire.

En 685, son successeur, Abd al-Malik, organise le Trésor et l'armée, crée un service de chancellerie, arabise les écritures administratives et émet les premières monnaies musulmanes : le *dinar* d'or et le *dirham* d'argent. Les provinces sont alors supervisées par un *wali*, gouverneur civil et militaire, secondé par un *cadi*, responsable de la justice et gardien de la Loi, et par un *amil*, en charge des ressources financières. Les peuples vaincus conservent une relative liberté religieuse en échange d'une soumission absolue et du paiement d'impôts spécifiques. Où qu'ils soient, les Arabes ne paient pas d'impôt foncier, seulement une dîme religieuse ; ils se partagent les butins des conquêtes (en particulier les immenses domaines pris aux Perses et aux Byzantins) sous forme de *qatai* ou fermages, peu à peu transformés en propriétés privées susceptibles d'être revendues. Ils s'entourent de *mawali*, musulmans non arabes, en général des prisonniers de guerre libérés puis convertis à l'islam. Ainsi se constitue autour d'une foi un empire qui va bientôt cesser d'être unique.

À la mort d'Abd al-Malik en 705, les Omeyyades restent perçus comme des usurpateurs par l'autre branche de la famille des fidèles du Prophète, les Abbassides, implantés autour de Bagdad après avoir écrasé les Sassanides. En 750, les Abbassides assassinent tous les membres de la famille omeyyade et prennent le pouvoir. Un seul Omeyyade, Abd el-Rahman, échappe au massacre, traverse l'Afrique du Nord, rejoint l'Andalousie et installe à Cordoue un puissant émirat omeyyade. L'*Umma* islamique est désormais morcelée.

Installés à Bagdad, les Abbassides dotent leur *Umma* d'une administration à caractère plus théologique. Comme ses prédécesseurs omeyyades, le calife abbasside préside la prière du vendredi, rend de temps en temps spectaculairement la justice et combat les Infidèles. Il n'est plus perçu comme un *malek*, un roi temporel, comme à l'époque omeyyade, mais comme l'*amîr al-mu'minin*, le commandeur des croyants. Il n'a pas d'autre pouvoir que celui de faire appliquer la Loi de Dieu. Il doit se tenir en contact avec les spécialistes de la Charia, les *ulémas*. Alors que les Omeyyades se mêlaient au reste des musulmans, les Abbassides conçoivent Bagdad comme une cité fortifiée réservée au calife, à son harem, à sa cour, à sa garde et aux grands services administratifs, à l'écart du peuple. L'administration n'est plus l'apanage de l'aristocratie arabe, comme au temps des Omeyyades ; elle est tenue par des musulmans non arabes, souvent perses, organisés en *divan* (ou ministères : Armées, Sceaux, Finances, Information, chancellerie) sous l'autorité d'un vizir, en général perse, fonction empruntée à la dernière dynastie de l'Empire perse, les Sassanides. L'État assure lui-même la perception des impôts sous la direction de l'*amil*, grand intendant des Finances. Les musulmans paient seulement la *zakat* ou aumône du croyant ; les non-musulmans ou *dhimmis*, juifs et chrétiens, versent une capitation, le *djizya*, et l'impôt foncier sur leurs terres, le *kharadj*. Un fermier général, le *damin*, souvent juif, est chargé de toutes les opérations de recouvrement ; il verse à l'avance le montant convenu à l'État et garde une part du dépassement éventuel. L'islam interdisant l'usure, seuls des juifs sont banquiers. Ils utilisent des lettres de crédit et des billets à ordre afin d'éviter les transports d'espèces sur de longues distances. Avec Bagdad pour centre, Le Caire comme pôle de second rang et Ispahan comme succursale, les communautés juives d'islam deviennent régulatrices de la circulation monétaire à travers l'Empire abbasside. Elles feront bientôt de même en Europe. En même temps, Bagdad devient le centre du monde juif. C'est de là que partent les consignes théologiques des autorités rabbiniques vers toutes les communautés du monde, de Cordoue à la Chine.

Dans les provinces, l'autorité revient soit à l'*émir* (gouverneur), soit à l'*amil* (grand intendant des Finances). Chacun d'eux dispose d'une force armée. Un maître des Postes est chargé de rendre compte au calife de la situation des provinces via les divans des Postes et des Informations à Bagdad. Les ordres sont transmis de la capitale aux provinces par des coursiers à cheval (ou à dromadaire) qui se relaient par étapes. On installe à cette fin des caravansérails tous les quarante kilomètres. Il faut près de trois mois pour aller de Tunis au Caire ou d'Ispahan à Izmir. La vitesse n'a pas changé depuis l'Empire romain. Postés tout au long de la route des Indes, ces relais permettent d'alimenter la région en épices.

L'armée reprend les techniques perses : l'identité des soldats et les équipements font l'objet de contrôles minutieux ; les troupes utilisent pour la première fois l'arbalète et la catapulte. En 751, les troupes abbassides remportent contre les troupes chinoises de la nouvelle dynastie, les Tang, une victoire à Talas, aux confins du Kirghizstan. C'est le point le plus avancé des conquêtes arabes vers l'est. Elles reculent ensuite. Cette bataille permet aux arabes de faire des prisonniers qui leur font découvrir la soie et le papier. Le Coran y sera transcrit pour la première fois.

En 797, le calife Haroun al-Rashid lance une expédition dans le pays de Roum, en territoire byzantin. L'année suivante, ses troupes atteignent Ankara, et l'impératrice byzantine doit consentir au paiement d'une taxe au calife. Les contes perses de *Sinbad le marin* décrivent les voyages d'un marin abbasside en Afrique orientale et en Asie du Sud. Les marchands musulmans commercent désormais avec l'Inde, la Chine, remontent en Europe jusqu'à la mer Baltique, la Russie, poussent jusqu'en Europe et en Afrique occidentales. Ils contribuent à faire circuler et à mêler les savoirs grecs, persans, indiens, chinois.

En 830, le calife Al-Mamun crée un centre de traduction, la « Maison de la sagesse », où il rassemble des manuscrits de philosophie et d'astronomie grecs, des traités persans de cosmologie et d'histoire, lesquels sont systématiquement traduits en arabe avant d'être diffusés à travers l'empire.

Puis le pouvoir abbasside décline. En 845, le calife abbasside Al-Motassem s'entoure de gardes turcs pour sa protection. Progressivement, les soldats turcs s'emparent du pouvoir politique réel. En 946, les bouyides perses prennent Bagdad ; les abbassides renoncent alors au pouvoir temporel et le délèguent au chef de leur garde qui devient Al Omra (chef suprême, émir). L'émirat est détenu par les bouyides perses durant près d'un siècle. L'*Umma* continue de s'affaiblir, et de nombreuses provinces s'émancipent de la tutelle abbasside, créant leur propre dynastie. En 1055, les bouyides perses sont chassés par les Turcs seldjou-kides.

RETOUR DU GOUVERNEMENT ROMAIN D'UN MONDE : LE « CÉSAROPAPISME »

En Occident, les Carolingiens, une nouvelle dynas-tie basée en Neustrie (Île-de-France), rêvent de restau-rer un empire romain, gouvernement du monde chrétien. Après avoir détrôné Childéric III, dernier roi mérovingien, Pépin le Bref demande au pape Étienne II de le sacrer à l'abbaye de Saint-Denis. Il se veut héritier de l'empire romain et reprend la notion romaine séculière de *res publica* ; il y ajoute l'adjectif *christiana* : c'est la « République chrétienne », romaine et chrétienne. S'inspirant des théories d'Augustin, il proclame que le rôle du politique n'est pas de réaliser la Cité de Dieu dans la Cité terrestre, mais de faire de la seconde une préfiguration de la première. D'où la référence récurrente de Charles, son fils, couronné roi des Lombards en 774, à des valeurs morales : justice et paix, concorde et unanimité. Charles est, lui aussi, de la dimension d'Alexandre, de César et d'Attila. En 775, Charles fait ajouter par le pape Adrien Ier l'épithète « magnus » à son nom. La mission de Charlemagne est « de défendre partout au-dehors l'Église du Christ contre les attaques des infidèles et de veiller au-dedans à faire reconnaître la foi catholique », ce qui prouve qu'elle ne l'est pas. Son sceau porte une devise expli-cite : « *Renovatio imperii romani* » (« rénovation de l'Empire romain »). Il entend devenir « la cime du monde et la tête de l'Europe ». Roi de Saxe (782), de Bavière (788), des Avars (Autriche danubienne et Hongrie occidentale), de Catalogne, il fait d'Aix-la-Chapelle sa capitale en 794 et se retrouve bientôt à la tête d'un immense empire, rassemblant la plus grande part de l'Occident : le territoire qu'il contrôle s'étend sur 1,2 million de kilomètres carrés et est peuplé de 15 millions d'habitants. Charlemagne reconnaît alors l'autorité théorique de l'Empereur byzantin ; mais il entend qu'Aix-la-Chapelle rivalise en splendeur avec Byzance. Il y réunit chaque année des assemblées des dignitaires laïcs et ecclésiastiques ; il place des « comtes » à la tête de cinq cents comtés qui composent l'empire ; il envoie pour les surveiller des inspecteurs, les *missi dominici*, comtes mandatés pour en inspecter d'autres. Aux marches, provinces aux frontières de l'empire, il place des « marquis » pour parer aux menaces des Avars, des Wendes, des Danois, des Bretons et des musulmans d'Espagne. Il fait connaître la loi (à la fois séculière et ecclésiastique) par des « capitulaires » envoyés à ces comtes et ces marquis. La vitesse maximale de communication des nouvelles n'est encore, comme au temps d'Alexandre et de César, que de 50 kilomètres par jour pour un cavalier, de 20 pour un chariot empli de marchandises. On ne dénombre que 5 000 fonctionnaires pour tout l'empire et chaque comte ne peut s'appuyer que sur une dizaine de collaborateurs.

Toute révolte est sévèrement matée : Charles assiste par exemple lui-même à la décapitation de 4 500 rebelles saxons. Les hommes libres doivent jurer obéissance à un seigneur, comte ou marquis, et s'engager à combattre, à sa demande ; en contrepartie, ils obtiennent un « bénéfice » dont la propriété revient au seigneur à leur mort ; l'empereur lui-même a ses propres vassaux (y compris des évêques et des abbés) : c'est le début du régime féodal en Occident.

Charlemagne se veut le seul chef de tout le monde chrétien d'Occident et n'imagine pas de partager le pouvoir avec le pape. S'appuyant sur la doctrine dite de l'« augustinisme politique » ou du « césaropapisme », il intervient directement dans les affaires ecclésiastiques à l'instar des empereurs byzantins, notamment au cours des conciles. Il maille le territoire de l'empire de tout un réseau d'établissements religieux : il installe plus de 500 églises et monastères royaux à des endroits stratégiques dans les territoires conquis. Il nomme, pour les diriger, un abbé, soigneusement choisi parmi ses vassaux.

Il étend son influence grâce à des alliances : avec le roi anglais Offa de Mercie, le roi Alphonse II de Galice, le patriarche de Jérusalem, le calife abbasside Haroun al-Rashid.

En 800, Charlemagne se rend à Rome pour se faire sacrer par le pape Léon III devant une foule qui crie : « À Charles, couronné par Dieu, grand et pacifique empereur des Romains, vie et victoire ! » Arrêté dans sa progression, cette même année, à Roncevaux, dans les Pyrénées, par les Omeyyades qui règnent depuis Cordoue, il consacre les dernières années de son règne à tenter de prendre le contrôle de l'Empire byzantin et à assurer sa propre succession. Partout, il installe ses propres enfants au pouvoir : ses fils Pépin et Louis sont nommés rois de Lombardie et d'Aquitaine. En 813, juste avant de mourir, il couronne à Aix-la-

Chapelle son fils Louis le Pieux qui, dès 817, publie un testament promettant le royaume d'Aquitaine à Pépin, son fils aîné ; celui de Germanie à Louis et le reste de l'empire à Lothaire. La naissance d'un quatrième fils de Louis le Pieux remet tout en question et entraîne une guerre civile. En 840, à la mort de Louis le Pieux, le testament n'est pas appliqué : Charles le Chauve et Louis le Germanique battent Lothaire à la bataille de Fontenoy-en-Puisaye. En août 843, à Verdun, un partage, longuement débattu par un conseil de plus de cent arbitres, octroie à Lothaire le titre d'empereur avec la partie de l'empire comprenant la Lotharingie, la Bourgogne et l'Italie, et englobant Aix-la-Chapelle et Rome. Par là s'esquisse le Saint Empire romain germanique. Charles le Chauve reçoit la Francie occidentale (*Francia occidentalis*, ancêtre de la France), et Louis II le Germanique la Francie orientale (*Francia orientalis*, à l'est du Rhin). Partage encore mal accepté : des seigneurs locaux refusent l'autorité de Charles le Chauve ; les côtes méditerranéennes sont attaquées par des musulmans, et la Normandie est la cible d'invasions par des Norvégiens, des Suédois, des Danois, qui profitent de leur supériorité navale.

L'Empire carolingien sombre ainsi dans le chaos, cent ans à peine après sa formation.

LE MONDE ÉCLATÉ

En Occident, le 2 février 962, le pape Jean XII remet au roi de Germanie, Othon Ier, à Rome, la couronne du *Regnum francorum.* C'est l'acte de naissance du Saint Empire romain germanique. Othon Ier est élu roi de Germanie par des grands électeurs, et le pape le fait empereur. Les débuts de l'empire sont marqués par un retour des disputes avec le souverain pontife : l'empereur (au nom de la *potestas* politique) et le pape (arguant de son *auctoritas* spirituelle) prétendent tous deux diriger la *respublica christiana.* Othon entend contraindre tout nouvel évêque de Rome à prêter serment devant lui ; il prétend lui-même tenir son pouvoir de Dieu. À l'inverse, l'Église s'organise comme une monarchie élective et absolue : les papes revendiquent la plénitude de la puissance (« *plenitudo potestatis* ») et le pouvoir de juger l'action des souverains temporels. Sans se doter d'une armée.

À la fin du Xe siècle, Othon III, descendant d'Othon Ier qui a pu imposer sa dynastie dans un système électif, tente de faire revivre l'empire de Charlemagne. Il reprend son sceau (« *renovatio imperii romani* ») pour affirmer symboliquement son ambition de régner sur le monde, en tout cas sur tous les peuples chrétiens (auxquels s'ajoutent sous son règne la Hongrie et la Pologne où il fonde des Églises avec l'appui du pape Sylvestre II). Il affirme son intention de dominer l'Église dans un décret de 1001 : « Nous proclamons Rome capitale du monde et reconnaissons l'Église romaine comme la mère de toutes les Églises, mais [constatons] aussi que l'incurie et l'incapacité de ses pontifes ont depuis longtemps terni sa clarté. »

En 1024, Henri II, le dernier ottonien, meurt sans descendance ; la diète de Mayence élit Conrad II qui ouvre la dynastie franconienne (1024-1125). Au milieu du XIe siècle, le pape Léon IX réaffirme l'indépendance de l'Église. Dans les *Dictatus papae*, le pape Grégoire VII affirme son autorité sur les autres évêques et sur les souverains temporels ; il écrit que « seul le Pontife romain est dit à juste titre universel », que « seulement aux pieds du Pape tous les princes s'inclinent », et qu'il lui est d'ailleurs « permis de déposer les empereurs ».

En 1095, pour affirmer sa légitimité, le pape Urbain II lance la première croisade destinée à reprendre les Lieux saints où les musulmans empêchent depuis peu les chrétiens de se rendre. En 1122, l'empereur renonce, par le concordat de Worms, à influencer la désignation des évêques par le pape et reconnaît le pouvoir temporel de ce dernier. Peu après, le royaume almoravide de Cordoue, dernier royaume tolérant des terres d'Islam d'Espagne, s'effondre sous les coups des fanatiques almohades venus du Sud marocain.

La rivalité continue tout au long du XIIe siècle entre les empereurs et les pontifes, plus précisément entre la dynastie des Staufen (Frédéric Barberousse, Henri VI et Frédéric II Hohenstaufen) et les papes Alexandre III, Innocent III, Grégoire IX et Innocent IV. En 1198, deux empereurs sont élus, de deux familles différentes. Frédéric II se considère même comme un nouveau Messie incarnant la loi divine (« *lex animata in terris* »). En 1254, avec la mort du dernier Hohenstaufen, Conrad IV, la fonction d'empereur cesse définitivement d'être héréditaire. Les princes-électeurs prennent dès lors grand soin d'empêcher la reconstitution d'une dynastie impériale en ne choisissant jamais deux fois de suite le souverain dans la même famille (les Luxembourg, les Habsbourg, les Wittelsbach).

Parallèlement, en Orient, l'Église orthodoxe se sépare, en 1054, de l'Église de Rome. Affaibli, l'Empire d'Orient est incapable de reconquérir les Lieux saints. Le pape tente alors de reconquérir l'Orient en levant une armée qui lui soit propre, ce qu'il a jusqu'ici toujours refusé. En 1139, le pape Innocent II confirme l'institution des moines combattants de l'ordre du Temple, chargés de protéger les pèlerins faisant route pour Jérusalem. L'ordre constitue alors l'armée permanente des États latins d'Orient et crée un réseau de monastères à travers l'Europe ; dans chaque « langue » (pays), il se dote d'un grand maître. Les Templiers perçoivent la dîme, enterrent leurs morts dans leurs propres cimetières et deviennent banquiers non seulement de l'Église romaine, mais de nombre de princes et de rois ; ils monopolisent les opérations financières relatives au commerce avec l'Orient. La Terre sainte est ainsi reconquise à nouveau avant d'être perdue en 1291.

En 1302, dans la bulle *Unam Sanctam*, le pape Boniface VIII réaffirme que l'autorité temporelle doit être subordonnée à l'autorité spirituelle et conclut qu'« il est de nécessité de salut de croire que toute créature humaine est soumise au Pontife romain ».

Les règles présidant à la désignation de l'empereur sont minutieusement fixées par Charles IV en 1356 dans la Bulle d'Or, sans aucune mention de l'approbation papale. Elle fixe le nombre de grands électeurs à 7 (les archevêques de Cologne, Mayence et Trêves pour les personnalités religieuses, le roi de Bohême, le duc de Saxe, le margrave de Brandebourg et le comte palatin du Rhin pour les laïcs). L'empereur est élu à la majorité. À partir de cette époque, le titre d'empereur n'est plus qu'un titre honorifique ne conférant aucun réel pouvoir sur l'Allemagne.

Pendant ce temps, dans les Balkans, la Serbie d'Étienne Douchan grandit jusqu'à atteindre la taille d'un petit empire slavo-grec englobant Macédoine, Thessalonie, Épire, Albanie.

Une nouvelle tribu turque, celle des Ottomans, commence à progresser face au califat abbasside de Bagdad et aux chrétiens. Chef temporel et spirituel, leur sultan est soutenu par une armée de janissaires, mercenaires venus de partout pour participer à la conquête turque.

Face à ce nouveau péril turc, la seule issue, pour les derniers restes de l'Empire d'Orient, consiste à se rapprocher de l'Occident catholique ; mais les tentatives de Michel III, Manuel II et Jean VIII se heurtent à l'hostilité du clergé et du peuple byzantins, qui se souviennent du sac de Constantinople, commis par les croisés en 1204. De plus en plus faible, l'Empire d'Orient passe alors des compromis avec les princes abbassides, puis avec les Ottomans. Les portes de l'Orient se ferment peu à peu pour l'Occident. Les Templiers perdent leur raison d'être et les papes ne les défendent plus. Au début du XIVe siècle, Philippe le Bel cherche à s'emparer de leur trésor. L'ordre est dissous en 1312 sur instruction du pape Clément V. C'en est alors fini de la tentative de l'Église d'établir un gouvernement temporel sur le monde.

Le monde matériel n'est alors guère plus que le simple reflet du monde des idées, dessiné par Dieu. Les contours de la Terre importent peu, et une grande partie de la population ne se pose pas la question de sa forme. La carte est autant une image de la surface du monde qu'une représentation de la création divine. On y voit des reproductions d'Adam et Ève ou bien du Christ surplombant l'Océan circulaire et éclairant le monde. D'autres cartes montrent Dieu dominant le monde, un compas à la main posé sur une sphère représentant la Terre. À cette époque sont aussi dessinées les premières cartes dites en « T », qui séparent le monde en trois régions. La barre verticale du T représente la Méditerranée, la branche horizontale de gauche, la mer Noire, séparant Europe et Asie, et celle de droite, le Nil, partageant Afrique et Asie ; le tout est entouré par un immense océan circulaire. Ce partage n'est pas sans rappeler la partition des terres par Noé entre ses trois fils.

LE PROJET SUISSE

À la même période, au centre de l'Europe, est créé le premier ensemble politique regroupant des communautés volontaires qu'aucun conquérant n'a forcées à s'unir : la Suisse, qui servira jusqu'à aujourd'hui de modèle pour de multiples projets de gouvernement du monde.

En 1291, trois cantons – Schwyz, Uri et Unterwald – craignent que les grandes puissances européennes, intéressées par leurs passages stratégiques à travers les Alpes, ne les envahissent et, en particulier, que l'empereur germanique de l'époque, Rodolphe de Habsbourg, n'annule les droits et les libertés dont ils jouissent. Au bord de ce qui sera nommé plus tard le lac des Quatre-Cantons, ils concluent un pacte d'assistance mutuelle et créent la « Suisse », qui tient son nom de celui du canton de Schwyz.

Ce pacte entre cantons enthousiasme d'emblée les contemporains ailleurs en Europe : l'Écossais Jean Duns Scot, un des théologiens les plus importants du Moyen Âge, surnommé le *Doctor Subtilis*, le présente aussitôt comme un modèle de gouvernement et en déduit la nécessité universelle d'un gouvernement temporel – d'une *auctoritas politica* –, d'autant plus nécessaire, selon lui, que la « malice des hommes » hâte la « dégénérescence de la solidarité familiale ». Ce pacte, dit-il, reprend le principe de saint Grégoire le Grand selon lequel « il est contre nature que l'homme domine l'homme », et affirme que « tous les hommes naissent égaux selon la loi de la nature ». Ce qui implique, explique-t-il, une volonté d'association entre « populations étrangères et diverses dont aucune n'était tenue d'obéir à l'autre ».

Le pacte suisse s'élargit à Lucerne en 1332, Zurich en 1351, Glaris et Zoug en 1352, Berne en 1353. Ces communautés montagnardes et ces villes libres devenues des « cantons » se promettent secours mutuel et s'engagent à régler leurs différends par recours à l'arbitrage. Sans finances ni sceau ni drapeau communs, la Confédération unit des cantons formellement indépendants qui gèrent chacun ses propres affaires et envoient deux représentants à une « Diète » afin de débattre des questions d'intérêt partagé chaque fois que l'un d'eux le demande. Les décisions importantes sont adoptées à l'unanimité pour « défendre en commun le droit de rester divers ».

Le modèle suisse reste jusqu'à nos jours une référence pour un bon gouvernement du monde.

Les « gouvernements de monde » en Orient

À partir de 960, l'Empire chinois se reconstitue avec les Song et reste centré exclusivement sur le monde chinois. L'empereur demeure « aussi éloigné que le Ciel » et quitte toujours aussi peu la Cité interdite. Un corps de deux mille fonctionnaires, recrutés sur concours selon les valeurs confucéennes, administre les dix-huit provinces, les sous-préfectures, aidé de chefs de village. Ces « mandarins » lèvent l'impôt sans avoir compétence sur la justice et l'armée, dont les circonscriptions territoriales ne sont pas les mêmes, afin d'éviter la constitution de factions. Pas question de conquêtes ni même de voyages de Chinois dans le monde. La Chine attend que les autres viennent commercer chez elle.

D'autres empires d'Asie commencent à se faire entendre en Occident et viennent même chercher à y prendre le pouvoir.

Au début du XIIIᵉ siècle, un chef mongol se veut lui aussi gouverneur du monde : Gengis Khan Temüdjin (littéralement « chef universel » ou « conquérant du monde »), autre géant. Il prend le contrôle des steppes de Mongolie, transforme un rassemblement instable de tribus en nation. Il jette les bases d'un État militaire d'une dimension encore jamais égalée, conçu d'emblée pour dominer et gouverner le monde. Étrange peuple où chaque jeune homme doit connaître par cœur le nom de tous ses ancêtres, celui de ses alliés ainsi que celui de ses ennemis. Gengis Khan explique à ses fils que « sans vision, un homme ne peut gouverner sa vie, encore moins celle des autres ».

Étrange chef, à l'extraordinaire ambition, qui le rapproche d'Alexandre et de César. Sa vision est de bâtir un empire unissant le monde entier, des rives de la Méditerranée à l'Extrême-Orient, mission qu'il dit avoir reçue des esprits de ses ancêtres.

Comme tous les autres gouvernants d'un monde, il prélève des impôts, met sur pied un réseau de messagers et de relais, s'entoure de fidèles (notamment de ses « quatre chiens féroces », les généraux Bortchou, Djelmé, Djebé et Subotaï). Il confie l'institution judiciaire suprême à un orphelin tatar élevé comme son frère, Sigi-Quduqu. Il lui ordonne : « Sois pour moi des yeux qui voient, des oreilles qui écoutent. […] Que nul n'aille à l'encontre de tes décisions ! » Il met un terme aux guerres entre tribus, rouvre une route allant du Proche-Orient vers la Chine. En dix ans, de 1210 à 1220, il conquiert une partie de la Sibérie, il prend même Pékin, annexe la Mandchourie, puis la Corée, des villes d'Iran et d'Afghanistan, la vallée de l'Indus et enfin le Turkestan. Pour cet immense empire, unique, Gengis Khan met au point un corps de lois (code civil et code administratif), le *yassa*, « discipline valable pour le gouvernement du monde ». Outre les bénéfices qu'ils retirent du pillage des territoires conquis, la constitution de leur empire permet aux Mongols de dominer la route de la Soie, qu'ils rouvrent aux marchands d'Occident, dont Marco Polo, qui décrit l'empereur comme « prud'homme et sage ».

Gengis Khan se tourne alors vers l'Europe occidentale, mais, en 1227, alors que les armées de ses fils envahissent la Bulgarie, il meurt à 72 ans, en Chine, dans l'actuelle province du Gansu. Son corps est ramené en Mongolie où il est enseveli près du mont sacré de Bourqan Khaldoun. Il laisse un empire qui s'étend des frontières de l'Europe au Pacifique.

Cet immense empire-monde se défait juste après lui : un de ses fils, Ögödei, approche de Vienne, veut atteindre l'Atlantique quand il meurt en 1241 ; un de ses petits-fils, Kubilaï Khan achève la conquête de la Chine et prend le pouvoir en Chine en 1271 sous le nom de Yuan.

Un siècle plus tard, vers 1370, alors que le géographe Ibn Battûta a fini d'explorer le monde, le Turc Tamerlan (en turc *Timour*, l'« homme de fer »), à la tête d'une armée cette fois turco-mongole, revendique une double légitimité : celle de Gengis Khan (dont il prétend descendre et dont il épouse une descendante en 1397) ; et celle de l'islam. Il dit même avoir été visité par un ange, être monté jusqu'au paradis grâce à une échelle descendue des cieux. À côté de la justice islamique appliquée au peuple, il instaure un système de justice pénale et administrative, inspiré du *yassa* de Gengis Khan qu'il applique aux fonctionnaires et aux « ennemis de l'État ». Par un *djihâd*, il veut étendre l'islam chez les « infidèles » et le restaurer chez les musulmans « déviants », tels les sultans de Delhi, à qui il reproche de tolérer l'hindouisme. Menant une armée très disciplinée, il conquiert des territoires à l'est (Khwarezm, Turkestan oriental, Haute Asie, Inde) et à l'ouest (Afghanistan, Perse, Irak, Azerbaïdjan, Géorgie, Arménie, Anatolie orientale, Syrie). Il laisse derrière lui des pyramides de têtes humaines : la prise de Bagdad fait des dizaines de milliers de victimes, tout comme celles de Delhi, d'Alep et de Damas. Il ne prend jamais le pouvoir en son nom propre, et concède un règne de façade aux souverains traditionnels. Ses conquêtes ne donnent pas lieu à l'instauration d'un ordre durable au sein des territoires conquis, et il doit souvent y revenir.

En 1401, Tamerlan subdivise son empire en quatre grandes provinces, nomme des parents comme gouverneurs et décide de faire de Samarcande, dans l'actuel Ouzbékistan, la capitale du monde. Il y édifie de somptueuses mosquées et des tours de mosaïque d'inspiration chinoise. De Damas et de Delhi il fait venir verriers, tisserands de soie, potiers et armuriers. Il y rassemble lettrés et savants : ainsi, le poète persan Hafez, le poète arabe Sa'di ed-Din Al-Taftazanī, le lexicographe Fīrūzābādī et les historiens Chéref ed-Din Ali Yezdi, Nizam Eddine Chami et Ahmed Ibn Arabshah.

Comme bien des empereurs avant lui, Tamerlan prépare soigneusement sa succession : le commandement suprême doit revenir à l'un de ses petits-fils, Pîr Mohammed ibn Djahângîr ; le territoire étant divisé en différents fiefs répartis entre ses fils et autres petits-fils. Après avoir vaincu le calife ottoman Bayezid Ier, le 20 juillet 1402, grâce à sa cavalerie d'archers, il meurt sur la route de Chine.

En 1405, à l'issue d'une marche sur Samarcande, un autre de ses petits-fils, Khalîl, s'empare du pouvoir ; mais ses excès provoquent la révolte des émirs, qui le détrônent l'année suivante et désignent pour le remplacer Châh Rokh, le quatrième fils de Tamerlan, qui ne règne plus que sur une partie de l'empire de son père, rapidement réduit à la Transoxiane et au

Khorasan. Ses généraux prennent alors la tête de petits royaumes dispersés le long de la route de la Soie : Samarcande, Kokand, Herat, Khiva. La domination turco-mongole continue néanmoins à prévaloir sur l'Asie, l'Iran, l'Inde du Nord, la Russie, l'Arménie et la Chine.

Dix ans avant, à la demande de Tamerlan, l'historien et diplomate Ibn Khaldoun, né à Tunis, rédige une *Introduction à l'histoire universelle* dans laquelle il propose l'une des premières définitions de l'histoire de l'humanité : « L'Histoire a pour objet l'étude de la société humaine, c'est-à-dire de la civilisation universelle. Elle traite de ce qui concerne la nature de cette civilisation, à savoir : la vie sauvage et la vie sociale, les particularismes dus à l'esprit de clan et les modalités par lesquelles un groupe humain en domine un autre. »

3

Les premiers gouvernements marchands du monde (1300-1600)

La guerre était jusque-là le principal instrument d'expansion des empires ; la paix devient la condition de l'expansion du monde marchand. L'armée servait à conquérir des richesses ; elle permet de protéger des réseaux commerciaux. Le gouvernement du monde passe des soldats aux bourgeois.

L'Empereur de Chine, les empereurs turcs, maliens, aztèques, incas, ghanéens et bien d'autres gouvernent des coins du monde.

Dans le monde chrétien, le pape, l'Empereur d'Orient, l'Empereur romain germanique et quelques monarques d'Europe continuent à se disputer des simulacres d'un gouvernement du monde qui, en fait, ne leur appartient déjà plus. Sans cesse sur le recul, l'Empire romain d'Orient survit encore, mille ans après la chute de l'Empire d'Occident, en recourant toujours aux mêmes stratégies : tout savoir des autres ; recevoir ses voisins avec faste ; fasciner le reste du monde ; créer des conflits entre ses rivaux ; ne se battre, si possible, qu'avec des armées locales, et, si le combat est inévitable, mettre en œuvre d'énormes moyens ; ne jamais humilier les vaincus, mais faire en sorte que leur défaite soit indiscutable.

En Occident, le Saint Empire romain germanique, l'Église et diverses nations se disputent encore ce qu'ils croient être le gouvernement du monde. En réalité, peu à peu, discrètement mais inéluctablement, sa direction réelle passe entre les mains de quelques marchands européens : de petites villes des Flandres et de la Méditerranée, en général des ports, organisent les échanges d'un monde qu'ils devinent de plus en plus vaste, gardant pour elles l'essentiel des profits. Progressivement, ces villes y accaparent le pouvoir économique, puis financier, militaire, culturel et politique, ne laissant que l'apparence du pouvoir aux splendeurs décadentes des empires.

Plus précisément, à chaque siècle, une ville d'Occident réussira à prendre le pouvoir sur des réseaux de communication et des marchés de plus en plus étendus, allant par terre ou par mer jusqu'à l'Orient chinois, l'Afrique et ce qu'on nommera bientôt les Amériques.

À chaque siècle, cette ville dominante devient le lieu du gouvernement du monde marchand, son « cœur ». De ce cœur partent bateaux et caravanes. Chez lui s'organisent foires et marchés financiers qui dictent au monde le prix des choses, les modes, les courants d'idées. Il organise à sa guise un système d'alliances.

Les tout premiers cœurs s'appuient sur l'armée de l'empire où ils se trouvent et qui croit les dominer. Les suivants disposent d'une armée et prennent le pouvoir politique. Chaque « cœur » s'efface quand il n'a plus les moyens de rassembler les ressources nécessaires au maintien de l'ordre ; il cède alors le gouvernement du monde marchand à une autre puissance, un autre « cœur », un monde marchand de plus en plus vaste, de plus en plus envahissant, dans l'espace et le temps.

Ainsi se succèdent du XIVe au XVIe siècle les hégémonies de Bruges, Venise, Anvers et Gênes.

BRUGES, FLORENCE ET LA « SOCIÉTÉ UNIVERSELLE DU GENRE HUMAIN »

Une petite cité donnant sur la mer du Nord, Bruges, affirme son importance au début du XIIe siècle, lorsqu'elle se voit octroyer ses premières libertés municipales par les comtes de Flandre. Bien gouvernée, la ville devient le principal lieu de commerce de l'Occident ; l'industrie textile de son arrière-pays est par ailleurs la première d'Europe. Sa toute-puissance s'installe au XIIe siècle. Elle noue des liens avec Gênes, Nuremberg, Venise et même avec la Russie et la Chine, et devient la cité la plus puissante d'Europe, le premier « cœur » de l'ordre marchand. Lové entre les puissances féodales, encore soumis au Saint Empire dans ses divers avatars, son « gouvernement du monde » est certes encore timide et discret. Il n'empêche : c'est là, à Bruges, pour un temps, que se font et défont les contrats, que se fixe le prix des biens dont dépend la survie des princes.

En Italie, à la même époque, des villes commencent à concurrencer Bruges. Venise devient un point de passage naturel entre la Flandre, l'Allemagne, d'une part, et, d'autre part, les empires d'Orient. Très tôt, les bourgeoisies marchandes de la plupart des cités du nord et du centre de l'Italie s'organisent pour s'émanciper de la papauté et de l'Empire romain germanique. Les Vénitiens se dotent d'un Conseil de douze tribuns ; Padoue et Ferrare choisissent le gouvernement d'un prince. En 1115, Florence, encore rattachée à l'Empire romain germanique, prend son autonomie à la faveur des luttes entre le pape et l'empereur. En 1197, Florence prend même la tête d'une Ligue toscane contre la tutelle impériale. Au XIIIe siècle, les grandes familles sont scindées en deux camps : gibelins (partisans de l'empire) et guelfes (partisans du pape), les guelfes se partageant eux-mêmes en guelfes noirs (ultras) et guelfes blancs (modérés, partisans d'un compromis avec les gibelins) qui dirigent la ville. En 1301, les noirs expulsent les chefs blancs. Les exilés placent alors leurs espoirs dans l'empereur Henri VII, qui fond sur Florence en 1311, mais doit renoncer à l'assiéger et meurt peu après.

En 1302, Bruges donne le signal de la rébellion contre le roi de France, Philippe IV le Bel, en massacrant les Français présents dans la ville. Après la paix de Courtrai (signée la même année), le commerce de la ville connaît encore un nouvel essor : toute l'Europe commerçante y ouvre des comptoirs.

Florence voit alors affluer les ressources venues de Venise et de Byzance. Elle découvre que la paix est la condition de l'expansion de l'espace marchand, alors que la guerre était le moyen de croissance de l'espace impérial.

En 1313, un des chefs des guelfes blancs, Dante Alighieri, ancien prieur de Florence, alors en exil à Vérone après l'avoir été aussi à Sienne et à Bologne, est le premier à parler de ce « gouvernement mondial ». Il y commence à rédiger, en même temps que *La Divine Comédie*, le *De monarchia*, dans lequel il réaffirme son soutien à l'empereur : les hommes, explique-t-il, aiment naturellement vivre en société, même s'ils ne sont pas chrétiens. Et il ajoute qu'un empire planétaire à caractère civil pourrait en finir avec la guerre ; ce « gouvernement laïc du monde », « société universelle du genre humain », fondé sur la Raison, devrait promouvoir la *civitas*, la liberté des peuples. C'est la première fois dans le monde chrétien qu'on parle d'un gouvernement laïc du monde. À ses yeux, l'Empire romain germanique constitue l'embryon d'un tel empire mondial ; il permettrait l'extension mondiale du règne du droit romain et réaliserait l'unité de l'humanité, condition de la « paix universelle ». De fait, à chaque moment de l'Histoire, explique Dante, la victoire d'un peuple exprime le jugement de Dieu et constitue une inéluctable avancée vers l'« Empire universel ». La paix est la vraie justification de la nécessité de ce gouvernement mondial.

Pour Dante, l'Empire romain a été un premier pas vers la constitution de cet empire universel ; il a ensuite permis le développement de la chrétienté, deuxième étape vers ce gouvernement mondial ; aujourd'hui, explique-t-il, l'empereur romain germanique incarne rationnellement une étape supplémentaire dans la même direction. Dès lors (c'est là toute la nouveauté de sa réflexion), l'obéissance nécessaire à l'empereur ne doit pas être fondée sur la soumission (comme celle du vassal à l'égard de son suzerain), mais sur la Raison, sur l'adhésion à un ordre politique et à un progrès avançant dans le « sens » de l'Histoire. Pour légitimer son rôle, l'empereur, de son côté, se doit d'être exemplaire et raisonnable. En faisant l'apologie d'un empire universel et rationnel, Dante, en fait, veut légitimer la volonté d'indépendance de la puissante Florence.

Mais cette habile rationalisation, utile à l'indépendance de Florence, arrive trop tard : l'Empire romain germanique n'est déjà plus un acteur du gouvernement du monde, tout comme, à l'autre bout de l'Eurasie, la Chine cesse, elle aussi, de l'être.

TENTATIVE DE GOUVERNEMENT CHINOIS DU MONDE

Depuis 2 000 ans, l'Empire chinois ne règne alors que sur son « monde » et par l'influence indirecte qu'exercent sur le reste de la planète son économie et ses quelque 120 millions d'habitants. Ils maîtrisent la cartographie, la boussole, le compas de navigation, le gouvernail d'étambot, mais ils n'en font rien, ne développent pas d'industries exportatrices et ne sortent guère de leurs frontières.

En 1257, un des fils de Gengis Khan conquiert, on l'a dit, la Chine du Nord, puis, en 1279, celle du Sud. Ces Mongols prennent le nom dynastique de Yuan et choisissent Pékin pour capitale. Les Occidentaux y sont bien reçus ; en 1307, Jean de Montcorvin est même nommé archevêque de Pékin par le pape Clément V.

En 1368, les héritiers de Gengis Khan sont renversés par une insurrection qui place sur le trône une nouvelle dynastie, les Ming, qui déménagent à nouveau la capitale à Nankin. Centralisateurs, ils confient l'essentiel du pouvoir à des eunuques qui organisent l'irrigation, la construction de canaux, le reboisement, et recensent la population, qu'ils déplacent de région en région. Sans jamais sortir de leur empire, les deux premiers empereurs Ming se contentent de recevoir des marchands venus de l'Inde pour apporter épices, parfums, pierres précieuses, ivoire et encens…

À sa mort en 1398, Hongwu, le fondateur de la dynastie Ming, transmet directement le pouvoir à son petit-fils Jianwen, ce qui provoque le courroux de l'oncle de ce dernier, Yongle. Affirmant que le dieu Xuanwu lui a ordonné de prendre le pouvoir et qu'il a reçu « mandat des cieux » de diriger le monde, il refuse de laisser le trône à son jeune parent et se fait proclamer empereur.

Mais l'accession au pouvoir en Inde des grands Moghols, qui, chassés de la Chine, sont partis vers le sud-ouest, entraîne la fermeture de certaines routes commerciales vitales pour les Ming ; il leur faut désormais passer par la mer pour s'approvisionner en ces produits de luxe essentiels pour la cour, l'empereur et que la Chine ne produit pas.

L'empereur décide alors d'organiser de grandes expéditions maritimes vers l'ouest, de l'océan Indien à la mer Rouge. Il en confie le commandement à un eunuque de confession musulmane, Zheng He, l'« amiral des mers de l'Ouest ». Celui-ci fait construire 200 navires à neuf mâts, les plus gros vaisseaux en bois jamais bâtis jusqu'ici (cinq fois plus gros que ceux que Vasco de Gama conduira près d'un siècle plus tard). À cette fin, l'amiral fait abattre quelques millions d'arbres. Il embarque ensuite sur cette « flotte des Trésors » 17 ambassadeurs impériaux, 63 chambellans, 95 généraux, 207 chefs de brigades et de compagnies, 3 secrétaires des ministres supérieurs, 2 maîtres de cérémonie, 5 géomanciens, 128 médecins et 26 803 officiers, soldats, cuisiniers, juristes et interprètes. D'une durée moyenne de deux ans, ces expéditions visitent successivement l'Indochine, Java, Sumatra, Ceylan, les Maldives, le sultanat d'Oman, la Somalie, le Kenya, Zanzibar. La Chine noue ainsi des contacts avec trente-cinq nations d'Asie et d'Afrique. Ce ne sont pas là de simples visites de courtoisie : Zheng He s'assure de l'allégeance de ces peuples, collecte des tributs ainsi que les produits qui manquent à la cour, ramène parfois aussi des émissaires qu'il raccompagne ensuite jusque chez eux – ainsi des envoyés du royaume africain de Malindi (aujourd'hui port du Kenya), qui offrent une girafe à Yongle. Ces démonstrations de puissance de la nouvelle dynastie chinoise incitent ces pays, dont certains se percevaient encore comme autant de « gouvernements de monde », à se soumettre spontanément à Pékin.

À la mort de Yongle en 1424, des représentants de soixante-sept princes viennent à Pékin présenter leurs condoléances à son successeur, Hongxi, qui laisse l'amiral poursuivre ses expéditions. En 1433, Zheng He est parti pour une septième expédition quand le pays est de nouveau attaqué par les Mongols qui ne se contentent plus de l'Inde. L'empereur a alors besoin de toutes ses troupes. Il fait revenir la flotte et confie à l'amiral Zheng He la responsabilité de défendre Nankin.

Le pays se renferme ; le commerce outre-mer s'interrompt. En 1436, l'empereur interdit la construction de nouveaux navires capables de voguer en haute mer. En 1477, le vice-ministre de la Guerre aurait même brûlé les comptes rendus officiels des voyages de Zheng He afin que nul ne s'en souvienne. En 1525 est ordonnée la destruction de toute jonque de plus de deux mâts ; tout Chinois surpris à partir vers la haute mer est accusé de trahison et mis à mort.

À partir de 1560, le commerce international reprendra quelque peu, mais seulement avec les Espagnols installés à Manille et les Portugais installés à Macao. C'est le début du déclin de la dynastie Ming. La Chine, première puissance économique du monde, sort pour un très long temps de l'Histoire du reste du monde.

Ni l'Amérique ni l'Afrique ne sont à l'évidence en situation de la remplacer.

En Amérique, les Incas, venus de la forêt amazonienne, établis dans la région de Cuzco depuis 1200, sont dirigés vers 1450 par un certain Cusi Yupanqui qui, à la suite de sa victoire sur les peuples chancas, prend le nom de *Pachacutec Inca Yupanqui* : le « Réformateur du Monde ». Là encore, il croit que le monde se limite à ces terres.

Au début du XIVe siècle, plus au nord, les Aztèques prennent le pouvoir dans l'actuelle région de Mexico ; un siècle plus tard, leur chef, Itzcoatl, entame l'édification de son empire. Ils se considèrent comme le peuple élu du Soleil et constituent une confédération de tribus, dotée d'une administration savamment organisée. Leur capitale, Tenochtitlán (Mexico), devient en l'espace de deux siècles une véritable métropole qui compte 250 000 habitants. Bâtie au milieu d'une lagune marécageuse sur un ensemble d'îlots naturels, puis artificiels, elle est sillonnée de canaux bordés de jardins, de palais et de temples.

En Afrique, l'Empire du Ghana, premier grand empire commerçant d'Afrique de l'Ouest, décline depuis le XIIIe siècle. Il s'étend encore sur une zone sahélienne entre le Sud-Sahara et les sources des fleuves Sénégal et Niger (soit l'ouest du Mali actuel et le sud de la Mauritanie). Il contrôle de nombreuses mines aurifères, la route caravanière des échanges commerciaux – notamment en or et en sel – entre le nord de l'Afrique, dominé par les Arabes, et le sud du Sahara. Sur son flanc apparaît une autre puissance, l'Empire du Mali, qui connaît son apogée au XIVe siècle et s'étend alors des côtes sénégalaises à l'actuelle frontière entre le Mali et le Niger.

Tous ces empires communiquent et échangent, sauf ceux de l'Amérique, dont nul ne connaît encore l'existence.

Aucun de ces empires n'a cependant le dynamisme et la créativité des « cœurs » européens, qui vont désormais conquérir non plus un monde, mais le monde entier.

LE GOUVERNEMENT VÉNITIEN DU MONDE

En Europe, à la fin du XIVe siècle, le port de Bruges commence à s'envaser et la Flandre perd le contrôle du grand commerce d'Orient. Au carrefour entre l'Asie et l'Europe, Venise prend sa place comme « cœur » marchand du monde, doté cette fois d'une puissance militaire. D'abord vassale de Constantinople, la cité a pris son indépendance dès le IXᵉ siècle et s'est retournée contre son ancien maître. Les Vénitiens prennent, en 1204, Constantinople avec les croisés de la IVᵉ croisade, puis les îles Ioniennes, l'Eubée, Rhodes, la Crète et de nombreuses places fortes dans le Péloponnèse, l'Hellespont et la Thrace. La cité devient le point de passage obligé entre l'Orient maritime et l'Occident. De l'ancien, immense et splendide Empire romain d'Orient ne subsistent bientôt plus que trois États grecs indépendants : le despotat d'Épire, l'Empire de Trébizonde, enfin celui de Nicée, gouverné par le régent Michel VIII Paléologue qui reconquiert Constantinople contre les Occidentaux en 1261 et se rapproche de Gênes, dont il fait une rivale de Venise.

En 1297, un acte constitutionnel, la *Serrata del Maggior Consiglio*, stipule la nature républicaine du régime en place à Venise et définit une classe de nobles ayant vocation à diriger les affaires de la cité. À l'assemblée populaire d'origine se substitue le Grand Conseil, organe législatif de plus de mille patriciens qui élit un doge et désigne les hauts magistrats. La charge de grand conseiller devient héréditaire. En 1310, un Conseil des Dix, élu par le Grand Conseil, supervise la diplomatie et ce qui tient lieu de services de renseignement. Le Sénat supervise la politique étrangère et nomme les ambassadeurs. Le doge devient une figure presque sacrée et ses attributs reprennent ceux de l'empereur byzantin qu'il entend remplacer : Venise fait figure de nouvelle Rome, en charge du monde. Des doges tels Francesco Foscari, Andrea Gritti et Leonardo Dona président les conseils importants et assument cette fonction à vie. Puis les pouvoirs du doge se réduisent et ne s'exercent plus qu'au sein de la Seigneurie de Venise, composée du doge, du Petit Conseil et des trois chefs du tribunal de la Quarantie.

La ville achète du poivre et des épices venus de l'océan Indien et du Levant, des cotons et des soieries d'Orient et d'Égypte, qu'elle revend à l'Europe. Elle dispose de 3 000 navires marchands et de 300 navires de guerre. Ses galères affrétées par l'État – des navires de 300 à 500 tonneaux – poussent jusqu'en Orient, en Afrique du Nord, en Égypte, et rallient les ports anglais ou flamands (Bruges et Anvers). La cité gouverne les marchés du monde et, grâce à son armée, se révèle plus puissante que tout autre empire.

Une puissance rivale se profile néanmoins : les Ottomans, des musulmans turcs qui ont déjà écrasé les Abbassides. En 1326, ils installent leur capitale à Brousse, non loin de Constantinople, que tiennent encore quelques Byzantins. En 1330, ils s'emparent de Nicée. En 1353, ils passent de l'autre côté de la mer de Marmara et s'installent sur la rive européenne ; en 1357, ils contrôlent les détroits et établissent en 1365 leur capitale à Andrinople. En 1389, ils finissent par triompher d'une coalition chrétienne à la bataille de Kosovo. En 1396, le sultan ottoman Bayezid écrase une tentative de croisade menée par la couronne de Hongrie à Nicopolis.

Venise s'inquiète : l'installation des Turcs à Constantinople marquerait la fermeture de la route de la Soie ouverte par Gengis Khan et du commerce avec la Chine ; c'en serait fini de son pouvoir et de sa richesse.

Mais la Sérénissime n'a pas les moyens militaires de s'y opposer : en 1430, les Turcs s'emparent de Thessalonique. Enfin, à l'aube du 29 mai 1453, le sultan Mehmet II enlève Constantinople au dernier empereur de la dynastie des Paléologue, Constantin XI, qui trouve là une mort héroïque. Trois jours plus tard, la prière du vendredi est dite à Sainte-Sophie, immédiatement transformée en mosquée. Ultime fin de l'agonie des empires romains.

Venise doit se replier : Mehmet bat la flotte de la Sérénissime en Crimée en 1475, puis à Morée et Otrante en 1480, et annexe la Syrie et l'Égypte. Malgré son inutile victoire à Lépante en 1477, Venise doit se replier et installer un État de terre ferme pour s'assurer à tout le moins le contrôle des routes alpines et les communications fluviales dans son arrière-pays.

La toute-puissance de Venise n'est plus. La domination d'Anvers et de Gênes s'annonce.

Au même moment, craignant pour leurs libertés durant la guerre de Souabe provoquée par l'empereur Maximilien Ier, les confédérés suisses font alliance avec les trois ligues qui règnent sur le canton des Grisons. La Confédération s'agrandit. À la fin de la guerre, le 22 septembre 1499, elle se voit reconnaître par le traité de Bâle son indépendance de fait par rapport à l'Empire.

L'Orient se ferme ; l'Occident va s'ouvrir. Le « cœur » quitte la Méditerranée et bascule du côté de l'Atlantique : Anvers prend le pouvoir.

Découverte du reste du monde, unité du monde

Puisque la route terrestre des épices en provenance d'Asie est barrée, l'Espagne et le Portugal cherchent une autre voie en envoyant des expéditions tenter de contourner l'Afrique par le sud et – audace nouvelle ! – en partant aussi vers l'ouest pour rejoindre Cipango, le Japon. Vient alors la confirmation de la grande intuition des géographes grecs : le monde contient d'innombrables terres inconnues, et c'est une sphère. C'est lui, désormais, qu'il va falloir gouverner.

En mai 1493, sitôt les terres nouvelles découvertes par Christophe Colomb, un pape espagnol de la famille Borgia, Alexandre VI, par sa bulle *Inter Caetera*, partage le Nouveau Continent entre la Castille et le Portugal suivant une ligne favorable à la Castille, tracée à cent lieues à l'ouest des Açores et du Cap-Vert. Jean II de Portugal n'accepte pas ce partage et impose à Isabelle la Catholique, le 7 juin 1494, le traité de Tordesillas qui déplace la ligne de 370 lieues : toute terre découverte à l'est de cette ligne doit appartenir au Portugal ; tout ce qui se trouve à l'ouest reviendra à l'Espagne. Le Brésil sera portugais. Ce partage, camouflet pour le pape, est approuvé par une nouvelle bulle datée de 1506 de son successeur, Jules II. Pas plus le traité que la bulle pontificale n'attribuent explicitement la souveraineté de l'Espagne ou du Portugal sur les mers et les océans, seulement sur les terres. Si les autres puissances européennes ne reconnaissent pas le traité, la supériorité militaire de l'Espagne et du Portugal permet néanmoins à ces deux royaumes d'en faire prévaloir les termes pendant un siècle. Le tracé de la ligne de partage devait être précisé par une expédition conjointe : elle ne sera jamais menée.

En Amérique, les Espagnols découvrent avec stupeur, à partir de 1519, la présence d'au moins deux grands empires encore florissants : ceux des Aztèques et des Incas, splendides successeurs de dizaines d'autres royaumes qui ont régné pendant des millénaires sur des mondes clos. Le fonctionnement de l'Empire aztèque est alors fragilisé par les sacrifices humains toujours plus grands exigés des peuples soumis, par les tensions grandissantes entre la classe noble et celle des marchands, et par les différences culturelles entre les diverses tribus le composant. En août 1521, Hernán Cortés prend Tenochtitlán, la capitale des Aztèques, après trois mois de siège. Dans une lettre à Charles Quint, il la décrit comme « la plus belle ville du monde, une nouvelle Venise ». Cortés est aidé par des peuples soumis aux Aztèques et parce que certains Aztèques (y compris l'empereur Moctezuma II) voient en lui le dieu Quetzalcóatl (Serpent à plumes) venu réclamer son royaume. Le dernier empereur aztèque, Cuauhtémoc, est exécuté quatre ans plus tard. Les Espagnols envoient des commissions d'enquête chargées de vérifier si les Indiens possèdent ou non une âme, cependant que ces derniers immergent des Blancs dans de l'eau bouillante pour voir si leur cadavre est sujet ou non à la putréfaction.

LE GOUVERNEMENT PAR LA RAISON

Au milieu du XVe siècle, Venise est étouffée par les Turcs ; Anvers prend le relais. Dépourvu d'une armée propre, principal port de ce qui reste de l'Empire romain germanique, Anvers va dominer le monde – comme l'ont fait et le feront après lui les autres « cœurs » – par sa capacité à gérer les marchés financiers et à les mettre à son service.

Doté d'un riche arrière-pays où sont en particulier élevés les moutons dont la ville tisse la laine, Anvers échange depuis déjà deux siècles draps et verre flamands, faïence hollandaise, sel zélandais, coutellerie anglaise, métaux allemands contre produits d'Orient. On retrouve ces produits jusque dans les palais du Rajahstan. Vers 1450, une fois barrées les routes vénitiennes, Anvers devient le principal lieu d'échange des produits d'Europe du Nord contre les épices ramenées désormais d'Afrique et d'Asie par les navires portugais et espagnols. La bourse d'Anvers remplace les marchés de Venise et devient le premier centre financier du monde ; s'y échafaude un réseau bancaire sophistiqué utilisant de nouvelles monnaies d'argent au cours strictement contrôlé.

Anvers est aussi – comme le seront les autres « cœurs » après lui – le premier utilisateur industriel d'une innovation technologique majeure venue d'ailleurs : les caractères mobiles d'imprimerie, invention chinoise redécouverte à Mayence vers 1450.

L'une et l'autre convaincus de leur toute-puissance, l'Église et l'Empire romain pensent que cette nouvelle technologie de communication va leur permettre d'asseoir complètement leur pouvoir sur le monde. Tous les peuples, pensent-ils, vont bientôt lire et parler le latin, l'empire imposera ainsi sa langue et l'Église fera connaître la Bible.

C'est en effet ce qui se produit dans un premier temps ; mais, bien vite, l'imprimerie permet de publier des grammaires de langues vernaculaires, ce qui les consolide, remettant en cause l'usage exclusif du latin et l'unité de l'empire. De surcroît, les nouveaux lecteurs découvrent que la Bible ne contient pas exactement ce qu'en disent les prêtres, et qu'il existe un savoir – hébreu, grec, romain, arabe, perse – qui leur a été jusqu'ici soigneusement caché.

En définitive, en l'espace de quelques décennies, l'imprimerie fait s'effondrer le rêve du Saint-Siège et de l'Empire germanique d'unifier l'Europe autour d'eux. Les nations surgissent ; une technologie censée renforcer les pouvoirs en place vient les affaiblir.

Alors qu'a lieu ce basculement, en 1516, dans l'*Utopie*, Thomas More imagine justement « la meilleure forme de gouvernement » d'une nation, fédération de 54 cités identiques composées de 6 000 familles chacune et dirigées par un « prince ». L'île n'est pas le monde, et ne saurait l'être : pour lui, le gouvernement idéal du monde devrait être resserré et isolé, à l'image de celui dont il rêve pour l'Angleterre, son pays. Son utopie n'est donc pas celle d'un gouvernement planétaire ; comme beaucoup d'autres utopies qui feront suite à la sienne, celle-ci préfère se concevoir dans un territoire restreint, limité, fermé – une nation –, isolé des influences extérieures.

L'année suivante, en 1517, grâce à l'imprimerie, Luther invite ses fidèles à lire la Bible, se dresse contre la corruption de la papauté et s'allie à quelques princes allemands contre l'Église et l'empereur. L'ère des nations, que vient d'annoncer Thomas More, peut commencer.

En 1522, un premier tour du monde est bouclé par le *Victoria*, un des cinq navires de la flotte dirigée par Magellan, partie vers l'ouest trois ans plus tôt. Ce bateau, commandé par l'ancien bagnard Juan Sebastián del Cano, revient un jeudi (alors que, d'après son journal de bord, il pense être un mercredi). Magellan, lui, est mort au cours du périple.

En 1580, Francis Drake commence un deuxième tour du monde, qui durera également en trois ans. En 1586, le chevalier anglais Thomas Cavendish en entreprend un autre, qu'il boucle en deux ans. Il devient possible de parachever le relevé de l'entière surface du globe terrestre. Les cartes existent : paradoxalement, le gouvernement du monde entier devient concevable juste au moment même où le nationalisme le rend impossible…

Car ces découvertes, qui font prendre conscience de l'unité du monde, mettent en difficulté la pensée cosmopolitique : le monde est désormais si diversifié qu'il semble maintenant impossible de le penser dans son unicité. Toutes les nations expriment des aspirations différentes que l'imprimerie facilite. Au surplus, ces nouveaux êtres découverts, qu'on nomme à tort les Indiens, sont-ils seulement humains ? Sont-ils des sujets à convertir ou des objets à exploiter ? Des théologiens espagnols – Vitoria, Soto, Suárez – soutiennent qu'ils sont humains, qu'ils doivent être convertis et qu'ils ont des droits naturels qui s'imposent aux puissances coloniales ; d'autres, qu'ils ne sont que des animaux d'un genre particulier. L'unité de l'espèce humaine et le gouvernement du monde se jouent dans cette dispute.

DANS L'OMBRE DE CHARLES QUINT, ROI DE L'UNIVERS

Dans les deux premières décennies du XVIe siècle, Charles de Habsbourg, fils de Philippe le Beau (lui-même fils de Maximilien de Habsbourg et de Marie de Bourgogne) et de Jeanne la Folle (elle-même fille de Ferdinand d'Aragon et d'Isabelle de Castille), roi d'Espagne, reçoit en héritage les Pays-Bas (où se trouve le « cœur », à Anvers), la Franche-Comté, la Castille (et ses possessions du Nouveau Monde), l'Aragon (dont dépendent le royaume de Naples, la Sardaigne et la Sicile) et les États allemands. Élu empereur en 1519, à la mort de son grand-père Maximilien de Habsbourg, il souhaite garantir la paix entre les peuples de son empire et ambitionne de régner sur le monde chrétien, de le protéger contre le « péril ottoman », et même – rêve ancien des empereurs et des papes – de rendre chrétien le monde entier. Il reprend la devise choisie en 1458 par la maison de Habsbourg dont il descend : « Il appartient à l'Autriche de régner sur tout l'univers » (« *Austria Est Imperare Orbi Universo* », dont l'acronyme est AEIOU). On dira que « le soleil ne se couche jamais sur son empire », sans qu'on sache trop l'origine de la formule.

Le « gouvernement du monde » de Charles, ultime empire prémarchand, est d'abord on ne peut plus léger. Lui-même est nomade : il s'installe successivement aux

Pays-Bas, en Allemagne et en Espagne, et visite l'Italie (sept fois), la France (quatre fois), l'Angleterre (deux fois) et l'Afrique (deux fois), sans jamais se rendre toutefois dans le Nouveau Monde. En 1532, il promulgue la *Lex Carolina*, procédure criminelle qui assure la publicité des débats de justice et harmonise la loi sur tous les territoires de l'empire.

Comme l'avait fait Dante deux siècles plus tôt, un de ses conseillers, Érasme, propose de considérer l'empire comme une monarchie universelle qui assurerait paix et tolérance. Mais, à la différence de l'auteur de *La Divine Comédie*, Érasme pense que cet empire mondial doit être chrétien et placé sous contrôle de l'Église : à ses yeux, l'esprit religieux est au-dessus de l'ordre politique. Cet humaniste, qui a voyagé et travaillé dans pratiquement tous les pays d'Europe, explique que la réforme politique suppose au préalable une réforme des mœurs : elles doivent devenir conformes à l'Évangile, qui interdit l'extension militaire ou diplomatique d'un empire : « Toute extension de domaine est dangereuse pour un roi ; le monarque qui acquiert par force ou diplomatie la juridiction d'un autre État ne peut régner sur les deux. » Il écrit encore dans la *Querela pacis* : « Le monde entier est notre patrie à tous… Pourquoi ces noms stupides nous séparent-ils, puisque le nom de chrétiens nous unit ? »

Un autre des conseillers de Charles Quint, le chancelier Mercurino Gattinara, pense que l'empereur a le droit de constituer par la force cet empire universel à la condition qu'il soit chrétien et humaniste. Il pousse l'empereur à dominer le monde (*Dominium mundi*) et organise les grandes institutions de l'empire – le

Conseil d'État et la Chancellerie impériale –, abandonnant un rôle important aux institutions et aux coutumes locales des différents royaumes et provinces. De fait, ils ont chacun des objectifs différents : selon Fernand Braudel, « l'Espagne dirige efforts, rêves, projets contre l'Afrique barbaresque ; l'Italie, espagnole et non espagnole, craint le Turc et ses armadas irrésistibles ; l'Allemagne recherche l'impossible équilibre qui résoudrait ses discordes religieuses... ». Pendant ce temps, en Amérique, les troupes espagnoles exterminent des peuples, au nom de la Croix, pour mieux piller leurs trésors.

Et la France ? Première puissance démographique d'Europe, très riche nation agricole, disposant des plus longues côtes du monde connu, elle commence, elle aussi, à se rêver au « cœur » du monde. En 1544, un érudit normand, Guillaume Postel, propose au roi François Ier de revendiquer ce rôle : mêlant la conception érasmienne d'*humanitas*, le judaïsme, l'islam, la notion de *civilitas* de Nicolas Oresme (définie, au XIVe siècle, comme « la manière, ordonnance et gouvernement d'une cité et communauté ») et le droit naturel, il prédit l'avènement d'une monarchie universelle – l'*Orbis terrae concordia* – sous direction française. Ignoré par le roi de France, Postel part pour Rome, y rencontre Ignace de Loyola, qui le fait admettre comme novice dans la Compagnie de Jésus. Mais il n'est pas reçu dans l'ordre ; il s'initie alors à la Kabbale, traduit le *Zohar* en latin, part pour Venise, où il est condamné par l'Inquisition en 1555, et finit sa vie à Paris, interné comme fou, au cloître de Saint-Martin-des-Champs.

Au même moment, en 1555, la question de savoir si le Saint Empire romain germanique doit dépendre du pape ou bien le contrôler est définitivement tranchée : la paix d'Augsbourg consacre la division religieuse qu'a initiée Luther, laissant aux princes la liberté d'imposer leur religion à leurs sujets (*Cujus regio, ejus religio*). Le Saint Empire n'est plus qu'une confédération de principautés et de villes libres. La nation l'emporte sur l'empire, qui n'est plus qu'un vague rassemblement autour d'un empereur sans pouvoir choisi par quelques grands électeurs.

Charles Quint doit alors faire face à la revendication indépendantiste des Flandres protestantes, soutenues par l'Angleterre, celle-ci et celles-là ayant rompu avec Rome.

L'AVENIR DES ÂMES

Puis, comme les deux précédents, ce troisième gouvernement du monde marchand depuis Anvers s'affaiblit. Les guerres de religions rompent les liaisons maritimes avec l'Espagne et coupent Anvers, qui ne possède pas de marine de guerre, de ses réseaux commerciaux ; l'or et l'argent d'Amérique ne peuvent plus remonter vers le nord et doivent rester à Séville ou repartir vers la Méditerranée. Comme ses devanciers, Anvers n'a plus les moyens de maintenir ses réseaux et s'efface en 1550, miné par la spéculation boursière déclenchée à Séville.

Si la France, nation la plus vaste et la plus peuplée d'Europe, ne parvient pas alors à s'ériger en « cœur », c'est faute d'une bourgeoisie, d'une marine marchande et surtout d'un grand port sur la Méditerranée ou la mer du Nord. De plus, comme la Chine, sa taille joue contre elle : son marché intérieur est si vaste qu'elle n'a nul besoin de chercher à exporter les produits de son industrie ou de son agriculture.

L'Espagne laisse, elle aussi, passer sa chance de gouverner le monde : l'argent, puis l'or d'Amérique qui s'y déversent maintenant à flots lui assurent une formidable rente qui pourrait l'aider à devenir enfin un « cœur » ; mais la culture d'empire y prévaut plus que jamais : les seigneurs dominent les marchands et il faut importer des Pays-Bas et d'Italie les textiles, les bijoux, les armes que l'Espagne ne veut produire.

On ne s'y intéresse qu'à l'avenir des âmes. On dispute par exemple le point de savoir si les indigènes d'Amérique sont des humains. Le polygénisme, selon lequel l'homme n'est pas une espèce unique mais une série de races différentes, domine alors la pensée espagnole. Pour l'empereur, confit en religion, c'est une question essentielle : faut-il traiter ces êtres en objets ou en sujets ? En 1550 puis en 1551, Charles Quint convoque théologiens, juristes et administrateurs au collège San Gregorio de Valladolid pour en débattre. Le précepteur du futur Philippe II, Juan Ginés de Sepúlveda, s'inspire d'Aristote pour décrire les Indiens comme des êtres inhumains coupables de crimes contre la loi naturelle et inaptes à la conversion. Pour le dominicain Las Casas, au contraire, les Indiens sont des êtres humains et doivent devenir chrétiens. Un peu plus tard, un décret pontifical interdit leur mise en esclavage, mais proclame leur infériorité intrinsèque : on peut donc les gouverner comme des choses, non comme des sujets. Des choses chrétiennes.

La faiblesse de l'appareil productif de l'Espagne engendre une forte inflation. Les banquiers quittent les places financières de Madrid et de Séville, qui font faillite en 1557 ; puis c'est le tour de celle de Lisbonne en 1560. Ils ne peuvent prendre le relais d'Anvers.

En 1570, un an après que le géographe Mercator eut proposé une nouvelle cartographie du monde à l'usage des marins, Jean de Léry, dans son *Histoire d'un voyage faict en la terre du Brésil*, explique que les Tupinambas du Brésil sont des hommes comme les autres, même s'ils sont cannibales. Protestant, il considère l'eucharistie comme une métaphore du cannibalisme et, contemporain de la Saint-Barthélemy, soutient que la barbarie des Français n'a rien à envier à celle des Indiens : « Il ne faut pas aller si loin qu'en leur pays ni qu'en l'Amérique pour voir choses si monstrueuses et prodigieuses. » En 1579, Montaigne, qui tient ses informations d'un huguenot ayant vécu vers 1540 au sein d'une communauté protestante implantée près de Rio de Janeiro, explique lui aussi, dans son essai *Sur les cannibales*, que les Indiens sont des hommes et que l'espèce humaine est unique. Ce n'en est pas moins l'époque où, au nom de leur civilisation, les Européens vont commencer à pratiquer sur grande échelle l'esclavage qui va ruiner l'essentiel des forces vives de l'Afrique après celles des Amériques.

GÊNES, DERNIER GOUVERNEMENT MÉDITERRANÉEN DU MONDE

La bataille fait rage entre les puissances espagnole, hollandaise, anglaise et française. L'Atlantique n'est plus désormais assez sûr pour qu'y transite le commerce mondial. Vers 1560, le seul port disponible se trouve en Méditerranée : c'est Gênes, qui appartient à l'empire et où se trouve le premier marché de l'or.

Ce port de Méditerranée devient le nouveau « cœur » et va le rester pendant un peu plus d'un demi-siècle. Les banquiers génois fixent les taux de change de toutes les devises et financent les opérations des rois d'Espagne et de France, des princes italiens, allemands et polonais. Les hommes d'affaires génois ont compris que l'exercice du pouvoir politique était source d'ennuis, et ils se concentrent pour leur part sur le commerce et la finance. Ils financent d'abord – en argent et en or – la plupart des princes d'Europe, puis l'essentiel du commerce et de l'industrie textile florentine.

Comme nul port ne peut devenir un « cœur » sans contrôler aussi l'agriculture et l'industrie, l'arrière-pays de Gênes, qui s'étend bien au-delà de Florence et de la richissime Toscane, devient une importante puissance industrielle dans la laine et la métallurgie. Gênes réalise alors l'ultime sursaut du monde méditerranéen, le dernier écho du rêve d'Athènes, de Rome, de Florence, de Charles Quint et de son fils Philippe II. Mais cet ultime « cœur » méditerranéen dépend entièrement pour sa sécurité des armées de Charles, puis de Philippe, lesquelles doivent disperser leurs efforts.

Au même moment, le sultan ottoman Soliman, fils de Selim Ier qui a renversé le dernier calife abbasside, vient attaquer Charles Quint en Europe centrale et dans le nord de l'Afrique. Il conquiert Belgrade (1521), Rhodes (1522), Buda (1526). Il prolonge ainsi les conquêtes de son père, Sélim Ier, qui avait pris l'Égypte en 1516 et en avait fini avec les Abbassides qui y étaient réfugiés depuis la prise de Bagdad par les Mongols en 1258. Puis Soliman se retourne contre les Mongols et leur prend Bagdad (1534), le Yémen et Aden (1538). Il s'empare ensuite de la Tripolitaine, de l'Algérie, d'une partie de la Tunisie et de l'Iran. En 1555, une paix consacre la suprématie ottomane sur l'ensemble du monde arabe (à l'exception du Maroc).

Pendant ce temps, les grandes nations d'Europe s'épuisent dans une guerre de Quatre-Vingts Ans entre l'Espagne et les nations protestantes, conflit auquel la France se joint pendant trente ans.

Ailleurs, nul empire d'Asie ou d'Afrique ne prétend plus « gouverner le monde », dont chacun connaît désormais l'immensité.

En Afrique, à l'est de l'Empire du Mali déclinant, l'Empire de Kanem-Bornou se maintient sous différentes formes. Il se développe grâce au commerce des esclaves à destination de l'Empire ottoman. À son apogée, il s'étend sur une grande partie du Tchad et déborde sur le nord du Cameroun, le nord-est du Nigeria, l'est du Niger, le sud de la Libye.

Au nord-est du continent, un État éthiopien réapparaît au XIIe siècle. Au XIIIe y est fondée la dynastie salomonienne, qui dit descendre de Salomon et réunifie l'empire. Celui-ci prospère au XVIe siècle grâce aux routes commerciales qui le relient à la mer Rouge et à l'Asie, et résiste aux assauts des musulmans, notamment avec l'aide des Portugais.

En Chine, la dynastie Ming décline depuis l'interdiction faite aux Chinois en 1525 de construire des vaisseaux de haute mer et de quitter le pays. Il n'en reste pas moins la première puissance démographique et économique du monde.

En Russie, prenant la suite de son grand-père Ivan III qui a fait de la petite principauté de Moscou un grand État, Ivan IV (1530-1584), dit *Grozny* ou le Terrible, donne à la Russie un accès à la Volga, annexe des terres sibériennes et progresse vers le golfe de Finlande et la Baltique, jetant les bases d'un autre « gouvernement du monde ».

En Inde, un prince mongol, Bâbur (« Prince tigre » en persan), qui affirme être le descendant à la cinquième génération de Tamerlan par son père et celui de Gengis Khan à la quatorzième par sa mère, défait en 1526 l'imposante armée de la dynastie des Lodi et s'empare du sultanat de Delhi. Son petit-fils, Akbar, qui a la stature d'un Alexandre et de César, conquiert le Cachemire, le Bengale, le Sind et l'Orissa. Il subdivise son empire en quinze provinces, impose une rotation des fonctionnaires dans les différentes circonscriptions de l'empire et ouvre son administration aux élites non musulmanes (de nombreux hindous sont nommés ministres). Il améliore le réseau routier reliant le Bengale à l'Indus et crée une nouvelle monnaie : la roupie. Il fait traduire les classiques hindous en langue persane, organise des débats théologiques entre chrétiens, hindous, sunnites, chiites, zoroastriens et sikhs, et supprime la *jizyia* (taxe prélevée sur les non-musulmans), rendant ainsi égaux devant l'impôt tous les sujets de son empire. Son fils, Jahângîr (son nom persan signifie « Conquérant du monde » ou « Détenteur du monde »), fait de son empire la plus grande puissance du monde de son temps sans qu'il tente pour autant de venir à la conquête de l'Occident. Son successeur, Aurangzeb, interrompt cette dynamique en interdisant l'hindouisme, ce qui entraîne la création d'un empire rival, l'Empire marathe, de confession hindouiste, entre la vallée du Gange et l'Inde centrale.

Fin de Gênes

Au début du XVIIe siècle, Gênes s'épuise à son tour : la ville n'a plus assez de ressources humaines et financières pour tenir tête à ses concurrents sur tous les fronts.

Comme Anvers avant elle, Gênes est alors fragilisée par une nouvelle récession générale venue d'Espagne ; elle fait faillite pour avoir trop financé les guerres de Charles Quint et de Philippe II contre les ennemis français, hollandais et anglais du pape, et pour avoir perdu le contrôle des mers au profit des Hollandais, qui accueillent désormais à bras ouverts les fabuleuses ressources venues d'Amérique.

Née en 1555 sur le coup de Bourse qui avait affaibli Anvers, Gênes s'efface en 1610 sur un coup de force qui consolide Amsterdam. Après le déclin de Venise, le centre du capitalisme bascule une seconde fois de la Méditerranée vers l'Atlantique. Ce sera sans retour : la *mare nostrum* devient pour toujours une mer secondaire ; les pays qui l'entourent déclinent : leur niveau de vie sera désormais toujours inférieur à celui des nouvelles puissances. Le gouvernement du monde de l'argent est désormais entre les mains des protestants.

4

Le premier gouvernement atlantique du monde (1600-1815)

En 1579 – soit huit ans après l'inutile victoire, à Lépante, du fils caché de Charles Quint, à la tête des flottes de Venise et d'Espagne, sur les Turcs de Sélim II –, les Espagnols sont chassés des Provinces-Unies : événement beaucoup plus considérable et bien moins connu que l'autre.

Nouvelle venue sur les mers, avec à sa tête de grands capitaines comme Francis Drake et Thomas Cavendish, la flotte anglaise vient aussi rafler l'or espagnol qui afflue toujours d'Amérique. En 1588, l'Invincible Armada espagnole, lourde et mal armée, fait naufrage devant les côtes d'Angleterre ; les deux tiers de ses marins et de ses bâtiments disparaissent face à des vaisseaux anglais armés de canons beaucoup plus précis.

L'Atlantique s'ouvre aux navires marchands, d'abord génois et français, puis hollandais et anglais. S'instaure un nouveau gouvernement marchand du monde, d'abord centré à Amsterdam, qui s'étend désormais de l'Amérique et de l'Afrique à la Chine et au Japon en passant par l'Inde et l'Indonésie.

VICTOIRE D'AMSTERDAM :
LA RARETÉ FAIT LA FORCE

Ce cinquième « cœur » n'est plus seulement une ville, mais toute une région ; l'industrie se trouve à Leyde, les chantiers navals à Rotterdam. Devenues une nation indépendante, les Provinces-Unies sont le premier État européen à avoir mis un terme à un régime monarchique, celui des Habsbourg, en rassemblant sept provinces autour d'un idéal et d'un gouvernement de marchands.

C'est en fait toujours la même logique en mouvement : celle de l'extension progressive de l'espace du monde marchand, qui place une nouvelle fois des marchands à la tête d'une grande ville dotée d'un port moderne, d'un vaste arrière-pays agricole, d'une industrie navale, d'une marine à la fois militaire et commerciale, accueillant financiers, armateurs, négociants, innovateurs et aventuriers. S'étend aussi le temps marchand, c'est-à-dire la part de la vie des hommes gouvernée par l'argent : après l'agriculture et le textile, voici la terre, la dot, le livre, la marine, l'art et la guerre.

Initialement favorable aux Espagnols, Amsterdam change de camp en 1578, ce qui lui permet de conserver sa liberté religieuse. Le protestantisme exonère de toute culpabilité la détention de richesses : l'Église n'est plus là pour monopoliser les fortunes et stigmatiser la cupidité. Affluent alors les négociants d'Anvers fuyant les armées de Philippe II d'Espagne, des familles juives d'Allemagne, des anciens *conversos* d'Espagne et les huguenots français.

Manquant de terres, Amsterdam prend une décision audacieuse : ne plus produire sa propre nourriture, mais l'acheter en produisant à la place, comme monnaie d'échange, des denrées sophistiquées (lin, chanvre, colza, houblon) et en développant l'industrie des colorants et la mécanisation du filage. Avec les surplus ainsi dégagés par l'industrie textile, la ville peut industrialiser la production d'un bateau exceptionnel inventé en 1570 : la flûte, beaucoup plus rentable que ses devanciers. La flotte hollandaise, exceptionnellement bien armée, devient très supérieure en nombre à celle des autres pays : ses bateaux de 2 000 tonnes capables de transporter 800 personnes à leur bord transportent six fois plus de marchandises que toutes les autres flottes européennes réunies, soit les trois quarts des grains, du sel et du bois et la moitié des métaux et des textiles de toute l'Europe.

Comme la force vient toujours en appui du commerce, la marine de guerre hollandaise, équipée de ces mêmes énormes vaisseaux, devient la plus puissante du monde. Elle prend la maîtrise des mers de la Baltique à l'Amérique latine, de l'Afrique à l'Indonésie et à la Chine ; les Hollandais sont même les seuls Occidentaux admis à faire escale au Japon. Elle prend aussi le contrôle de Séville, restée le port d'arrivée des métaux précieux d'Amérique. La Compagnie des Indes, puis la Bourse et la Banque d'Amsterdam transforment cette puissance navale en domination financière, commerciale et industrielle ; c'est aussi à Amsterdam qu'on imagine pour la première fois, en

1604, de financer des opérations industrielles terrestres par des sociétés par actions.

Quand commence le XVIIe siècle, le niveau de vie des villes des Provinces-Unies dépasse désormais celui de Gênes et de Venise. Il est même cinq fois supérieur à celui des royaumes de France, (qui se croit au centre du monde) d'Espagne, le plus grand empire en Europe, ou d'Angleterre (qui commence à poindre), et il dépasse, pour la première fois dans l'histoire de l'Europe, celui de la Chine. La vie publique y est fastueuse, la vie intellectuelle intense : des sociétés savantes échangent des idées ; la peinture y connaît un âge d'or ; des universités célèbres y accueillent des penseurs étrangers : après 1650, Baruch Spinoza ose penser à un monde où Dieu se confondrait avec la Nature sans imposer aucune morale aux hommes, résolument seuls à se diriger selon leur libre-arbitre. La paix devient le premier bien public mondial et l'Atlantique, la première mer du monde.

ORGANISER LA MER

Les Hollandais ne sont pas les seuls à comprendre l'importance du marché, et donc du contrat, dans le traitement des affaires du monde ; et les traités tendent à prendre de plus en plus de valeur. On commence à penser qu'il faut les respecter.

En 1598, cependant que la Chine bat les Japonais en Corée sans pour autant occuper la péninsule, le ministre français Sully, s'il faut en croire ses Mémoires, conseille au roi Henri IV, au lendemain de la paix de Vervins signée entre la France et l'Espagne, de proposer aux autres souverains d'Europe la création d'une « Société européenne » qui maintiendrait la paix en Europe. D'après le ministre (qui est sans doute le véritable auteur du projet), le souverain penserait que la véritable cause de la guerre est « la privation d'arbitrage permanent suffisamment intéressé à vouloir exécuter ses décisions et suffisamment puissant pour les faire exécuter ». Pour régler les différends entre États, Sully propose donc de créer un « Sénat de la République chrétienne » qu'il suggère d'installer au cœur de l'Europe, à Metz, Nancy ou Cologne. Ce Sénat serait composé de soixante représentants de quinze pays européens à raison de quatre par pays. Toujours selon Sully, le projet aurait été ensuite approuvé par la reine Elizabeth d'Angleterre, puis par le pape, par les Vénitiens, le duc de Savoie, les princes de Cologne, du Palatinat et de Mayence. Mais le projet, selon Sully, se serait enlisé en l'absence d'accord des Hollandais. En réalité, le projet paraît n'être jamais sorti des cartons de Sully, qui voyait sans doute là un moyen d'occuper sa trop longue retraite après la mort du roi…

L'idée de constituer un gouvernement par contrat et non plus par recours à la force s'exprime au même moment en Allemagne : Johannes Althusius, philosophe, théologien réformé, syndic de la ville d'Emden de 1604 à 1638, dessine dans sa *Politica* le concept de « fédéralisme ». S'inspirant des expériences suisse, hollandaise et du Saint Empire romain germanique, il propose de transformer la hiérarchie féodale en empire du droit. On retrouvera ce même concept dans toutes les réflexions ultérieures sur la meilleure forme de gouvernement mondial.

On applique bientôt cette primauté du droit à la mer où se joue depuis toujours l'essentiel des rapports de forces mondiaux.

En 1625, un juriste hollandais, Hugo Grotius, explique que toutes les nations sont tenues d'appliquer les principes du droit naturel, aux règles nécessaires et universelles. Il affirme que la mer, comme l'air, est un bien de toute l'humanité, et que toutes les nations doivent donc être libres de l'utiliser ; ce qui revient, en fait, à conférer un fondement juridique à la suprématie commerciale et militaire des Pays-Bas. Une fois de plus, l'utopie rejoint ici la loi du plus fort.

En 1634, le cardinal de Richelieu convoque une commission composée de mathématiciens, d'astronomes et de géographes, afin de choisir un méridien de référence pour l'établissement des cartes marines. Pour le confort des marins, ce méridien devrait être le plus à l'ouest possible, alors que Richelieu tient à ce qu'il soit en France. La commission choisit donc le méridien de Ferro, une des îles Canaries, la terre le plus à l'ouest de l'Ancien Monde, exactement à 20° ouest du méridien de Paris.

Nouvel utopiste du droit mondial, dans une « Lettre contre les frondeurs » où il se rallie au cardinal de Mazarin, Cyrano de Bergerac écrit en 1651 : « Un honnête homme n'est ni français, ni allemand, ni espagnol, il est Citoyen du Monde, et sa patrie est partout. »

DÉCLIN DES ANCIENS GOUVERNEMENTS DU MONDE

L'Église catholique, désarmée, et l'empire, divisé, n'ont plus les moyens de gouverner le monde. La France pourrait encore revendiquer ce rôle : en 1643, quand le très jeune roi Louis XIV monte sur le trône, elle est le plus grand et le plus peuplé des pays d'Europe. Son infanterie est la plus importante du continent : 72 000 hommes dont de nombreux régiments étrangers (suisses, allemands, italiens). Cinq ans plus tard, le traité de Westphalie met fin à la guerre de Trente Ans et confirme les termes de la paix d'Augsbourg : le pouvoir politique échappe désormais totalement à l'empire et au pape. Les nations sont souveraines, libres d'adopter la religion de leur prince. Chacune est maître chez elle, et notamment les Provinces-Unies, même si les traités d'Oliva (1660) et de Nimègue (1678) affirment que la cession d'un territoire ne doit pas contraindre à la conversion les populations qui l'habitent.

La France se voit alors au centre du monde. Selon Bossuet, prédicateur de la cour, le souverain de France, le Roi-Soleil, « a reçu de Dieu la mission de régner sur le monde ». Et Louis XIV entreprend de le conquérir. Entre 1667 et 1684, il annexe Fribourg-en-Brisgau, la Franche-Comté, des villes du Hainaut, la Flandre maritime et l'Artois, Strasbourg et le Luxembourg. Il tente de se faire élire empereur germanique : en vain. Puis, par deux longues guerres (celle de la Ligue d'Augsbourg et celle de Succession d'Espagne), il cherche à obtenir le trône d'Espagne pour accaparer son immense empire américain. En son nom, en 1682, Cavelier de La Salle prend possession de la Louisiane. D'autres Français s'implantent au Canada et en Inde (Pondichéry en 1673, Chandernagor en 1674). La splendeur de la cour, où affluent des ambassadeurs des quatre coins de la planète, la richesse de la vie artistique et scientifique du pays lui donnent l'illusion d'être maître du monde.

Pourtant, malgré son apparente splendeur, le Roi-Soleil n'a pas les moyens de rivaliser avec les Provinces-Unies : sa marine est faible, aucun port français n'est préparé à concurrencer ceux des Provinces-Unies. En 1685, date de la révocation de l'édit de Nantes, le revenu par tête des Parisiens est quatre fois inférieur à celui des habitants d'Amsterdam. L'écart se creuse encore avec le départ des protestants.

Le monde change : Bruges n'est plus qu'une ville secondaire ; Anvers, une banlieue d'Amsterdam ; Gênes décline, comme toute la Lombardie, peu à peu exclue des principaux circuits commerciaux. Venise n'est plus qu'une étape magnifique mais négligée sur une des routes du commerce avec l'Orient ; l'Espagne est confinée derrière les Pyrénées et en Amérique, construisant des églises d'or à Quito, Lima et Puebla. De nouvelles puissances apparaissent : l'Autriche s'installe en rempart face aux Turcs ; en Grande-Bretagne s'installe un État respectant ses créanciers et le protectionnisme ; en 1694, la Russie entre dans le jeu international avec Pierre le Grand et le port qu'il fait construire sur la mer Baltique.

En 1644, l'Empire du Milieu est encore la première puissance économique mondiale, quand des nomades mandchous, issus du peuple jurchen, y renversent la dynastie Ming et fondent celle des Qing avec, de nouveau, Pékin pour capitale. La population chinoise est alors de 160 millions d'habitants (30 % de la population mondiale). Le revenu moyen de chaque Chinois, très légèrement supérieur à la moyenne mondiale, ne représente plus qu'un peu moins des deux tiers de celui d'un habitant de l'Europe occidentale. Les Qing s'emparent de nombreux pays voisins dont le Népal, la Birmanie, le Vietnam et la Corée, reconnus vassaux de l'empire. En 1683, l'empereur qing occupe l'île de Taïwan et prend le Tibet, puis l'Altaï – le Xinjiang d'aujourd'hui.

En Inde, où vivent 135 millions d'habitants avec 22 % du PIB mondial, domine l'Empire moghol. Son territoire englobe l'Inde actuelle, à l'exception de l'extrême sud, le Pakistan et le Bangladesh actuels. Les Occidentaux y rôdent. Au début du XVIIᵉ siècle, la Compagnie hollandaise des Indes cherche à s'installer sur les côtes. Les Britanniques y créent en 1600 la Compagnie des Indes orientales et dominent quelques comptoirs qui deviendront Madras, Bombay et Calcutta. La France et sa Compagnie française des Indes créent le comptoir de Pondichéry en 1677.

Pendant ce temps, les Africains, qui souffraient déjà de la traite orientale organisée par les marchands arabes et qui fera au total 17 millions de victimes, subissent également la traite atlantique : onze millions d'esclaves seront ainsi déportés vers les diverses colonies américaines par des Portugais, des Espagnols, des Hollandais, des Anglais et des Français.

PREMIER PROJET
DE GOUVERNEMENT MONDIAL

En 1713, un diplomate et académicien français, l'abbé de Saint-Pierre, conseiller du cardinal de Polignac dans les pourparlers préludant à la signature du traité d'Utrecht, très critique envers le règne de Louis XIV, publie un extraordinaire *Projet pour rendre la paix perpétuelle en Europe* dans lequel il imagine la première organisation systématique du monde, projet qui en inspirera beaucoup d'autres après lui.

À ses yeux, le gouvernement du monde ne peut plus s'obtenir par la force ; il faut établir la paix par contrat ; en raison de « la nécessité où sont les souverains d'Europe, comme les autres hommes, de vivre en paix, unis par quelque société permanente, pour vivre plus heureux ».

Il propose donc que les dix-huit principales puissances d'Europe (la France, l'Espagne, l'Angleterre, la Hollande, le Portugal, la Suisse, Florence, Gênes et les villes associées, les États pontificaux, Venise, la Savoie, la Lorraine, le Danemark, la Courlande avec Dantzig, l'Empire, la Pologne, la Suède et la Moscovie) signent un Traité d'Union, instituant un Congrès perpétuel « sur le modèle des 7 souverainetés de Hollande, des 13 souverainetés suisses et des 200 souverainetés allemandes », pour « exécuter en plus grand ce qui était déjà exécuté en moins grand ». « Les Souverains seront représentés par des Députés dans un Congrès ou Sénat, installé dans une Ville libre, dite Ville de la Paix. » Chaque député à la Diète sera tour à tour Prince de la Diète et gouverneur de cette « Ville de la Paix ». La Diète nommera des ministres de la Guerre, des Finances et des Frontières. La langue des délibérations de la Diète sera la langue la plus utilisée en Europe. L'Union devra convenir d'un même système de mesure, d'une même monnaie, d'un même calcul astronomique du commencement de chaque année. Une « régie intéressée » (une société commerciale) gérerait le commerce et percevrait une partie des bénéfices maritimes de l'Union sur le modèle de la Compagnie des Indes. L'Union « procurera à tous les souverains et à toutes les Nations d'Europe la plus grande félicité qu'un nouvel établissement puisse jamais leur procurer ».

Au-delà de l'Europe, l'abbé de Saint-Pierre s'intéresse au monde : il propose d'envoyer des détachements des troupes européennes sur les grandes routes commerciales vitales pour l'Europe : l'un sera placé aux frontières entre Moscovites et Tartares ; un deuxième aux frontières avec la Turquie ; un troisième en Égypte.

Il suggère ensuite d'aider les autres continents à s'organiser de même façon que l'Europe. Pour commencer, il propose d'instaurer un « Conseil général des Indes » qui devienne ainsi « l'Arbitre des Souverains de ce Pays-là » ; l'« Union Européenne tâchera de procurer en Asie une Société permanente semblable à celle d'Europe pour y entretenir la Paix ».

Bien plus tard, l'Union ainsi esquissée deviendrait mondiale.

Conscient de l'ampleur démesurée de son projet, l'abbé dit vouloir « embrasser plusieurs générations et plusieurs siècles. […] Qui pourrait imaginer ou prévoir

[…] les avantages que produira aux habitants d'Europe la Société Européenne, cinq cents ans après son établissement ? » écrit-il il y a trois siècles…

LE DROIT DE CIRCULER

La paix est ainsi reconnue comme bien public mondial. La liberté commence à être réclamée comme telle, en particulier celle de circuler. Dans certains pays, comme les Provinces-Unies, quitter le pays ne suscite pas de difficultés.

En revanche, dans la plupart des monarchies, nul ne peut en sortir sans l'accord explicite du prince. Voltaire propose de considérer le droit de circuler d'un pays à un autre comme une liberté fondamentale, et fustige les monarchies d'Europe qui interdisent à leurs sujets de sortir de leurs frontières. La reconnaissance de ce droit reste encore aujourd'hui un des premiers critères de reconnaissance d'une démocratie. Mais il ouvre en même temps sur un autre problème : si tout homme a le droit de partir de chez lui, a-t-il le droit de se rendre là où il veut ? Et s'il ne le peut pas, comment pourrait-il quitter son pays quand nul ne voudra l'accueillir ?

Alors commencent justement à se mettre en place les premiers réseaux privés laïcs, qui se veulent planétaires, destinés à promouvoir cette liberté de penser et de circuler : en juin 1717 s'organise la franc-maçonnerie, qui entend « œuvrer pour le progrès de l'humanité, vers la paix et la raison », et développer un réseau dans toute l'Europe, rival de celui de l'Église catholique, et en particulier de celui des jésuites. En 1723, le pasteur James Anderson codifie les « constitutions » de la maçonnerie spéculative qui succède aux associations des métiers du bâtiment. En 1738, Clément XII condamne la franc-maçonnerie, car « fortement suspecte d'hérésie ». Un peu plus tard, un groupe de maçons fait sécession et crée les *Illuminati*, réseau qui semble très vite disparaître même si, jusqu'à aujourd'hui, certains y ont vu un gouvernement secret du monde.

Cette multiplication des voyages entraîne une prise de conscience de l'unité de l'espèce humaine, qui doit donc pouvoir circuler quand et où elle veut et être traitée partout également.

En 1749, dans *Variétés dans l'espèce humaine*, Georges Louis Leclerc de Buffon explique que, malgré leurs apparentes différences, qui s'expliquent par les influences du climat et de la nourriture, tous les hommes ont une commune origine et appartiennent à la même espèce. Ils doivent donc être tous traités équitablement.

Dans le même sens, le mouvement des Lumières condamne l'esclavage. L'article « Traite des nègres » de l'*Encyclopédie*, rédigé par Louis de Jaucourt, condamne l'esclavage et la traite (« Cet achat de nègres, pour les réduire en esclavage, est un négoce qui viole la religion, la morale, les lois naturelles et tous les droits de la nature humaine »). En 1758, les quakers de Pennsylvanie, colonie britannique, s'interdisent à leur tour d'avoir recours à l'esclavage. Dans son *Discours sur l'origine de l'inégalité* et son *Essai sur l'origine des langues*, Jean-Jacques Rousseau évoque la nécessaire fraternité entre tous les hommes, même si, pour lui, un gouvernement universel semble impossible : il fait en revanche l'éloge de Genève, dont la petite taille rend possible un bon gouvernement, caractérisé par la transparence (puisque chaque individu connaît tous les autres) et l'absence de délégation.

APOGÉE ET DÉCLIN DU GOUVERNEMENT HOLLANDAIS DU MONDE

Pour les Provinces-Unies, le XVIIIe siècle est encore un siècle de triomphe, alors qu'il est pour ses rivaux un temps de déboires et d'échecs. Amsterdam gouverne l'Europe et le monde, avec ses quelque trois cent mille habitants. Sa diplomatie impose ses choix. Sa marine contrôle les mers. Son industrie exporte partout. Ses banquiers règnent sur les taux de change. Ses marchands fixent les prix de tous les produits.

Malgré son apparente puissance, le pays le plus peuplé d'Europe, la France, subit revers sur revers : échec militaire sur les mers ; échec diplomatique aux Indes, en Louisiane, au Canada ; échec financier avec la faillite de Law. Si, en 1714, il devient enfin possible à la noblesse française de faire commerce sans déroger, la très modeste bourgeoisie française ne s'intéresse ni à la marine, ni à l'industrie moderne ; l'économie du pays se borne à végéter dans les industries dépassées du capitalisme agricole (l'alimentation, le cuir, la laine) que les audacieux marchands des Provinces-Unies sont trop heureux de lui abandonner.

Pendant ce temps, en Chine, la triple récolte annuelle de riz permet à la population d'atteindre 400 millions d'habitants, loin devant tous les autres pays du monde, sans que l'empereur de la dynastie qing réagisse à l'arrivée de marchands hollandais implantés dans l'océan Indien et qui viennent commercer à Canton : la Chine s'ouvre aux Pays-Bas sans exprimer aucun désir de réciprocité. Il en va de même pour le Japon. Le niveau de vie des Chinois s'effondre. En 1700, le revenu mondial par habitant dépasse celui de la Chine, qui ne représente même plus 60 % de celui des habitants de l'Europe occidentale. Pourtant, sous les Qing, la Chine connaît en apparence un essor économique sans précédent. Les exportations de thés, soieries, laques sont au plus haut et bénéficient de l'afflux d'argent provenant des colonies d'Amérique. La diffusion de nouvelles cultures importées (maïs, arachides) permet de développer l'agriculture en exploitant des terres jusque-là pauvres. Mais seule Canton est ouverte aux marchands européens, qui doivent négocier avec une seule société commerciale chinoise, le Co-hong, qui fixe les prix et les contingents. De plus, à la fin du XVIIIe siècle, des guerres coûteuses aux frontières et des soulèvements dans les campagnes affaiblissent encore davantage l'Empire chinois.

Vers 1775, soit un siècle et demi après avoir pris le pouvoir, ce cinquième gouvernement marchand du monde situé autour d'Amsterdam commence à décliner, comme tous les empires avant lui, et comme tous les « cœurs » précédents, pour les mêmes raisons : les navires de guerre hollandais ne sont plus les plus puissants ; les mers ne leur sont plus aussi sûres ; la protection des routes commerciales leur coûte de plus en plus cher ; l'énergie que leurs industries utilisent

– le bois des forêts qui sert aussi à construire les bateaux – s'épuise ; les conflits sociaux s'y exacerbent ; les salaires s'élèvent ; les lainages d'Amsterdam deviennent plus onéreux ; leurs technologies des colorants et de l'armement naval ne progressent plus ; les dettes s'y accumulent. Les profits sont aussi plus élevés.

Suivis par les meilleurs financiers hollandais, les armateurs partent alors pour Londres, devenue la ville la plus sûre et la plus dynamique. En 1788, les ultimes banques des Pays-Bas font faillite ; à la veille de la Révolution française, le « cœur » du capitalisme traverse la mer du Nord pour s'installer en Grande-Bretagne, où démocratie et marché progressent d'un même pas.

LE GOUVERNEMENT DU NOUVEAU MONDE : L'« EMPIRE DE LA LIBERTÉ »

La victoire de Londres commence, paradoxalement, par une terrible défaite : en Amérique – au nord puis au sud –, les colons revendiquent leur indépendance. Ils se veulent un modèle universel, un foyer de la liberté mondiale, le lieu où elle sera le mieux garantie et promue. Les Pères de l'indépendance américaine se donnent donc d'emblée un projet mondialiste : se libérer des Anglais et des Espagnols pour généraliser ensuite le règne de la liberté dans le monde entier.

Quelques mois avant la signature de la Déclaration d'indépendance nord-américaine, l'anglais Thomas Paine, venu soutenir la révolution américaine, écrit dans *Le Sens commun*, le plus grand best-seller en langue anglaise au XVIIIe siècle : « Mon pays est le monde, et ma religion est de faire le bien pour garantir la paix dans le monde. »

En 1776, les colonies britanniques d'Amérique, sauf celles du Canada, se déclarent indépendantes. Thomas Jefferson, alors député de Virginie, entend imposer les nouveaux États-Unis d'Amérique comme une super-puissance capable de mettre fin à la domination des vieux empires européens. Il souhaite en faire la base de départ d'un « Empire de la liberté » qui se donne-rait pour mission de répandre la liberté sur l'ensemble de la planète. Ce concept d'« empire de la liberté » va structurer l'identité américaine. Jefferson aspire à faire des États-Unis l'équivalent de la « République romaine qui établit son empire en le fondant sur la loi et l'extension de sa civilisation ». Il écrit, en 1780, alors que la guerre avec les Anglais fait encore rage : « Nous ajouterons [si nous annexons le Canada] à l'Empire de la liberté un grand pays fertile, convertis-sant de dangereux ennemis… Nous aurons un empire pour la liberté comme il n'en a jamais existé depuis la Création. » « Empire pour la liberté » et pas seule-ment « Empire de la liberté ». En 1781, la marine française permet aux Insurgents américains de rem-porter la bataille décisive de Yorktown, qui met un terme à l'imperium britannique. En 1790, les treize pro-vinces confédérées décident de devenir une fédération, avec un budget et une capitale fédéraux.

Pour autant, il n'y a encore, de leur part, aucune volonté de conquête hors de l'Amérique : l'isolement du nouveau pays est même la condition nécessaire pour sa survie, en sorte de ne pas risquer une nouvelle ingérence des Européens dans les affaires du Nouveau

Continent. La jeune et fragile république américaine veut donc absolument éviter d'être prise dans un engrenage d'alliances meurtrier.

Pour cela, il lui faut d'abord à tout prix régler pacifiquement les litiges avec l'ancienne puissance coloniale. En 1794, en pleine guerre révolutionnaire en Europe, est mis en place un premier mécanisme international de prévention des conflits : par le traité de Jay, les États-Unis et la Grande-Bretagne décident de créer des commissions mixtes d'arbitrage afin de résoudre les différends nés de la proclamation de l'indépendance américaine. Grande première : le contrat s'impose dans la diplomatie comme sur les marchés.

Les États-Unis d'Amérique s'installent dès lors dans une vision rêvée d'eux-mêmes : ils se pensent comme un modèle dont tous les autres pays devraient s'inspirer au moment même où ils massacrent systématiquement les premiers occupants du continent et où ils fondent leur prospérité sur l'esclavage.

LA RÉVOLUTION, POUR LA NATION ET POUR LE MONDE

Quand éclate la Révolution française, l'exemple américain est dans tous les esprits. Voilà donc que s'annonce l'« Empire de la liberté » dont parlait Jefferson dix ans plus tôt. Début juillet 1789, La Fayette propose un projet de déclaration des droits de l'homme élaboré justement avec Jefferson (alors ambassadeur des États-Unis à Paris). Mais le parallèle avec les États-Unis n'est pas du goût de tout le monde ; le 11 juillet

1789, le marquis Gérard de Lally-Tollendal réplique : « Songez combien la différence est énorme, d'un peuple naissant qui s'annonce à l'univers [...] à un peuple antique, immense, l'un des premiers du monde, qui depuis quatorze cents ans s'est donné une forme de gouvernement. »

Même si la Révolution française se déroule dans un cadre national et si ses causes sont essentiellement nationales, même si elle doit se défendre avant tout contre les émigrés et leurs alliés étrangers, elle prône le droit de tous les peuples à disposer d'eux-mêmes. Elle affirme que l'Alsace est française non par droit de conquête, mais par son adhésion volontaire à la France. En ce sens, elle cherche donc à instaurer des droits applicables à tous les peuples. Le 18 août 1789, Adrien Duport, avocat rallié au tiers-état, déclare que seule « une déclaration des droits pour tous les hommes, pour tous les temps, pour tous les pays, sera porteuse de cette autorité irrécusable dont les Constituants ont besoin à l'appui de leur entreprise ». Après la fête de la Fédération du 14 juillet 1790, Camille Desmoulins écrit : « La fête du 14 juillet tend à nous faire regarder, sinon monsieur Capet comme notre égal, du moins tous les hommes et tous les peuples comme des frères. » Il ajoute : « Malheur au souverain qui veut asservir un peuple insurgé ! Jusqu'ici, ce sont nos rois qui ont fait nos traités ; que les peuples fassent enfin leurs alliances eux-mêmes ! » À la veille de se séparer, l'Assemblée constituante propose d'attribuer le titre de « citoyen français » aux personnalités étrangères qui ont bien mérité de l'humanité, montrant par là la vitalité de cette promesse d'universalisation. On plante des arbres de la Fraternité aux frontières entre les pays.

Pendant ce temps, la vitesse des progrès techniques bouleverse les communications. En 1792, Claude Chappe invente le « télégraphe » : trois bras articulés montés au sommet d'un mât de sept mètres de haut, et des relais visuels.

En 1793, Robespierre reproche à la Convention d'avoir réfléchi pour « un troupeau de créatures humaines parquées sur un coin du globe », et de n'avoir pas fait place à l'idée que les hommes de tous les pays sont frères.

Le général Bonaparte va reprendre ce rêve et tenter à son tour d'instaurer un gouvernement du monde, mais sans jamais l'expliciter : c'est d'abord un pragmatique. Dès son expédition en Égypte, il ne voit pas de limites à son empire. D'après Metternich, ses seuls modèles sont alors Alexandre, César et Charlemagne – catégorie dans laquelle on pourrait ranger Attila, Gengis Khan et deux ou trois autres empereurs. Dans son action, il pense sans cesse à l'établissement, sous son autorité, d'un gouvernement régissant l'Europe, sinon le monde. Et il agit en ce sens : il va jusqu'à élaborer un catéchisme impérial selon lequel « il faut révérer, aimer l'Empereur, lui obéir et considérer en lui l'image de Dieu et le dépositaire de sa puissance sur la Terre ».

En 1811, l'Empire napoléonien atteint son extension maximale : de l'Espagne à la Pologne, de la Suède à la Sicile. La Grande Armée devient internationale ; les soldats qui la composent parlent plus de dix langues différentes, sans compter les nombreux idiomes régionaux, ce qui ne facilite pas les communications ni la transmission des vivres, et précipite la défaite.

Dans le *Mémorial de Sainte-Hélène*, Napoléon théorise cette idée de gouvernement du monde qu'il n'a jamais explicitée ainsi en étant au pouvoir. Il explique que sa politique a été motivée par la volonté de faire en sorte que les « grandes et belles vérités » de la Révolution française deviennent « le trépied d'où jaillira la lumière du monde. Elles le régiront ; elles seront la foi, la religion, la morale de tous les peuples, et cette ère mémorable se rattachera, quoi qu'on ait voulu dire, à ma personne ; parce qu'après tout j'ai fait briller le flambeau, consacré les principes, et qu'aujourd'hui la persécution achève de m'en rendre le Messie ». Il y parle d'une « Association européenne » construite autour d'« un Code européen, une Cour de cassation européenne [...], une même monnaie sous des coins différents ; les mêmes poids, les mêmes mesures, les mêmes lois », grâce à quoi « chacun, en voyageant partout, se fût trouvé dans la patrie commune ».

GOUVERNEMENT UNIQUE DU MONDE

Dans la violence des combats qui bouleversent alors l'Europe, plusieurs utopies s'esquissent. À Paris, Claude-Henri de Saint-Simon, sorti richissime de la Révolution, fait appel à tous les hommes de bonne volonté pour la réalisation d'une « Association universelle », objectif politique suprême de l'humanité. Le « christianisme primitif », dit-il, fut la première source de pacification de l'humanité ; mais le message originel en a été obscurci et perverti par l'Église lorsque celle-ci s'arrogea des pouvoirs temporels. Il s'agit désormais de parachever le dessein du christianisme et de faire advenir le « christianisme définitif », l'égalité fraternelle des hommes devant Dieu, le substituant à la domination de l'homme par l'homme. L'Association universelle qu'il propose de créer doit s'opposer à toute forme de pouvoir. Elle doit commencer entre la France et l'Angleterre, alors les pires ennemies, puis s'étendre peu à peu à toutes les autres nations. « L'organisation scientifique et pacifique de cette Association s'étendra ensuite au globe entier qui, transformé par l'industrie, deviendra vraiment un bien commun à tous. »

À Königsberg, au même moment, Emmanuel Kant, professeur de philosophie à l'université de la ville, élabore le projet d'un gouvernement unique de l'espèce humaine. En 1795, dans son *Projet de paix perpétuelle*, il propose une architecture mondiale du droit visant à la paix. Pour lui, les êtres vivants sont le produit d'un miracle qui n'a sans doute eu lieu qu'une fois, et la race humaine est unique, à peine différenciée par le climat. Mais l'humanité est fondamentalement mauvaise ; seule l'application d'une règle de droit peut la conduire à la paix. Un droit qu'il nomme « cosmopolitique », retrouvant ainsi un concept des stoïciens. Ce droit s'applique aux nations dans leurs relations et à l'Homme en tant que citoyen de l'humanité : « Sans peuple, il ne saurait y avoir d'alliance de peuples. […] L'humanité constitue le but ultime, la nation n'est que le moyen. » Pour lui, l'humanité évolue naturellement vers ce droit cosmopolitique en « réalisant les idéaux de la Raison », car l'« insociable sociabilité » des hommes provoque une

« tension », moteur des actions humaines, qui pousse à l'unification politique de l'espèce. Le « droit cosmopolitique considère les hommes et les États, dans leurs relations extérieures et dans leur influence réciproque, comme citoyens d'un État universel de l'humanité ». Tout comme les hommes sortis de l'état de nature ont créé la société civile en acceptant de se soumettre à un droit commun, les États doivent sortir de leurs relations non juridiques et précaires pour entrer dans « un état juridique de fédération selon un droit des gens dont il aura été convenu en commun ». Le droit cosmopolitique se limite à l'obligation pour les États de faire la paix les uns avec les autres et d'offrir leur hospitalité provisoire à toute personne qui en fait la demande. Il entraîne donc la reconnaissance par tout pays de « droits inaliénables » du visiteur étranger, le *Weltbürgerrecht* (« le droit des citoyens du monde »).

Kant propose alors la création d'une fédération librement consentie par tous les peuples républicains. Elle sera la garantie de la paix : chaque État doit être « intérieurement organisé de telle façon que ce ne soit pas le chef de l'État (à qui, au fond, la guerre ne coûte rien), [...] mais le peuple (à qui elle coûte personnellement), qui ait la voix décisive pour dire s'il doit oui ou non y avoir guerre ». La Constitution de tout pays doit commencer par les trois articles suivants : « 1. La Constitution civile de chaque État est républicaine ; 2. Le droit des gens est fondé sur une fédération d'États libres ; 3. Le droit cosmopolitique se borne aux conditions d'une hospitalité universelle. » Cet « État de droit universel de l'humanité » sera durable et stable : « Un jour enfin, en partie par l'établissement le plus adéquat de la constitution civile sur le plan intérieur, en partie sur le plan extérieur par une convention et une législation communes, un état de choses s'établira, qui, telle une communauté civile universelle, pourra se maintenir par lui-même. »

Un peu plus tard, dans ses *Leçons sur la philosophie de l'Histoire* données entre 1822 et 1830 à l'université de Berlin, un autre professeur de philosophie, Georg W. F. Hegel présente Napoléon entrant dans Berlin vingt ans auparavant comme « l'âme du monde ». Il explique que la juxtaposition de régimes républicains ne suffira pas à éradiquer les guerres, et qu'il ne faut d'ailleurs pas chercher à les éviter : l'Histoire donne le spectacle du chaos et de l'incohérence ; tout en atteignant leurs objectifs particuliers, les individus produisent collectivement des événements, des institutions, des révolutions qu'ils ne désirent pas, mais qui obéissent à une causalité universelle, à un *sens* de l'Histoire. Pour lui, la « direction des États va vers leur unité ». L'État, incarnation de la volonté générale, dépositaire de la vérité absolue, prépare à « l'empire mondial de l'Esprit ». Les tyrannies, les guerres, les passions sont des moments nécessaires à la réalisation de l'absolu, qui sera l'unification du monde, laquelle pourra seule mettre fin à la guerre. Pas de paix sans gouvernement unifié du monde. Celui-ci viendra en son temps, résolvant la contradiction entre les vérités de chaque État. On n'en est d'ailleurs pas si éloigné, dit Hegel : les diverses religions s'enchaînent les unes aux autres de manière cohérente et orientée pour aboutir à la « religion absolue », la « religion de la liberté » du monde : la religion luthérienne.

PREMIER GOUVERNEMENT CONTRACTUEL DU MONDE : LE CONCERT EUROPÉEN

En 1815, après des siècles de guerre en Europe et la floraison d'autant d'utopies apparemment inaccessibles, la paix est vraiment reconnue comme un bien public ; le contrat est pensé comme le meilleur ordre du monde. Las de chercher à régir le monde, sentant qu'il leur échappe, les gouvernements européens mettent enfin en place un mécanisme destiné à prévenir les conflits entre eux : une sorte de gouvernement volontaire, traduction concrète des rêves de Sully, de l'abbé Saint-Pierre et de Kant.

Après la première abdication de Napoléon, le Royaume-Uni, l'Autriche-Hongrie, la Prusse, la Russie et la France de Louis XVIII se réunissent à Vienne pour mettre sur pied une gouvernance européenne. Les puissances coalisées commencent par se partager les conquêtes napoléoniennes : les Vénitiens se voient soumis à l'empereur d'Autriche ; le reste de l'Italie est divisé entre la papauté et les maisons de Bourbon et de Habsbourg ; les Provinces-Unies restent indépendantes et reçoivent la Belgique ; la Russie reçoit, comme l'Autriche, une partie de la Pologne et les Balkans ; la Prusse obtient la région rhénane ; l'Autriche reçoit une partie de la Pologne, de l'Italie, et la direction d'une Confédération germanique de 39 États parmi lesquels figurent le roi d'Angleterre en tant que prince de Hanovre, le roi des Pays-Bas en tant que grand-duc de Luxembourg, enfin le roi de Danemark en tant que duc du Schleswig et du Holstein. L'Espagne est oubliée alors que ses colonies commencent à affirmer leur désir d'indépendance.

Les cinq puissances s'entendent pour édicter des règles de navigation sur le Danube, interdire la traite des esclaves et introduire des mécanismes de résolution des conflits. Elles décident qu'elles pourront seules statuer sur les grandes questions affectant le continent. Aucune ne pourra agir contre les intérêts des autres, et chacune disposera d'un droit de veto sur la politique étrangère des autres. Des congrès périodiques seront organisés : c'est le Concert européen.

Le Concert européen fonctionne d'abord correcte-ment : en 1823, la France reçoit des quatres autres l'autorisation d'intervenir en Espagne ; en 1831, les cinq puissances avalisent conjointement l'indépen-dance de la Belgique.

Mais, derrière ces apparences, la Grande-Bretagne, involontairement débarrassée du fardeau américain, prend le pouvoir et s'érige à son tour en gouvernement du monde, en attendant que se réalise la sombre pré-monition de Hegel selon laquelle l'État, même non démocratique, représente la plus haute figure de la moralité objective, « le divin sur terre ».

5

Les premiers gouvernements du monde entier (1815-1914)

À compter du début du XIXᵉ siècle, les progrès accomplis dans les technologies des communications changent radicalement la dimension du monde. Alors que la vitesse des transports n'a pratiquement pas évolué depuis des millénaires, il est désormais possible de faire le tour de la planète en quelques semaines, et non plus en quelques années. Les messages peuvent circuler beaucoup plus vite. Nombre de ces innovations, d'où qu'elles viennent, sont d'abord mises à profit par l'industrie d'un seul pays : la Grande-Bretagne.

En 1803, l'Américain Robert Fulton lance sur la Seine le premier bateau à vapeur. Le premier bateau à moteur sur l'océan est lancé en 1809 entre Philadelphie et New York. En 1814 roule en Grande-Bretagne la première locomotive à vapeur. Le premier train de voyageurs circule en Angleterre en 1825. Dès lors s'accélère le rythme de circulation des hommes et des marchandises, et davantage encore celui des idées et des mots. En 1832, le télégraphe optique de Chappe laisse place au télégraphe électrique, d'invention russe, dont l'une des premières démonstrations a lieu à Saint-Pétersbourg devant le tsar Nicolas Ier. En 1833, des Allemands établissent la première liaison opérationnelle par télégraphie électrique. Le procédé se déploie ensuite le long des voies ferrées, d'abord en Grande-Bretagne, puis aux Pays-Bas, en Allemagne, en Autriche-Hongrie, en Italie, en Russie, en France. Il apparaît ensuite aux États-Unis, où un artiste peintre, Samuel Morse, envoie le 24 mai 1844 un premier message rédigé selon son code sur la ligne télégraphique reliant Washington à Baltimore. En 1850, un câble de télégraphe sous-marin relie l'Angleterre à la France, puis, huit ans plus tard, à l'Amérique du Nord.

Le télégraphe électrique bouleverse les conditions de transmission des informations. On peut désormais envoyer des messages quasi instantanés sur toute l'étendue de la planète. On peut informer, débattre, ordonner en temps réel. Londres, en tout cas, saura le faire. En particulier, ses marchés financiers et ses banques sauront utiliser cette avance dans la connaissance des informations pour faire des profits.

Pour mener à bien ce commerce, les entreprises, les nations auront besoin de s'organiser, de s'entendre à l'échelle du monde, pour faire tomber toutes les barrières qui freinent le commerce. Le nouveau « cœur », Londres, et la nouvelle superpuissance, la Grande-Bretagne, gèrent désormais le monde entier. Pour le meilleur fonctionnement des marchés naissent les premières institutions internationales, ironiquement convergentes avec les rêves de quelques utopistes. Le marché est l'accoucheur de l'unité du monde.

LA « PLUS GRANDE-BRETAGNE »

La Grande-Bretagne remplace les Provinces-Unies, comme la première puissance du monde. Seule nation d'Europe épargnée par les ravages de vingt ans de guerre, débarrassée, fût-ce à son corps défendant, du fardeau des colonies américaines, elle maîtrise avant tous les autres ces nouvelles technologies qu'elle n'a pourtant pas inventées. L'industrie textile, la sidérurgie, la banque deviennent britanniques. La livre sterling acquiert le statut de monnaie dominante ; le monde entier l'accepte comme moyen de transaction.

La Grande-Bretagne devient aussi l'atelier du monde. En 1846, elle opte pour le libre-échange avec l'abrogation des *Corn Laws* : les produits agricoles étrangers, moins chers, peuvent désormais être importés sans restriction aucune, ce qui réduit les coûts salariaux de l'industrie britannique et améliore la compétitivité de ses produits. Elle n'importe pratiquement plus que des matières premières et n'exporte pratiquement plus que des produits à haute valeur ajoutée (80 % de ses exportations sont alors des produits finis).

En 1851, la « Grande Exposition des œuvres de l'industrie de toutes les nations », aussi connue sous le nom d'Exposition universelle, la première à être véritablement internationale, a lieu à Hyde Park, à Londres, du 1er mai au 15 octobre 1851. Le prince Albert de Saxe-Cobourg, mari de la reine Victoria, en est l'organisateur.

Vingt-cinq pays y participent. Le Crystal Palace, immense bâtiment de fonte et de verre ressemblant à une serre géante dont les pièces sont intégralement réalisées en Angleterre, accueille l'exposition. La Grande-Bretagne se réserve la moitié de l'espace pour elle-même et ses colonies, éblouit le monde avec son écrasante supériorité technique et scientifique, et affirme son rôle de première puissance mondiale. On y voit des machines à filer le coton, des pompes à air, des baromètres.

La marine britannique détient désormais une totale maîtrise des mers. Albion se rêve comme une nouvelle *thalassocratie* à l'instar de ce que furent Athènes, Venise et Amsterdam. Décidément, il faut avoir un grand port pour être une superpuissance.

La politique anglaise dicte désormais les choix et les grands équilibres continentaux. Elle est aussi au cœur de la politique dynastique européenne : les neuf enfants de la reine Victoria épousent des princesses ou des princes allemands ou russes, ce qui fait de la souveraine britannique la « grand-mère de l'Europe ». Comme bien des empires avant elle, la Grande-Bretagne se présente comme ayant reçu de Dieu la mission de gouverner le monde. Elle prend le pouvoir dans toute une partie de l'Afrique et s'installe en Inde, d'abord commercialement, puis militairement et politiquement. En 1858, la Compagnie des Indes est dissoute et l'autorité passe entièrement entre les mains d'un vice-roi. La population du sous-continent dépasse les 200 millions d'habitants. Londres conserve aussi le Canada et développe l'Australie. Son empire est authentiquement planétaire : la Grande-Bretagne administre alors un quart des terres émergées et le tiers de l'humanité, soit plus de 500 millions de personnes. En 1868, Charles Dilke, secrétaire général du Foreign Office, peut parler de la *Greater Britain* en glorifiant l'impérialisme britannique.

Elle impose une idéologie au monde : le libre-échange y est vanté comme un moyen d'unir l'humanité en tissant des liens commerciaux entre les peuples. En réalité, c'est le moyen de faire remonter l'essentiel des profits vers les firmes anglaises qui pillent leurs nouvelles colonies, en Afrique et en Inde, comme elles avaient naguère pillé celles d'Amérique.

L'Inde, qui représentait environ 25 % de la production manufacturière mondiale en 1750, n'en représente plus que 20 % en 1800, et 3 % à la fin du XIXe siècle. La Chine stagne à un niveau de revenu inchangé depuis 1600. Contrairement aux États-Unis, à l'Allemagne et à la France qui érigent des barrières tarifaires pour protéger leurs industries naissantes, l'Inde et les autres possessions de l'empire colonial britannique subissent en effet un libre-échange imposé et leurs économies doivent se limiter à la production de matières premières.

Comme tous les « cœurs » précédents, Londres devient le rendez-vous de tous les innovateurs, créateurs d'industries, explorateurs, financiers, intellectuels, artistes, proscrits du reste du monde, de Dickens à Marx, de Darwin à Turner.

Mais ce gouvernement anglais du monde se heurte à une limite, celle que lui opposent les États-Unis : ils reçoivent près du tiers de la population d'Europe et refusent que quiconque, et surtout pas l'ancienne puissance coloniale, vienne s'occuper des affaires du Nouveau Continent. En 1822, le président américain James Monroe y affirme la vocation des États-Unis, sorte de monde en miniature, de gérer le destin des deux Amériques. Déjà se profile la volonté hégémonique du futur « cœur » qui, moins d'un siècle plus tard, remplacera la Grande-Bretagne à la tête du gouvernement du monde.

L'ÉMERGENCE DE L'UTOPIE EUROPÉENNE ET MONDIALE

Dans le bouleversement qui suit la fin des guerres napoléoniennes, le Concert européen mis en place en 1815 a bien du mal à s'imposer. Beaucoup, en Europe et pas seulement en France, vivent la fin du Premier Empire comme l'écroulement d'un rêve d'unité européenne et mondiale. Musset écrit dans *Confession d'un enfant du siècle* : « Alors s'assit sur un monde en ruines une jeunesse soucieuse. Tous ces enfants avaient rêvé pendant quinze ans des neiges de Moscou et du soleil des Pyramides. Ils avaient dans la tête tout un monde ; ils regardaient la terre, le ciel, les rues et les chemins : tout cela était vide, et les cloches de leur paroisse résonnaient seules dans le lointain. » Chateaubriand, dans ses *Mémoires d'outre-tombe* : « Vivant, Napoléon a marqué le monde ; mort, il le possède. » En 1830 paraît *Le Rouge et le Noir*, où Stendhal érige l'ascension de Napoléon en modèle pour son héros : « Depuis bien des années, Julien ne passait peut-être pas une heure de sa vie sans se dire que Bonaparte, lieutenant obscur et sans fortune, s'était fait le maître du monde avec son épée. »

Des mouvements nationalistes et ouvriers prolifèrent, partageant des rêves de paix, de fraternité, de solidarité dans les luttes, d'unité européenne et même mondiale. En 1832, dans *L'Écho de la Fabrique*, des ouvriers lyonnais manifestent leur soutien à des travailleurs anglais en grève : une solidarité internationale de la classe ouvrière s'esquisse ou, à tout le moins, germe dans les esprits.

En 1834, un jeune écrivain italien, Giuseppe Mazzini, réfugié à Marseille, puis à Berne et à Londres, fonde « Jeune Europe », une société secrète ayant pour double objectif l'unification républicaine de l'Italie et le regroupement des mouvements nationaux européens. En 1836, il propose, dans *L'Humanité et le pays*, la création « d'États-Unis d'Europe ».

En 1846, toujours à Londres, où sont réfugiés bien des proscrits, le mouvement des Fraternal Democrats, composé surtout d'exilés, lance une « Adresse des Démocrates Fraternels aux Démocrates de toutes les Nations ». Leur slogan, « Tous les hommes sont frères », est imprimé en douze langues sur leurs cartes de membres. Ils nouent des relations avec l'« Association démocratique » créée à Bruxelles par des exilés belges, français et allemands.

Cette même année est aussi fondée en Angleterre, par le philanthrope américain Elihu Burritt, la Ligue de la fraternité universelle, destinée à renforcer la paix entre les peuples « par la fin de l'esclavage et des barrières commerciales ». Le libre-échange est alors présenté comme un moyen de réaliser la fraternité entre les hommes, en se débarrassant du carcan national et en faisant tomber les frontières qui ont fait tant de mal. La Ligue réclame en particulier la réduction du prix des correspondances internationales, qui « permettrait aux hommes de communiquer plus facilement, qui contribuerait à renforcer le sentiment de fraternité universelle », et, accessoirement, réduirait le coût des communications commerciales. Ainsi les forces du marché poussent-elles à la remise en cause des frontières, quand cela les arrange.

Puis c'est le « printemps des peuples » de 1848, mouvements nationaux en même temps qu'aspiration à la fraternisation des Européens. En 1849, Giuseppe Mazzini est nommé à la tête d'une éphémère « République romaine » qui s'effondre rapidement, comme toutes les autres républiques créées alors en Europe, devant les troupes françaises venues rétablir Pie IX sur son trône pontifical. Retourné en exil à Londres, retrouvant les accents mondialistes de l'abbé de Saint-Pierre, Mazzini explique, dans *Vers une Sainte Alliance des peuples*, que toutes les démocraties du monde (qui n'existent alors qu'en Europe et en Amérique) se réuniront un jour en une fédération gouvernée par un Conseil suprême international. Ce Conseil, composé de quelques personnes « respectées pour leur savoir, leur valeur, leur raison et leur sacrifice », définirait des principes généraux d'action qui seraient ensuite mis en œuvre par des Conseils nationaux. Un impôt mondial financerait une institution bancaire à compétence mondiale, chargée, auprès du Conseil suprême, de financer des investissements dans l'agriculture, l'industrie, la presse, l'éducation, et d'apporter un soutien aux peuples engagés dans la lutte pour la démocratie. Rien de plus audacieux n'a été proposé depuis lors…

Au même moment, à Cologne, Karl Marx écrit dans le *Manifeste du Parti communiste* : « Par l'exploitation du marché mondial, la bourgeoisie donne un caractère cosmopolite à la production et à la consommation de tous les pays [...]. À la place de l'ancien isolement des provinces et des nations se suffisant à elles-mêmes, se développent des relations universelles, une interdépendance universelle des nations. [...]. Prolétaires de tous les pays, unissez-vous ! » Marx pense « monde » ; son projet consiste à revisiter l'histoire de l'humanité pour en prédire l'avenir. Il voit d'emblée l'immensité du champ d'action qui s'ouvre au capitalisme, formidable libérateur du féodalisme. Même si, parfois, il espère la réussite d'une révolution dans un seul pays, il n'attend rien d'une révolution socialiste qui ne serait pas d'ampleur planétaire. Pour lui, le socialisme devra se construire *après* le capitalisme et non pas à sa place. Il devra être mondial et non pas national. Son avènement est inéluctable, car le capitalisme est condamné à décliner. Pour accélérer cette évolution et faire chuter au plus vite le taux de profit, il faut réduire l'exploitation des travailleurs ; la lutte des classes, principal levier à la disposition de la classe ouvrière, est le moteur de l'Histoire. Pour en accélérer le cours, les ouvriers du monde entier doivent se regrouper.

Marx ne théorise donc pas un gouvernement socialiste du monde, encore moins en un seul pays. Convaincu qu'il faudra du temps avant que le problème du gouvernement d'un monde socialiste se pose, le plus urgent pour lui est de théoriser l'Histoire et d'organiser la lutte des classes afin que la classe ouvrière ne soit pas écrasée par la mondialisation en cours.

Au même moment, Charles Fourier explique que la source de tous les maux dont souffre la « civilisation » est l'« anarchie industrielle » due à la propriété privée.

Il propose en réponse de mettre en place une organisation communautaire, la Phalange, regroupant dans un phalanstère 810 individus de chaque sexe, représentant chacun une des facettes de l'âme humaine. Les hiérarchies ainsi que l'inégalité des richesses y sont maintenues, mais le salariat doit disparaître. Le système des Phalanges, écrit Fourier, devra commencer dans un pays, pour gagner de proche en proche la Terre entière. Tous les peuples s'uniront dans une fédération mondiale « pour rayonner sur le Cosmos et rapprocher les étoiles afin qu'elles illuminent notre ciel de nuit ».

Le lyrisme mondialiste est alors très répandu. Le 21 août 1849, Victor Hugo, élu à la présidence du deuxième Congrès de la paix universelle organisé par la Ligue fraternelle, évoque dans son discours d'ouverture l'idée d'un gouvernement mondial rassemblant l'Europe et les États-Unis : « Tous ensemble, France, Angleterre, Belgique, Allemagne, Italie, Europe, Amérique, disons aux peuples : Vous êtes frères ! » Le 17 juillet 1851, devant l'Assemblée législative de l'éphémère IIᵉ République, il propose de fonder les États-Unis d'Europe, « l'idéal des grands philosophes réalisé par un grand peuple ». Plus tard, dans le recueil *Actes et paroles*, il explique que l'union de l'Europe, construite par des peuples devenus des démocraties, préparera celle du monde. Dans un texte encore incroyablement prophétique, il écrit : « L'union continentale en attendant l'union humaine, telle est présentement la grande imminence. [...] La presse, la vapeur, le télégraphe électrique, l'unité métrique, le libre échange ne sont pas autre chose que des agitateurs de l'ingrédient Nations dans le grand dissolvant Humanité. Tous les railways qui paraissent aller dans tant de directions différentes, Petersburg, Madrid, Naples, Berlin, Vienne, Londres, vont au même lieu : la Paix. Le jour où le premier air-navire s'envolera, la dernière tyrannie rentrera sous terre ! » Se référant au premier mondialiste du XVIIIe siècle, il ajoute : « L'abbé de Saint-Pierre, qui a été le fou, est maintenant le sage. Quant à nous, nous pensons comme lui ; et nous nous figurons sans trop de peine que les hommes doivent finir par s'aimer. Vivre en paix, est-ce donc si absurde ? On peut, ce nous semble, rêver une époque où, lorsque quelqu'un dira : propreté, promptitude, exactitude, bon service, on ne songera pas tout d'abord à un canon se chargeant par la culasse, et où le fusil à aiguille cessera d'être le modèle de toutes les vertus […]. L'Humanité, nation définitive, est dès à présent entrevue par les penseurs, ces contemplateurs des pénombres. »

Le 1er août 1852, à Anvers, en guise d'adieu à la Belgique qu'il doit quitter à la suite de ses écrits contre « Napoléon le Petit », il dit encore : « Amis, la persécution et la douleur, c'est aujourd'hui ; les États-Unis d'Europe, les Peuples-frères, c'est demain. Lendemain inévitable pour nos ennemis, infaillible pour nous ! […] La démocratie, c'est la grande patrie. République universelle, c'est patrie universelle… Il y a quelque chose qui est au-dessus de l'Allemand, du Belge, de l'Italien, de l'Anglais, du Français, c'est le citoyen ; il y a quelque chose qui est au-dessus du citoyen, c'est l'homme… Peuple ! Il n'y a qu'un peuple. Vive la République universelle ! »

Là encore, a-t-on rien écrit de plus audacieux depuis lors ?

VOYAGES DES SAVANTS :
DE L'UNITÉ DU MONDE ET DES HOMMES

Les savants parcourent le monde, prenant le relais des marins, des militaires et des missionnaires, ils s'emploient à inventorier le monde et à en chercher les lois. Entre 1799 et 1804, Alexander von Humboldt et Aimé Bonpland effectuent une première exploration scientifique pour « découvrir l'interaction des forces de la nature et les influences qu'exerce l'environnement géographique sur la vie végétale et animale ». En 1803, les Russes entreprennent un premier voyage autour du monde pour établir une liaison avec leurs possessions dans l'extrême nord de l'Amérique. En 1815, une deuxième expédition russe trouve le « passage du Nord-Est » dans la mer de Behring. En 1826, à bord de l'*Astrolabe*, Jules Dumont d'Urville tente de retrouver le lieu du naufrage de La Pérouse et d'établir le tracé précis de 4 000 lieues de côtes américaines ; il décrit deux cents îles dont certaines encore jamais visitées. On retrouve les restes des corps des membres de l'expédition de La Pérouse à Vanikoro (îles Salomon). En 1827, Humboldt part pour une seconde expédition en Sibérie.

Découlent de ces voyages de nouveaux débats sur l'unicité de l'espèce humaine. Ces débats sont de plus en plus importants pour notre sujet : si les races sont égales, en effet, la race blanche n'a plus légitimité pour gouverner seule le monde, et encore moins pour s'approprier et exploiter des esclaves En 1833, l'*Abolition Bill* est votée par le Parlement anglais et confirmée par Guillaume IV. En 1848, le décret d'abolition de l'esclavage dans les colonies françaises est adopté à Paris par le gouvernement. Immense mutation après des millénaires au cours desquels l'esclavage de l'homme par l'homme était considéré comme normal.

En 1853, Gobineau explique dans l'*Essai sur l'iné-galité des races humaines* que l'humanité à ses débuts était composée de races distinctes dotées d'aptitudes particulières, sans inégalités particulières. Selon lui, le métissage les voue toutes à la dégénérescence.

En 1859, Charles Darwin, qui a lui aussi fait le tour du monde au sein d'une expédition scientifique, expose, dans *De l'origine des espèces*, puis, un peu plus tard, dans *La Filiation de l'homme et la sélec-tion liée au sexe*, l'unicité de l'espèce humaine et ses conséquences politiques : « À mesure que l'homme avance en civilisation et que les petites tribus se réunis-sent en communautés plus larges, la plus simple raison devrait aviser chaque individu qu'il doit étendre ses instincts sociaux et sa sympathie à tous les membres de la même nation, même s'ils lui sont personnelle-ment inconnus. Une fois ce point atteint, seule une barrière artificielle peut empêcher ses sympathies de s'étendre aux hommes de toutes les nations et de toutes les races. »

En 1861, Jean Louis Armand de Quatrefages de Bréau écrit dans *Unité de l'espèce humaine* que « l'homme nous a montré partout les phénomènes qui caractérisent une seule et même espèce. L'investiga-tion directe nous a donc conduits à admettre l'unité de l'espèce humaine ».

La question est tranchée : au moins en théorie, le gouvernement du monde appartient désormais à tous les hommes.

L'UTOPIE BAHAÏE

Apparaît vers la même époque une autre utopie qui, quoique marginale, présente l'intérêt de pousser au plus loin le projet mondialiste : le mouvement bahaïste. L'un de ses chefs, un aristocrate persan, Mirza Husayn Ali Nuri dit Bahá'u'lláh (« Gloire de Dieu »), affirme être le « Promis des religions » venu « au temps de la fin » pour conduire les peuples vers la justice et la prospérité. Il explique que l'humanité approche de son unification mondiale. Il propose vers 1870 de passer de la « Moindre Paix » (la réduction des armements) à la « Paix Suprême » (gouvernement mondial) et au « Royaume de Dieu sur terre ». Il recommande l'établissement d'une fédération des nations, propose la création d'une Assemblée réunissant des représentants de tous les gouvernements du monde pour régler pacifiquement les litiges et joindre leurs forces contre ceux qui refuseraient leur arbitrage. « Doit advenir le temps où sera universellement ressentie l'impérieuse nécessité d'une vaste assemblée représentant le monde entier. Les rois et autres dirigeants de la Terre devront y assister, prendre part à ses délibérations, étudier les moyens et instruments qui permettront d'instaurer la grande paix entre les hommes », la coordination de l'économie mondiale, le choix d'une langue et la création d'un système éducatif universels, la codification des droits de l'homme, un système universel pour la monnaie, les poids et mesures et les communications : « Le jour approche où tous les peuples du monde auront adopté une langue universelle et une écriture commune. Quand cela sera réalisé, tout voyageur, dans quelque ville qu'il s'arrêtera, aura l'impression d'être chez soi. Ce sont là choses absolument essentielles et obligatoires. »

La même année, en France, Pierre-Joseph Proudhon imagine une « démocratie politique fédérative européenne » réunissant des régions auto-administrées en un État européen fédéral, autogestionnaire, géré par une Chambre des régions et une Chambre des professions, avec un Marché commun, un Budget et une Cour de justice, sur le modèle de la Confédération helvétique. Quand d'autres nations deviendront indépendantes, elles s'uniront pour former d'autres confédérations qui établiront des contrats librement consentis avec l'État fédéral européen. Pour Proudhon, ce système de confédérations doit logiquement déboucher sur la paix, car, entre confédérations, ne « subsisteront que la propagande des idées et la concurrence loyale des diverses civilisations ».

La première Internationale du travail

Les classes ouvrières rêvent, elles aussi, d'un gouvernement du monde. En 1864, suivant le conseil de Marx, est fondée à Londres une Association internationale des Travailleurs ; elle est divisée en sections nationales chacune placée sous la direction d'un Comité central. Marx, qui en rédige en partie les statuts, écrit : « Les seigneurs de la terre et du capital se servant toujours de leurs privilèges politiques pour défendre et perpétuer leurs monopoles économiques, la conquête du pouvoir politique devient le grand devoir du prolétariat. » Il ne s'agit pourtant pas là d'un gouvernement mondial : « Quoique unies par un lien fraternel de solidarité et de coopération, toutes les sociétés ouvrières adhérant à l'Association internationale conserveront intacte leur organisation particulière. » Autrement dit, ce qui compte d'abord, c'est d'organiser les luttes dans un cadre national.

Mais les ressources de l'organisation sont faibles ; les divisions y sont nombreuses entre ses rares membres : Bakounine s'oppose à Marx sur la théorie, la stratégie et la tactique. Même le nom de l'organisation est contesté. Elle décline avec la guerre de 1870 et l'échec de la Commune, qui entraîne l'élimination de nombreux dirigeants du mouvement ouvrier internationaliste.

De plus en plus, le nationalisme de chaque classe ouvrière vient interférer avec l'espérance mondialiste. En 1873, Engels reconnaît que les intérêts particuliers des ouvriers de chaque nation sont devenus supérieurs aux intérêts communs de la classe ouvrière mondiale. Dans *Nationality and Cosmopolitanism*, qui n'est publié qu'en 1874, deux ans après sa mort à Pise où il est revenu clandestinement, Mazzini explique que la nation est une étape nécessaire « pour parvenir à l'amour et la fraternité de tous [...]. Le but ultime est l'humanité. Le pivot, le point de support est la nation ». Il critique ceux qu'il appelle les « cosmopolites » – saint-simoniens et communistes – et leur prétention à fonder un gouvernement planétaire sur une union directe des individus, en faisant l'impasse sur les nations.

Deux ans plus tard, l'Alliance internationale du travail est dissoute.

LES PREMIÈRES INSTITUTIONS INTERNATIONALES INFORMELLES : L'ÉTALON-OR

Pourtant, l'économie s'oppose toujours au nationalisme. Pour que le marché fonctionne au mieux, des frontières doivent tomber et des normes doivent être créées. Une conjonction d'initiatives émane alors de quelques utopistes mondialistes et d'entreprises intéressées à la libre circulation des biens sur les marchés tiers. Elles sont l'occasion de féroces batailles d'influence entre la Grande-Bretagne, la France, l'Allemagne, les États-Unis, et se terminent presque toujours par la victoire de la première, solidement ancrée au cœur du gouvernement marchand du monde.

La multiplication des voyages poussent à une coordination des nations dans les domaines sanitaires : en 1850, des dispositions sont prises entre pays européens pour harmoniser les ancestrales mesures de quarantaine contre la peste : chacun veut vérifier les précautions que prend l'autre. En 1853 se tient la première conférence internationale de météorologie maritime, visant à assurer la sécurité de la navigation commerciale entre l'Europe et le reste du monde. Au même moment, une association anglaise qui défend les intérêts du grand commerce britannique, l'International Postage Association, conteste la tarification des échanges postaux fondée sur les distances, et propose de considérer la planète comme un territoire postal unique, assorti de tarifs unifiés. La Ligue de la fraternité universelle soutient cette proposition espérant promouvoir ainsi, dans le commerce et la paix, la fraternité des hommes.

L'essor des échanges commerciaux internationaux exige dans le même temps une stabilité des valeurs relatives des monnaies des principales nations marchandes. Après une période d'incertitude, pendant laquelle l'argent et l'or se maintiennent tout en se chassant réciproquement, la découverte d'importants gisements aurifères en Californie (1848) et en Australie (1851) conduit à la généralisation de l'étalon-or en Grande-Bretagne et aux États-Unis. Et dans l'essentiel des pays qui commercent avec eux. Est ainsi instauré un régime de changes fixes dans lequel les émissions de monnaie de chaque pays sont limitées au montant de ses réserves en or. Les États sacrifient ainsi l'autonomie de leur politique monétaire, et donc de leur croissance économique, en échange d'une stabilité des prix et d'une parité fixe des taux de change. Seule la Grande-Bretagne peut émettre autant de monnaie qu'elle veut, car la confiance en la puissance anglaise est devenue telle que les créances libellées en lettres de change en livres sterling sont désormais partout acceptées comme équivalant à l'or. La place de Londres et les banques de la City sont les pivots du système financier mondial. Elles attirent les liquidités de toute l'Europe. La Banque centrale d'Angleterre gère les tensions monétaires au sein du système étalon-or, imposant sa loi aux autres pays européens.

Or la France, qui n'a pas beaucoup d'or, dispose de beaucoup plus d'argent-métal. La victoire de l'étalon-or limite la croissance française et entraîne une domination des Anglais sur l'économie du continent. Le 23 décembre 1865, pour tenter de sauver l'usage monétaire de l'argent, Paris convoque une réunion internationale en vue de la création d'une union monétaire autour du franc (surnommée avec mépris « Union latine » par les Anglais). Félix Esquirou de Parieu, ministre de l'Instruction publique et des Cultes en 1849, avocat catholique rallié à Napoléon III après le coup d'État et devenu vice-président du Conseil d'État, conduit les débats. La France, l'Italie, la Suisse, la Belgique acceptent de reconnaître le franc germinal comme la référence monétaire de leurs échanges, et invitent tous les autres États à rejoindre l'Union latine, première organisation monétaire internationale.

Les Anglais sont évidemment très hostiles. En 1867, ils acceptent néanmoins d'assister à un deuxième congrès monétaire qui réunit à Paris les principaux pays européens, les États-Unis, la Russie et l'Empire ottoman, dans le but de faire le choix d'une référence monétaire commune. Les Français tiennent à tout prix à éviter que ce soit l'étalon-or. Félix de Parieu, vice-président de la commission monétaire de la conférence, propose alors la création d'une « Union européenne occidentale », prélude à une « fédération pacifique du futur » ; cela serait une unité politique du continent dont la monnaie commune aurait pour nom « Europe » (sauf si les États-Unis souhaitent adhérer à cette monnaie). Anglais et Prussiens refusent. Un compromis sauve la face des Français : le congrès adopte l'étalon-or comme standard commun, mais confère à la pièce de 5 francs-or le statut d'unité de compte commune. Pour satisfaire tous les pays participants, le congrès propose de créer une pièce de 25 francs-or dont la valeur a un équivalent pertinent dans la plupart des devises européennes. Mais l'Angleterre refuse ce compromis habile qui fait pourtant la part belle à l'étalon-or. La France, qui ne comprend pas qu'elle a remporté là une victoire, rejette à son tour le compromis et persiste à ne reconnaître que l'étalon-argent.

La même année, un journaliste français, Frédéric Passy, fait campagne contre une guerre contre la Prusse et fonde une « Ligue internationale de la paix », puis, en 1870, une « Société d'arbitrage entre les nations ». Au début de 1870, Parieu précise encore sa proposition : une Union fédérale européenne dirigée par un parlement européen élu et par une commission nommée par les États. La guerre franco-prussienne met fin à ces rêves : en 1871, la décision du nouvel empire allemand d'adopter l'étalon-or sonne le glas du bimétallisme. Quand l'Autriche-Hongrie et la Russie rejoignent à leur tour le club de l'étalon-or, la France est contrainte de s'y rallier.

LES PREMIÈRES INSTITUTIONS INTERNATIONALES

Sont alors créées les premières institutions internationales rassemblant des pays autour d'un projet spécifique. Comme souvent, tout commence par une initiative privée, et, comme on pouvait s'y attendre, à propos du principal sujet de préoccupation de la gouvernance mondiale depuis plus de mille ans : la guerre et la paix.

Le 24 juin 1859, un homme d'affaires genevois qui cherche à rencontrer Napoléon III pour ses affaires en Algérie, Henri Dunant, est témoin de la bataille de Solferino, en Lombardie, où les troupes françaises s'opposent pendant dix-huit heures à l'armée autrichienne de l'empereur François-Joseph, provoquant un carnage : près de 10 000 morts et 30 000 blessés. Dunant est scandalisé de constater que l'armée française compte plus de vétérinaires pour s'occuper des chevaux que de médecins pour s'occuper des hommes. Il propose de constituer dans chaque pays des « sociétés de secours aux blessés militaires » et que soit établi un « droit de la guerre » organisant la protection de ces sociétés de secours : « Dans des occasions extraordinaires comme celles qui réunissent, par exemple à Cologne ou à Châlons, des princes de l'art militaire appartenant à des nationalités différentes, ne serait-il pas à souhaiter qu'ils profitent de cette espèce de congrès pour formuler quelque principe international, conventionnel et sacré, lequel, une fois agréé et ratifié, servirait de base à des sociétés de secours pour les blessés dans les divers pays de l'Europe ? » En 1863, il fonde une association d'aide humanitaire aux blessés : le « Comité international de la Croix-Rouge » (CICR), dont le nom et l'emblème sont choisis par référence au drapeau suisse inversé. La même année, il obtient la réunion à Genève d'une première conférence internationale, où quatorze États européens décident de prêter aide et assistance aux militaires blessés sur les champs de bataille. L'année suivante, à Genève, douze pays adoptent une première convention réglementant le droit des blessés. Cette même année ont lieu les premières missions du CICR lors du conflit entre le Danemark, la Prusse et l'Autriche, puis, en 1870, lors de la guerre franco-prussienne. Cette année-là, le CICR met en place à Bâle une première « Agence internationale de renseignements et de secours », chargée de relever le nom des blessés et des morts au combat, de les transmettre aux familles, d'assurer la transmission de colis, d'argent et de courriers entre les blessés et leurs proches.

Cette année-là aussi, en 1870, Dunant, condamné par la justice suisse pour fraude financière, crée l'Alliance générale pour l'ordre et la civilisation, et propose d'amorcer des négociations sur le désarmement et la création d'une Cour internationale de justice pour résoudre sans violence les conflits interétatiques.

Voient ensuite le jour les deux premières institutions internationales créées par des gouvernements : celles de la poste et des télégraphes.

En 1863, l'année de la création de la Croix-Rouge, les administrations postales de France, de Grande-Bretagne, de Prusse, d'Autriche, des États-Unis, de Belgique, d'Espagne, d'Italie, des Pays-Bas, du Portugal, du Costa Rica, du Danemark, de Suisse et des îles Sandwich se réunissent à Paris et se donnent pour objectif, comme beaucoup le réclament depuis dix ans, « l'amélioration des relations postales internationales » et une diminution des droits de transit maritime. Pour autant, elles ne créent pas encore d'institution internationale.

C'est par le télégraphe que tout commence. Entre deux pays, en effet, la transmission des messages est loin d'être simple : ils doivent être traduits, transmis de la main à la main à chaque frontière, puis retransmis sur le réseau du pays voisin. En 1865, vingt souverains européens (l'empereur de toutes les Russies, l'empereur d'Autriche, le grand-duc de Bade, le roi de Bavière, le roi des Belges, le roi du Danemark, la reine d'Espagne, l'empereur des Français, le roi des Hellènes, la Ville libre de Hambourg, le roi de Hanovre, le roi d'Italie, le roi des Pays-Bas, le roi du Portugal et des Algarve, le roi de Prusse, le roi de Saxe, le roi de Suède et de Norvège, la Confédération suisse, l'empereur des Ottomans et le roi de Wurtemberg) viennent à Paris parapher une « convention télégraphique internationale ». La Grande-Bretagne n'a pas souhaité s'y joindre. Les signataires se disent « également animés du désir d'assurer aux correspondances télégraphiques échangées entre leurs États respectifs les avantages d'un tarif simple et réduit, d'améliorer les conditions actuelles de la télégraphie internationale et d'établir une entente permanente entre leurs États ». Ils créent une « Union télégraphique internationale » pour établir des règles communes de tarification et de comptabilité internationale. Premières décisions de cette Union : normaliser le code de Morse et faire en sorte que les villes les plus importantes se trouvent en communication permanente. Comme la conférence se tient à Paris, la France obtient que le franc soit choisi comme unité monétaire de référence pour l'établissement de la tarification des correspondances internationales.

Entre 1867 et 1870, Werner von Siemens établit une ligne télégraphique de Londres à Calcutta, passant par Berlin, Varsovie, Odessa, Téhéran et Karachi. En 1875, la quatrième conférence de plénipotentiaires de l'Union télégraphique internationale rassemble à Saint-Pétersbourg, en sus des pays fondateurs, le Brésil, l'Égypte, les États-Unis, la Grande-Bretagne (avec le directeur général des télégraphes indiens), le Japon, la Perse, la Turquie, la Roumanie. On est passé d'une institution européenne à une institution mondiale.

C'est ensuite au tour des Postes de s'intégrer : en 1866, au lendemain de sa victoire sur l'Autriche à Sadowa, la Prusse fusionne les différents offices postaux des États membres de la nouvelle Confédération d'Allemagne du Nord. Heinrich von Stephan, directeur des postes allemandes, propose d'étendre cette standardisation au-delà des frontières de la Confédération. En 1868, il suggère la création d'une Union postale internationale sur le modèle de celle qui vient d'être mise en place pour le télégraphe. En septembre 1874, une conférence internationale sur la poste réunit à Berne 15 États participants (la France n'y adhérera qu'un an plus tard) pour créer une Union générale des Postes. En 1878, un Congrès convoqué à Paris la rebaptise Union postale universelle (UPU), appellation qu'elle porte encore.

D'autres unions mondiales couvrent peu à peu d'autres domaines concernés par le développement des échanges : les statistiques commerciales, l'harmonisation du droit du chèque, l'unification des billets à ordre, la navigation fluviale et maritime ; la sécurité alimentaire avec la mise en place du premier codex alimentaire visant à contrôler la circulation des conserves et aliments industriels. Une Union métrique développe les standards de mesure. Une Union géodésique définit les repères d'un monde dont l'exploration s'achève. La création de ces unions est chaque fois l'objet des mêmes batailles d'influence entre les mêmes nations.

Le marché international a besoin d'un état de droit mondial, première forme de gouvernement du monde entier. Il a aussi besoin, comme tous les maîtres des empires précédents, d'unifier la mesure du temps. Et cette fois-ci, à l'échelle de la planète.

LE TOUR DU MONDE EN 80 JOURS
ET L'UNITÉ DE MESURE DU TEMPS

En 1870, la Grande-Bretagne, première puissance mondiale, produit encore 40 % des produits manufacturés du marché mondial ; 44 % de la production manufacturière britannique sont exportés, et un emploi sur cinq y dépend directement des exportations.

En 1872, un roman français d'un auteur alors immensément célèbre, Jules Verne, cristallise cette prise de conscience de l'unité du monde : *Le Tour du monde en quatre-vingts jours.* Référence à la super-puissance de l'heure, son héros est un Anglais, Phileas Fogg (nom inspiré de celui d'un géographe grec du ve siècle avant notre ère, Philéas, auteur d'un *Périple* contant ses voyages autour de la Méditerranée). Fogg fait le pari de boucler le tour du monde en quatre-vingts jours. Il part vers l'est, utilisant tous les moyens de transport de l'époque (train, bateau, éléphant, traîneau à voile) à l'exception des ballons. Concentré sur les horaires, son but est de prouver que « la Terre a diminué, puisqu'on la parcourt maintenant dix fois plus vite qu'il y a cent ans ». Il remporte son pari grâce au jour gagné en étant parti à rebours du sens de rotation de la Terre, vers l'est (soit l'erreur inverse de celle commise par l'expédition de Magellan).

Dès sa sortie en feuilleton dans *Le Temps*, le roman connaît un triomphe mondial. Il est traduit, du vivant de l'auteur, en plus de vingt langues, adapté dès 1874 et joué pendant deux ans, puis sans cesse repris, au théâtre de la Porte-Saint-Martin. Il fait plus que bien des traités pour faire comprendre l'unité du monde et accélérer la nécessaire unification de la mesure du temps.

Alors que, depuis l'Antiquité, chaque puissance maritime utilise son principal observatoire comme méridien de base de ses cartes, les références des marins tendent à s'unifier ; ils utilisent de plus en plus le même méridien de référence pour leurs cartes et leurs communications. Au début du XIXe siècle, le méridien le plus utilisé est encore celui de Paris (ou, ce qui revient au même, celui, choisi du temps de Richelieu, de l'île de l'archipel des Canaries située le plus à l'ouest de l'Ancien Monde, exactement à 20° de longitude ouest de Paris). Et puis, tout change : en 1850, la flotte anglaise dépasse en tonnage le total de celles des autres nations européennes ; on vend 200 000 exemplaires du *Nautical Almanach*, contre 3 000 exemplaires de son équivalent français, *Connaissance du temps*, imposant le méridien anglais comme référence. Cette année-là, le gouvernement américain décide de choisir le méridien de Greenwich comme référence pour mesurer les longitudes sur ses propres cartes marines. L'observatoire anglais de Greenwich devient ainsi la référence principale des marins.

C'est pourtant par l'essor du chemin de fer que les événements s'accélèrent. Peu à peu, les chemins de fer britanniques imposent en effet le recours au méridien de Greenwich dans les pays où l'on utilise leurs locomotives et leurs ingénieurs. À partir de 1872, date de publication du livre de Jules Verne, les compagnies américaines se réunissent deux fois par an pour coordonner leurs horaires. En 1875, sur proposition de deux ingénieurs des chemins de fer anglais, Dowd et Fleming (qui projettent d'imposer le choix de Greenwich), un congrès géographique international propose de choisir un méridien de base comme point de repère pour établir les horaires des trains partout dans le monde et d'imposer une heure unique valable sur l'ensemble de la planète : « Le temps est évidemment unique dans tout l'univers, et l'idée d'heure universelle ne saurait être mise en question, bien qu'elle entre directement en conflit avec nos idées préconçues et nos habitudes mentales… » Le congrès propose de diviser le monde en 24 zones à partir d'un méridien de base. La France étant encore dominante, le congrès se prononce par 18 voix contre 4 pour le méridien de Ferro, c'est-à-dire en fait celui de Paris ; mais cette décision reste inappliquée en raison des pressions britanniques. Six ans plus tard, en 1881, au congrès géographique international suivant, réuni à Venise, la majorité a évolué : il est décidé que le méridien de base sera situé dans un pays « politiquement stable et doté d'un observatoire de premier ordre », ce qui élimine Ferro et laisse encore ouvert le choix entre Paris, Washington, Berlin et Londres.

Trois ans plus tard, le 3 août 1884, le président des États-Unis propose de tenir à Washington une conférence internationale afin qu'y soit définitivement fixé un méridien de base, « les États-Unis étant le pays ayant des télégraphes et des chemins de fer dont l'extension longitudinale est la plus grande ». Le 1er octobre 1885, une « conférence internationale sur le Méridien » réunit à Washington les représentants de vingt-cinq pays. Les Américains, qui ont choisi le méridien de Greenwich pour l'établissement de leurs cartes quarante-cinq ans plus tôt, ne proposent pas de se prononcer pour le méridien de Washington. Afin de retarder le choix inéluctable de Greenwich, les délégués français, résignés à ce que Paris ne soit pas retenu, suggèrent à nouveau Ferro, mais aussi les Açores, Tenerife, Behring ou Jérusalem. Américains et Anglais répliquent que la conférence de 1881 de la même instance a reconnu que le méridien de base devait passer par un observatoire important. La Conférence ne peut dès lors qu'entériner le choix de Greenwich par 18 voix contre 2 (France et Brésil) et une abstention (Saint-Domingue). Le Japon l'adopte en 1888, l'Allemagne en fait autant en 1891 après que Moltke eut souligné, devant le Parlement impérial, les difficultés engendrées par la disparité des heures en cas de mobilisation. La France résiste encore : le 14 mars 1891, une loi unifie l'heure sur l'ensemble de l'Hexagone en l'alignant sur celle du méridien de Paris. Sept ans plus tard, la Chambre des députés adopte celui de Greenwich, ce que le Sénat ne votera qu'au bout de douze ans, le 9 mars 1911, repoussant les ultimes oppositions des ministères de l'Éducation et de la Marine. Et comme le choix du méridien détermine celui de l'heure, ce jour-là, toutes les pendules françaises sont retardées de neuf minutes et vingt et une secondes.

Ultime victoire de la Grande-Bretagne, qui va néanmoins devoir céder bientôt sa place aux États-Unis comme « cœur » du gouvernement du monde.

L'INTERNATIONALE OUVRIÈRE

La classe ouvrière mondiale essaye toujours de s'unir face aux forces de l'argent. Après la dissolution de l'Alliance internationale du travail, les tentatives se multiplient pour refonder une Internationale ouvrière. Entre 1876 et 1888, conférences et congrès se succèdent. Mais seuls les socialistes belges et suisses paraissent vraiment souhaiter la refondation d'une telle organisation ; les autres pensent surtout à leurs combats nationaux contre leur patronat. Même pour Marx et Engels, internationalistes convaincus, priorité doit être donnée à la création de partis puissants et structurés dans les trois pays les plus avancés d'Europe occidentale, là où se joue, selon eux, le sort de la lutte des classes.

Il faut attendre 1889 pour qu'à l'occasion du centième anniversaire de la prise de la Bastille soit créée une deuxième association ouvrière dite l'« Internationale ». Elle inclut des organisations ouvrières, mais aussi des partis politiques : la social-démocratie allemande, le parti ouvrier français ainsi que de nouveaux partis ouvriers fondés en Espagne, en Belgique, en Autriche ou encore en Suède. Elle fait du 1er Mai la Journée internationale des travailleurs. À son congrès de 1891 réuni à Bruxelles, le marxisme est reconnu comme l'idéologie-phare de l'organisation. La mort d'Engels en 1895 ouvre néanmoins la voie à des remises en cause. Pour Bernstein, le marxisme est inadapté à la société moderne ; ce sont les réformes, et non la révolution, qui permettront la réalisation du socialisme. Réformistes, orthodoxes, radicaux, syndicalistes révolutionnaires ont d'autant plus de mal à s'accorder sur les principes fondamentaux que les enjeux nationaux commencent à prendre le pas sur les rêves de l'internationalisme ouvrier, et les intérêts respectifs des syndicats et des partis divergent de plus en plus. Peu à peu, les syndicats sortent de l'Internationale socialiste et ce sont les partis qui en gardent le contrôle sans que les syndicats songent à en recréer une autre.

En 1896, au congrès de l'Internationale réuni à Londres, les délégués s'accordent encore sur le principe de voter contre les budgets militaires aux parlements, ainsi que sur la nécessité de créer une Cour internationale d'arbitrage pour régler pacifiquement les litiges entre nations. Après la crise de Fachoda entre Paris et Londres, les syndicalistes français et anglais manifestent encore leur solidarité. De même, au moment de la crise du Maroc, les groupes parlementaires socialistes allemands et français s'engagent encore à voter en faveur de la conciliation.

En 1900, pour renforcer l'Internationale socialiste, est institué au congrès de Paris un Bureau socialiste international composé de deux délégués par pays. Il siège à Bruxelles et dispose d'un secrétariat permanent. Jaurès, Vaillant, Guesde, Singer, Haase, Kautsky, Rosa Luxemburg y prennent part. Camille Huysmans, bientôt élu au poste de secrétaire, en fait une instance centrale de l'Internationale.

La solidarité internationaliste se maintient en dépit des menaces de guerre. En 1904, au congrès de l'Internationale d'Amsterdam, des délégués russes et japonais se serrent la main pour protester symboliquement contre l'affrontement entre leurs deux pays. En 1907, au congrès de Stuttgart, les délégués français et anglais suggèrent encore de déclencher une grève générale dans tout pays dont la bourgeoisie voudrait entrer en guerre. Une mondialisation de la paix semble en marche.

ESPÉRANTO OU LA LANGUE DU MONDE

De fait surgissent au même moment des projets de langue mondiale. En 1879, le *volapük*, langue créée par le prêtre allemand Johann Martin Schleyer, largement inspiré d'un vocabulaire anglais et d'une grammaire allemande, connaît un essor rapide ; puis il décline tout aussi rapidement dans les dix années qui suivent sa création, en raison de son manque de fonctionnalité et des réformes permanentes apportées à ses règles.

Un autre projet va mieux réussir : un ophtalmologue de Bialystok, Louis Lazare Zamenhof, parlant le yiddish, le polonais et le russe parvient à faire connaître un projet de langue universelle, l'*espéranto*. Son père, Markus Zamenhof, est professeur de français et d'allemand. En 1878 (il a dix-neuf ans), Louis propose un projet intitulé *Lingwe Uniwersala* pour maintenir la paix, car « la diversité des langues est la première cause, ou du moins la plus déterminante, de séparation de la famille humaine en différents groupes ennemis », écrit-il à un ami. En 1887, il publie en russe son projet de la langue internationale, *Unua Libro*, qu'il signe du pseudonyme « Doktoro Esperanto ». Sa langue comporte 23 consonnes, 5 voyelles et 2 semi-voyelles ; elle comprend seize règles de grammaire et 900 mots de vocabulaire tirés essentiellement des langues indo-européennes. Zamenhof termine ce livre par un poème en espéranto et la traduction dans cette langue de quelques versets de la Bible, avant de publier une version espéranto de *La Bataille de la vie* de Dickens en 1891 et du *Hamlet* de Shakespeare en 1894.

Jules Verne se passionne pour le sujet. Tandis qu'en 1901 un certain Stiegler refait le tour du monde de Fogg en 63 jours, le romancier futuriste préside le groupe espérantiste d'Amiens. Il promet à ses amis de rédiger un roman où il décrirait les mérites de l'espéranto. Si l'on se reporte au manuscrit inachevé, il décrit l'espéranto comme « un idiome simple, flexible, harmonieux, se prêtant également à l'élégance [de] la prose et à l'harmonie du vers. Il est capable d'exprimer toutes les pensées et même les sentiments les plus exquis de l'âme. En outre, par ses éléments, il est la langue internationale par excellence. "L'idée maîtresse qui a présidé à sa formation, c'est le choix des racines en proportion de leur internationalité, c'est-à-dire élues au suffrage universel." Quant à la prononciation, pour la rendre plus accessible à la masse, le docteur Zamenhof a eu soin de combiner le phonétisme avec le graphisme dans le choix des éléments internationaux. »

En 1904, un grand géographe, Élisée Reclus, décrit les progrès de l'espéranto dans *L'Homme et la Terre*, et laisse espérer sa victoire planétaire dans un très joli texte, très révélateur des espoirs d'alors d'une mondialisation heureuse : « Dix années seulement après la naissance de l'espéranto, ceux qui l'utilisent dans leurs échanges de lettres dépasseraient les 120 000. Combien de langues originales en

Afrique, en Asie, en Amérique et même en Europe embrassent un nombre de personnes beaucoup plus modeste ! Les progrès de l'espéranto sont rapides, et l'idiome pénètre peut-être plus dans les masses populaires que parmi les classes supérieures, dites intelligentes. C'est, d'un côté, que le sentiment de fraternité internationale a sa part dans le désir d'employer une langue commune, sentiment qui se rencontre surtout chez les travailleurs socialistes, hostiles à toute idée de guerre, et, de l'autre, que l'espéranto, plus facile à apprendre que n'importe quelle autre langue, s'offre de prime abord aux travailleurs ayant peu de loisirs pour leurs études. »

En 1905, à la mort de Jules Verne, le premier congrès universel d'espéranto réunit 308 sociétés à Boulogne-sur-Mer. Cette année-là, Zamenhof réédite ses seize règles, accompagnées d'un dictionnaire universel et d'un cahier d'exercices sous le titre *Fondements de l'espéranto*. Il renonce à ses droits d'auteur, car, selon lui, « une langue internationale, tout comme une langue nationale, est propriété commune ». Le congrès se fixe pour objectif de faire que cette langue soit comprise et parlée par l'humanité entière.

La mondialisation de la compétition

À côté de la compétition économique, et portées par le même esprit, à côté des rivalités coloniales, lourdes de menaces, apparaissent d'autres formes de défis et rivalités de dimension mondiale, dans le sport et la science ; elles exigent aussi des institutions internationales pour organiser ces compétitions. Là encore se rencontrent l'idéologie du marché et toutes les utopies visant à l'unité de l'humanité.

Depuis 1852, le Dr Brookes préside une Société olympique qui organise chaque année des compétitions littéraires et athlétiques dans une petite localité du pays de Galles. En Grèce, un certain Zappas organise de manière épisodique, à partir de 1870, des Jeux olympiques ouverts seulement à ses compatriotes. Les fouilles archéologiques systématiques du site d'Olympie, commencées en 1829 et développées intensivement à partir de 1875, inspirent alors des initiatives du même ordre aux États-Unis, en Angleterre, en Suède, en Allemagne et en France, où Ferdinand de Lesseps formule un projet similaire.

La première institution internationale de sport, la Fédération internationale de gymnastique, est créée en 1881. Fin 1882 est fondée l'IFAB (International Football Association Board), gardienne des lois du jeu de balle ; elle n'a d'international que le nom, car n'en sont membres que l'Angleterre, l'Écosse, le pays de Galles et l'Irlande. Les premiers matchs « internationaux » de football ont lieu dans les années 1880 entre ces différentes entités composant le Royaume-Uni.

En 1887, Pierre de Coubertin, secrétaire général de l'Union des sociétés françaises de sports athlétiques, soutient l'introduction de l'éducation physique dans les lycées français. L'Exposition universelle de 1889 à Paris lui fait prendre conscience du pouvoir symbolique des manifestations de masse ; après un voyage aux États-Unis, il comprend que le sport peut aussi devenir un spectacle populaire. Il fréquente alors les milieux pacifistes et croit à la possibilité de tisser par le sport des liens entre les peuples afin de mettre un terme aux menaces de guerre. Pour lui, les Jeux olympiques de la Grèce antique constituaient déjà une substitution de la compétition sportive à la guerre, un simulacre de guerre. En 1892, à l'occasion du cinquième anniversaire de l'Union des sociétés françaises de sports athlétiques, il propose à son tour de recréer les Jeux olympiques afin de conjurer la guerre, qui menace, dans tous les esprits :

« Il y a des gens que vous traitez d'utopistes lorsqu'ils vous parlent de la disparition de la guerre, et vous n'avez pas tout à fait tort, mais il y en a d'autres qui croient à la diminution progressive des chances de la guerre, et je ne vois pas là d'utopie. Il est évident que le télégraphe, les chemins de fer, le téléphone, la recherche passionnée de la science, les congrès, les expositions ont fait plus pour la paix que tous les traités et toutes les conventions diplomatiques. Eh bien, j'ai l'espoir que l'athlétisme fera plus encore : ceux qui ont vu 30 000 personnes courir sous la pluie pour assister à un match de football ne trouveront pas que j'exagère. Exportons des rameurs, des coureurs, des escrimeurs : voilà le libre-échange de l'avenir, et le jour où il sera introduit dans les mœurs de la vieille Europe, la cause de la paix aura reçu un nouvel et puissant appui. Cela suffit pour encourager votre serviteur à songer maintenant à la seconde partie de son programme [après le développement du sport scolaire] : le rétablissement des Jeux olympiques. »

Beaucoup de Britanniques se montrent d'abord critiques envers cette initiative qu'ils considèrent comme anachronique ou comme une manœuvre diplomatique française. En 1893, Coubertin n'en est pas moins accueilli comme le « prophète d'une ère nouvelle » lors d'un dîner au London University Sports Club, et le prince de Galles lui promet son appui. En juin 1894, lors d'un congrès international, il obtient la création d'un Comité olympique international indépendant des États. Les Grecs entendent profiter de l'occasion pour gagner en influence et obtiennent que la première compétition ait lieu à Athènes en 1896. Coubertin manœuvre pour que les Jeux soient célébrés successivement dans toutes les capitales du monde. L'édition suivante a lieu en 1900 à Paris. Pour la première fois, des femmes y participent en dépit de l'opposition de Coubertin (lequel nouera ultérieurement des liens avec le fascisme).

En 1902, l'équipe d'Autriche dispute le premier match international de football contre la Hongrie, même si l'un et l'autre pays font partie du même empire. Deux ans plus tard, en 1904, la France joue contre la Belgique : premier vrai match international. À l'occasion de ces premiers matchs internationaux, plusieurs questions se posent : comment assurer le respect des règles du jeu dans tous les États qui pratiquent ce sport ? comment parvenir à les rapprocher uniformément des règles anglaises ? En 1903, les dirigeants de clubs néerlandais et français présentent un projet de Fédération internationale de football auquel les Britanniques, maîtres du jeu par l'IFAB, refusent d'adhérer. Le Français Robert Guérin, alors président du département de football de l'Union des sociétés françaises de sports athlétiques, passe outre et convie des dirigeants de clubs européens à la création d'une telle fédération. Malgré le veto britannique, des délégués viennent de France, de Belgique, de Suède, du Danemark, des Pays-Bas, d'Espagne et de Suisse. La

FIFA est créée le 21 mai 1904. L'année suivante, l'Allemagne, qui n'a pas participé à la conférence, décide d'adhérer à la nouvelle organisation. La Grande-Bretagne se résigne à rejoindre la FIFA l'année suivante. En 1912, celle-ci organise sa première compétition internationale, un tournoi olympique. En 1913, l'IFAB, l'organisation britannique, qui conserve le contrôle des règles du jeu, accorde un strapontin à la FIFA. Son conseil est désormais composé de quatre membres de la FIFA et de quatre membres des fédérations du Royaume-Uni. Toute modification des règles du jeu requiert l'accord de six délégués, dont deux devant obligatoirement faire partie des fédérations fondatrices de l'IFAB : la Grande-Bretagne conserve le pouvoir.

L'esprit de compétition mondiale qui anime le sport se retrouve dans la science. Elle donne lieu non pas à des Jeux olympiques, mais à la remise de prix annuels. Le testament d'Alfred Nobel, rédigé à Paris en novembre 1895, crée une institution chargée de récompenser chaque année des personnes ayant rendu de grands services à l'humanité en permettant une amélioration des savoirs et de la culture dans cinq domaines : paix ou diplomatie, littérature, chimie, physiologie ou médecine, physique. Le prix Nobel de la paix doit récompenser les efforts déployés « pour la fraternisation des peuples, l'abolition ou la réduction des armées permanentes, la formation et la diffusion [...] de la paix ». Le testament précise que la nationalité des personnes primées ne doit jouer aucun rôle (« C'est ma volonté expresse qu'il ne soit fait, dans l'attribution des prix, aucune considération de nationalité, quelle qu'elle soit, mais que la plus digne reçoive le prix, qu'elle soit ou non scandinave »).

La Fondation Nobel, qui gère l'exécution des volontés du donateur, voit le jour en 1900. Elle remet ses premiers prix en décembre 1901 ; le premier prix Nobel de la paix est décerné au Suisse Henri Dunant, qui sort alors de trente ans de silence et d'exil, pour la création de la Croix-Rouge, et au Français Frédéric Passy pour ses actions en faveur de la paix.

LE GOUVERNEMENT DU MONDE
TRAVERSE L'ATLANTIQUE

Londres paraît se fatiguer de sa propre domination ; le pays semble prendre peur de la vitesse terrestre : dès 1865, le *Locomotive Act* réduit la vitesse autorisée des trains à 2 miles à l'heure en ville et à 4 miles à l'heure en rase campagne. Plus grave : les matières premières utilisées par les Britanniques deviennent plus chères ; en Amérique, la guerre de Sécession, affranchissant les esclaves, enchérit le prix du coton acheté par les Anglais aux États du Sud. La City, centre financier du monde depuis 1790, est menacée par l'émergence de nouvelles banques en Amérique. Et la livre l'est par le dollar. En 1875, la production industrielle américaine dépasse même celle de la Grande-Bretagne.

À partir de 1880, ses rivaux prussiens, français et américains se faisant plus pressants, la finance anglaise, pour maintenir son hégémonie, tente de préserver sa rentabilité en recourant à la spéculation. En 1882, de nouvelles « bulles » provoquent de nombreuses faillites bancaires à la City. La production industrielle allemande dépasse à son tour la britannique autour de 1900. Mais, bien que la part du Royaume-Uni dans le commerce mondial chute de 25 % en 1860 à 17 % en 1913, il reste cependant le premier exportateur mondial.

L'Allemagne, la France, les États-Unis ne se sentent plus liés par le Concert européen et se veulent à leur tour maîtres du monde. Guillaume II, empereur d'Allemagne et roi de Prusse, entend en particulier faire de son pays une puissance mondiale, une « immense maison de commerce avec des succursales sur tous les marchés du monde ». Affirmant que « notre avenir est sur l'eau », il jette les bases d'un empire colonial en Extrême-Orient et en Afrique, auxquelles s'ajoutent des colonies de peuplement constituées aux États-Unis et au Brésil – « *Deutschtum im Ausland* » – qui peuvent conserver leur nationalité allemande.

La France convoite elle aussi sa place au « cœur » du monde, qu'elle a manquée aux XVIe et au XVIIe siècles. Elle veut d'abord reconquérir l'Alsace et la Lorraine, perdues en 1870 ; elle se constitue un empire colonial en Afrique. Et elle est la première puissance industrielle mondiale à développer ce qui va constituer le principal moteur de la croissance à venir : l'automobile. Mais elle la perçoit comme le prolongement du carrosse, refuse de la fabriquer en série et a tôt fait de perdre son premier rang au profit des Américains, obsédés par la réduction de la durée des trajets intérieurs, individualistes à l'extrême et incapables d'accepter l'idée de circuler en train.

Les États-Unis ont toutes les raisons de prendre le pouvoir. À la différence de toutes les autres grandes puissances potentielles et de tous les « cœurs » précédents, ils n'ont aucun rival crédible sur leur propre continent. Ils contrôlent déjà l'essentiel de l'Amérique latine et même une partie de l'Asie, des Philippines à la Corée.

Une terrible récession ravage alors l'Europe du Nord, de l'Islande à la Pologne, et vient donner le coup de grâce à la domination européenne sur le monde. Cette crise provoque le plus formidable mouvement de population de l'Histoire : au début du XXe siècle, près d'un million et demi d'Européens rejoignent chaque année le Nouveau Monde, en premier lieu les États-Unis. Ils vont prendre la direction du monde pour la garder jusqu'à aujourd'hui.

L'« ÉTAT-MONDE » OU LA GUERRE

La crise économique, la montée des nationalismes, les concurrences coloniales et industrielles, la remise en cause des derniers empires, le jeu des alliances désormais planétaires annoncent un nouveau conflit, pour la première fois de proportions véritablement mondiales.

On s'affaire alors autour de la paix : en 1899, à La Haye, est réunie une conférence diplomatique internationale sur la paix, organisée à l'initiative du tsar Nicolas II. Elle rassemble vingt-six États (vingt États européens, quatre États asiatiques et deux États américains). En 1901, à la suite de cette conférence et reprenant les idées de Frédéric Passy, le Bureau international permanent de la paix est créé afin de coordonner les activités des sociétés de paix et de promouvoir la résolution pacifique des conflits internationaux. En 1904, l'arbitrage permet d'éviter une guerre entre la Russie et la Grande-Bretagne. Là intervient un autre Français dont l'influence sera considérable : Léon Bourgeois. Né en 1851, préfet de police à 36 ans, député à 37, il a publié *Solidarité*, où il expose une doctrine politique, le « solidarisme ». Il conçoit le projet d'une institution internationale qui assurerait la primauté du droit sur la force. En 1907, une autre conférence pour la paix rassemble quarante-quatre États. Léon Bourgeois y préside une des commissions, chargée d'étudier « les moyens pacifiques dont peut disposer la diplomatie internationale pour prévenir les conflits armés ». Il cherche à promouvoir la création d'une commission permanente d'arbitrage internationale afin de prévenir les conflits. En ressortent les conventions dites de La Haye, qui visent à « prévenir autant que possible le recours à la force, dans les rapports entre États », par la mobilisation de « tous leurs efforts pour assurer le règlement pacifique des différends internationaux ». Elles prévoient diverses modalités de prévention à caractère juridictionnel (par l'arbitrage) ou informel (par bons offices ou médiation). Elles créent la Cour permanente d'arbitrage, dont Passy et Bourgeois parlent depuis vingt ans ; elle est chargée de prévenir tout « conflit aigu ». En cas d'échec de la prévention débouchant sur un conflit, les conventions définissent des règles « humanitaires » concernant les conditions d'ouverture des hostilités, la guerre sur terre, la guerre sur mer, la neutralité, le

« lancer des projectiles du haut de ballons », les « gaz asphyxiants », etc.

Mais l'arbitrage de cette Cour n'est pas obligatoire. Et les États présents à cette conférence ne s'accordent pas sur les juges qui devraient siéger dans le tribunal. L'accord se limite à la création d'une liste d'arbitres internationaux auxquels les États peuvent avoir recours pour le règlement d'un différend. La portée de ces conventions est aussi limitée par une clause dite « *si omnes* », qui restreint leur application à un conflit dans lequel seuls des États signataires seraient impliqués.

En 1910, Léon Bourgeois publie *Pour une Société des nations*, où il regroupe ses idées et propose de nouveau la création d'une organisation internationale, garante de la paix mondiale.

Alors qu'en France fait rage l'affaire Dreyfus, signe d'un regain de la tension franco-allemande et symptôme de l'antisémitisme renaissant, commence à circuler en Europe un texte supposé démontrer l'existence d'une vaste conspiration juive visant à prendre le pouvoir sur le monde : les *Protocoles des Sages de Sion*. Ce texte est censé reproduire le compte rendu d'une prétendue réunion secrète de « Sages de Sion », dirigeants juifs originaires du monde entier, qui font part de leurs plans pour subvertir la morale des non-Juifs, les réduire à l'état d'esclaves, prendre le contrôle de l'économie et de la presse mondiales. Invention des services secrets russes, les *Protocoles* sont publiés en 1903 dans un périodique russe, *Znamia*, au lendemain, d'un voyage en Russie de Theodor Herzl.

Des théories conspirationnistes circulent de plus en plus : en 1912, l'ancien ministre français, Émile Flourens, dénonce un complot maçonnique visant à instaurer un gouvernement mondial et à faire prévaloir une religion globale. Et le vieux fantasme d'une domination du monde par les jésuites ou les juifs est encore colporté.

La guerre rôde. Les pacifistes se mobilisent. En mai 1913, devant un rassemblement de 150 000 personnes au Pré-Saint-Gervais, Jaurès parle contre la loi portant à trois ans la durée du service militaire. Francis de Pressensé, vice-président de la toute nouvelle Ligue des droits de l'homme, propose la création d'États-Unis d'Europe pour préserver la paix. Mais la guerre approche.

Les processus de collaboration internationale s'enrayent. Début 1914 se tient à Monaco le premier congrès international de police criminelle : les représentants de quatorze pays se réunissent pour discuter des procédures d'arrestation, des techniques d'identification, de la mise en place de casiers judiciaires centralisés à l'échelle internationale, de la question des extraditions. En fait, il s'agit surtout de lutter contre le terrorisme de l'époque, les nihilistes qui assassinent d'innombrables princes ou dirigeants politiques. La réunion n'a pas de suites.

Au même moment, un homme politique britannique, Sir Ralph Norman Angell, s'inquiète, dans *America and the New World-State*, de la fragilité de ce qu'il appelle l'« État-monde » qu'esquissent toutes ces institutions internationales spécifiques, ces « unions » spécialisées.

Il estime que cet « État-monde » ne pourra perdurer sans la consolidation de ces unions par leur entrée dans un cadre institutionnel unique, ni sans l'engagement actif des États-Unis à la fois dans la défense de l'organisation internationale mondiale de la paix et de la liberté des échanges : « Il existe déjà, bien sûr, un État-monde [...]. Si vous êtes capable d'envoyer une lettre dans le village le plus obscur de Chine, un télégramme partout dans le monde, d'y commercer et de voyager pour la plus grande part en sécurité, c'est parce que, pendant une génération, les Postes du monde ont travaillé à définir des procédures de trafic et de communication et des méthodes de comptabilité, parce que l'armateur a défini un code de signaux internationaux, le banquier des conditions de crédit international ; parce qu'en fait des centaines d'accords ont été conclus, la plupart non entre des gouvernements, mais entre les groupes et parties concernés. » Mais, ajoute-t-il, cet ensemble est très fragile : « Cet État-monde est inorganisé, incohérent. Il n'a ni centre, ni capitale, ni lieu de réunion. Les armateurs se réunissent à Paris, les banquiers à Madrid ou à Berne, et ce qui est en fait un élément de régulation vital sera décidé dans le fumoir d'un hôtel quelconque de Bruxelles. L'État-monde n'a pas même un bureau ou une adresse. Les États-Unis devraient lui en donner un et doter la civilisation d'un Bureau central d'organisation, une sorte de coordinateur de ses activités internationales, avec le financement nécessaire à son personnel et à son fonctionnement. »

C'est la première fois qu'on se rend compte que la juxtaposition d'institutions internationales spécialisées, faites pour défendre le marché, ne forme pas un gouvernement du monde capable de défendre la paix. Mais il est trop tard. Les rivalités entre candidats à la succession de Londres au cœur du monde sont trop fortes. La guerre mondiale ne peut plus être arrêtée.

Le 28 juin 1914, l'archiduc héritier d'Autriche-Hongrie, François-Ferdinand, est assassiné à Sarajevo par un Bosniaque revendiquant le rattachement de sa nation à la Serbie. On espère d'abord que l'Autriche-Hongrie n'entrera pas en guerre pour autant ; mais partout on mobilise, et souvent dans l'allégresse ; les socialistes français et allemands votent même les crédits militaires ; et aucune grève générale n'est déclenchée contre la mobilisation générale.

Après quelques jours d'atermoiements, l'Autriche-Hongrie et ses alliés (l'Allemagne et, d'une certaine façon, l'Empire ottoman) entrent en guerre contre la Serbie et ses alliés (la Russie, la France, l'Angleterre, le Japon, puis, plus tard, l'Italie et les États-Unis).

6

Grandeur et décadence
du gouvernement américain du monde
(1914-2011)

Pendant que la guerre commence en Europe, y détruisant toutes les richesses, massacrant les hommes par millions, les États-Unis consolident leur nouvelle puissance et, comme tous les « cœurs » avant eux, se mettent en situation de créer un nouvel ordre mondial à leur profit. Non seulement, comme leurs prédécesseurs, ils vont dominer le monde de tout le poids de leur armée, de leur industrie, de leur diplomatie, mais, à leur différence, ils entendent aussi mettre en place une architecture institutionnelle internationale qui habille leur pouvoir et contribue à la paix. Héritiers de ceux qui, comme Jefferson, voyaient à la fin du XVIIIe siècle l'Amérique comme l'« Empire de la liberté », ils aspirent à ce que leur direction du monde conduise à la généralisation planétaire de la démocratie, qui leur semble le système de gouvernement le plus conforme à leurs propres intérêts.

PREMIER G2 :
LE COUPLE ANGLO-AMÉRICAIN

En 1916, après sa réélection, Woodrow Wilson, premier et seul président américain à avoir été diplômé d'un doctorat, rompt avec le traditionnel isolationnisme du pays et l'engage dans la guerre. Soucieux de penser le monde d'après, il est lui aussi convaincu que la paix et les intérêts américains seront le mieux servis par la généralisation de la démocratie : ce ne sont d'ailleurs pas des démocraties qui ont déclenché la guerre, mais deux empires autoritaires – l'Allemagne et l'Autriche-Hongrie –, même si deux démocraties – la France et la Grande-Bretagne – y ont participé. Le 31 janvier 1916, il déclare à Milwaukee : « Aucun peuple n'a jamais fait la guerre à un autre. Ce sont les gouvernements qui la font. » Il travaille alors à un projet d'organisation internationale d'un genre nouveau, où tous les pays se trouveraient représentés et qui ne devrait plus, comme les unions d'avant guerre, se borner à traiter d'un sujet particulier, mais promouvoir globalement la démocratie et l'autodétermination. Il en parle à peine aux Anglais, qui cherchent à conserver leur leadership, et moins encore aux dirigeants français, tout occupés aux combats et qui, pour ce qui concerne l'après-guerre, ne pensent, pour la plupart d'entre eux, qu'à affaiblir durablement l'Allemagne.

À l'automne 1916, à Londres, une commission présidée par le diplomate Lord Robert Cecil rend un *Memorandum on Proposals for Diminishing the Occasion of Future Wars*. Les Britanniques envisagent une organisation constituée uniquement par les grandes puissances mondiales représentées par les ambassadeurs. Rien n'est dit sur une cour permanente de justice ni sur le désarmement et la coopération humanitaire. En 1917, Léon Bourgeois préside une commission interministérielle d'études pour la Société des Nations, qui propose notamment la création d'une armée internationale. Clemenceau n'y attache aucune importance.

En 1917, Wilson charge, lui aussi, une commission d'y réfléchir pour définir ce que sera la position américaine dans une éventuelle conférence de paix. Il réunit pour cela un groupe de cent cinquante universitaires et conseillers politiques (sous le nom de « *The Inquiry* »). Ils reprennent l'idée de « Société des Nations » que Bourgeois a lancée en 1910. Mais sous une forme très atténuée : pas question d'une institution supranationale ni d'une armée mondiale. Donc ce sera une « Alliance des Nations ». À partir de ce rapport, Wilson travaille seul à un grand discours qu'il prononce devant le Congrès le 8 janvier 1918.

Alors que le sort des armes est encore indécis et que la Russie tsariste vient de devenir l'URSS entre les mains de Lénine, Wilson y décrit le monde à construire quand la guerre sera terminée. Il résume son projet en quatorze points organisés autour de quatre principes : la confiance dans le progrès, le droit des peuples à l'autodétermination, le libre-échange, la garantie de la sécurité collective. Celle-ci doit être assurée par le droit international, par une organisation internationale (la « League of Nations », qu'on traduira à tort par « Société des Nations » parce qu'elle est beaucoup moins supranationale que la SDN voulue par

Léon Bourgeois) et par des outils permettant de sanctionner ceux qui menaceraient la paix (embargo économique et recours collectif à la force). Sans oser pourtant proposer une armée multilatérale permanente.

Il ne s'agit donc pas encore d'un gouvernement mondial, mais c'est, pour la première fois dans la bouche d'un chef d'État, un gouvernement multilatéral du monde. Soucieux de préserver leur puissance, les Anglais souhaitent alors se mêler de la rédaction des statuts de cette future organisation internationale. Pour eux, elle doit se réduire à une conférence des ambassadeurs sur le modèle du Concert des nations qui leur a si bien réussi en 1815.

Bien d'autres que les diplomates pensent aussi au même moment à ce qui devra se passer à l'issue de l'interminable boucherie. Albert Einstein signe un manifeste en faveur d'un traité de paix qui créerait une « Ligue des Européens » débouchant sur une « civilisation universelle à l'échelle du monde ». En février 1918, le mathématicien et philosophe britannique Bertrand Russell propose l'établissement d'un véritable gouvernement mondial : « La science a rendu la souveraineté nationale incompatible avec la survie de l'humanité. La seule alternative est maintenant ou un gouvernement mondial ou la mort » ; il imagine une « Fédération mondiale » dotée d'instances législative, exécutive et judiciaire ; une force militaire mondiale ferait respecter le droit international sans s'immiscer dans les affaires intérieures des États. Cette fédération devrait avoir pour but la convergence économique des niveaux de vie et le contrôle de la natalité dans les différentes parties du monde. Tous les cours d'histoire dispensés sur la planète seraient soumis à une commission d'historiens internationalement reconnus afin d'éviter les partis pris nationalistes.

En mars 1918, alors que le sort des armes hésite encore dans les plaines de Champagne, l'écrivain Romain Rolland lance depuis la Suisse un appel pour une « Internationale de l'esprit », exhortant les intellectuels à s'unir au service du « peuple de tous les hommes, tous également nos frères ».

Au même moment, en Inde, dont bien des soldats se battent dans les tranchées en Europe sous l'uniforme britannique, Sri Aurobindo, ayant mis fin à sa fulgurante carrière politique pour vivre en reclus à Pondichéry, rédige *L'Idéal de l'unité humaine*. Il y propose la création d'un État mondial et annonce le retour en scène de l'Asie : « L'idée d'État mondial ou d'Union mondiale n'est pas seulement engendrée par l'esprit anticipateur du penseur, mais dans la conscience même de l'humanité mue par la nécessité de cette existence commune [...]. L'unité de l'espèce humaine fait évidemment partie du projet final de la Nature, et elle doit s'affirmer [...]. Un Parlement des Nations doit être nécessairement un parlement de nations libres. » Pour lui, néanmoins, ce gouvernement mondial ne saurait suffire, car il risque de connaître les mêmes perversions qu'un gouvernement national. Il faut aussi changer l'esprit de l'homme : « Même si elle s'accomplit, l'unité de l'espèce humaine ne peut être viable et devenir réelle » que si la dimension spirituelle « devient la loi intérieure générale de la vie humaine [...]. Tout arrangement mécanique élaboré par le mental est précaire, instable, porteur de clivages et de divisions sans nombre. On aura besoin d'un être-global, d'une connaissance-globale, d'un pouvoir-global plus larges, pour tout souder en une unité plus grande de la vie-globale ». Il prédit que l'Asie unie et le socialisme seront « les deux forces prédestinées de l'avenir ». Il propose qu'une alliance des forces démocratiques d'Asie, d'Afrique, d'Amérique et d'Europe mette fin à la colonisation.

PREMIER GOUVERNEMENT MULTILATÉRAL DU MONDE : LA SDN

Après qu'en juillet 1918 s'est profilée la victoire du Reich, ses lignes de défense craquent brutalement en août, sous le choc des armées américaines fraîchement débarquées, et les Alliés l'emportent en novembre. En Allemagne, c'est le chaos.

Une conférence de paix s'ouvre à Versailles le 18 janvier 1919. Extraordinaire conférence où vont se croiser Keynes, Clemenceau, Briand, Stresemann, Wilson, les deux frères Warburg (l'un dans la délégation allemande, l'autre dans la délégation américaine), Hô Chi Minh et tant d'autres. Elle réunit d'abord les vainqueurs. Les vaincus seront ensuite conviés à entendre les propositions du traité de paix, non négociables. La nouvelle Union soviétique n'y est pas. Le président Wilson insiste pour que la création de la « Société des Nations » dont il parle depuis trois ans soit le premier sujet débattu. Les Français, et d'abord Clemenceau, qui n'attachent pas d'importance au projet de Léon Bourgeois, s'en moquent, obnubilés qu'ils sont à imposer le maximum de réparation des dommages de guerre aux vaincus pour les affaiblir durablement. Les Anglais, eux, ne pensent qu'à maintenir la fiction de leur toute-puissance, en particulier à agrandir leurs colonies et à sauver l'étalon-or.

Dans l'esprit de Wilson, la SDN doit d'abord viser à préserver la paix et à encourager le désarmement. Elle doit permettre la résolution de tous les conflits par recours à l'arbitrage. Le président américain propose d'inclure une clause portant sur l'obligation faite aux pays membres de respecter les libertés religieuses, ainsi qu'une phrase sur l'autodétermination des peuples, phrase qui fait rêver tous ceux qui, en Afrique, en Inde et en Indochine, aspirent à l'indépendance.

Le 25 janvier 1919, la conférence de Versailles accepte le principe d'une « League of Nations », qu'on traduit dans la version française du traité par « Société des Nations », même si le projet est très en retrait par rapport à l'idée initiale de Léon Bourgeois. Le 14 février, soit moins d'un mois après l'ouverture des discussions, un texte détaillé est finalisé, sur la base d'un projet américano-britannique, par une commission regroupant les représentants des cinq grandes puissances victorieuses et de neuf « petites » puissances, dont la Chine et le Brésil. Les dirigeants français ne voient dans ce projet que la création d'une institution s'inscrivant dans le prolongement de l'alliance contre l'Allemagne. Tout occupés à obtenir l'écrasement définitif de leur ennemi, ils proposent la mise sur pied d'une force militaire autonome de la SDN pour se prémunir contre un retour en force de l'Allemagne ; Washington et Londres s'y opposent fermement.

En définitive, le 28 avril 1919, un accord est trouvé sur la création d'une organisation très faible : une

Assemblée générale des futurs signataires (donc sans les vaincus) réunira les représentants des États membres pour discuter des questions relatives à l'actualité internationale, à l'admission de nouveaux membres et au budget de l'organisation. Un Conseil, composé de membres permanents et de membres non permanents, et un Secrétariat en assureront la direction. Son siège est fixé à Genève. La SDN n'a pas de drapeau officiel ; les langues officielles de l'organisation sont l'anglais, le français et l'espagnol, Paris ayant mis son veto à l'usage de l'espéranto. Contrairement au désir de Bourgeois, et conformément au projet de Wilson, la SDN ne dispose pas d'une armée propre, mais peut décider de sanctions économiques dont l'application dépend du bon vouloir de ses membres.

En juin 1919, après plus d'un an de discussions sur tous les autres sujets, quarante-quatre États signent le traité de Versailles. Parmi eux, ni l'Allemagne, ni la nouvelle URSS. La création de la SDN est intégrée au traité de Versailles et précède tous les autres traités issus de la Conférence de paix. Des clauses destinées à protéger les minorités sont incluses dans les textes reconnaissant les frontières des États européens. Rien n'est dit en revanche de la décolonisation, si ce n'est que l'Empire ottoman et les possessions allemandes sont réparties entre la France et la Grande-Bretagne sous forme de territoires sous mandat. Immense déception en Afrique et en Asie. Autrement dit, seuls les empires conservent les armes nécessaires pour faire prévaloir leurs droits.

En 1920, Léon Bourgeois reçoit à son tour le prix Nobel de la paix. Il déclare à cette occasion : « De l'horreur de quatre années de guerre a surgi [...] une idée nouvelle qui s'imposait d'elle-même aux consciences : celle de l'association nécessaire des États civilisés pour la défense du droit et le maintien de la paix. » « Association » serait d'ailleurs une meilleure traduction de *League* que « Société », et Bourgeois s'inquiète de la pérennité de la Société, trop peu contraignante selon lui.

L'institution nouvelle souffre en effet d'énormes défauts congénitaux : les vaincus n'en sont pas membres ; elle ne contrôle pas les institutions internationales spécialisées créées avant 1914 et ne s'occupe ni de promouvoir la liberté des échanges, ni d'organiser la stabilité monétaire, ni d'imposer aucune obligation relative aux droits de l'homme. Elle n'a aucun moyen de forcer à l'application de ses décisions.

Pis encore, bien que le président Wilson intervienne de tout son poids, le Congrès des États-Unis ne ratifie pas le traité fondant cette SDN : les républicains refusent d'autoriser l'engagement automatique de troupes américaines dans un conflit sur décision d'une instance internationale, et les démocrates sont déçus par les autres clauses du traité de paix, qui font peser une charge qu'ils jugent excessive sur les épaules de l'Allemagne. Dès sa création, la SDN n'est donc pratiquement qu'une organisation européenne, alors même qu'elle a été pensée et voulue par un Américain.

Au début, elle n'en connaît pas moins quelques succès : en 1920, elle empêche la propagation d'un conflit entre la Pologne et la Lituanie. En 1921, elle reconnaît la souveraineté de la Finlande sur les îles Åland, qui lui sont disputées par la Suède, et recommande la neutralisation de l'archipel et sa démilitarisation. En 1921 sont créés l'Organisation internationale du travail (OIT), le Haut-Commissariat aux réfugiés (HCR), une Cour internationale permanente de justice pour faire appliquer le droit international, une Commission de contrôle des armes à feu, l'Organisation mondiale de la santé (OMS), la Commission sur l'esclavage, la Commission des mandats. Tous affiliés à la SDN. En 1922, l'Allemagne, devenue République, y est admise. La SDN décide ensuite du tracé de la frontière entre l'Albanie et la Yougoslavie. Elle impose un soutien économique à l'Autriche et à la Hongrie, décide de l'avenir de la Haute Silésie, rattachée à la Pologne, administre la Sarre, avant que les Sarrois ne décident par référendum d'être à nouveau rattachés à l'Allemagne, définit le statut de Mossoul, que se disputent l'Irak et la Turquie, organise le règlement des différends entre la Colombie et le Pérou... De fait, que des solutions bancales...

D'autres institutions internationales voient alors le jour : en 1923, à l'initiative du directeur de la police de Vienne, Johannes Schober, est fondée par les délégués de dix-neuf pays la Commission internationale de police criminelle, qui deviendra Interpol. En 1924 est créé l'Office international des épizooties, à la suite d'une épidémie de peste bovine survenue en Belgique en 1920 après l'importation de zébus en provenance d'Asie du Sud.

Enfin, puisque la SDN n'est presque plus qu'une institution européenne, pourquoi ne pas renforcer l'intégration en Europe ? Le ministre des Affaires étrangères français, Aristide Briand, après avoir signé en 1928 avec l'Américain Kellogg un pacte purement symbolique mettant la guerre « hors la loi », propose à l'Assemblée générale de la Société des Nations, en septembre 1929, en accord avec le chancelier allemand Stresemann, un projet d'Union fédérale européenne ; cette union devra d'abord prendre des décisions d'ordre économique, « car c'est la question la plus pressante ». Alexis Léger (le poète Saint-John Perse), alors secrétaire général du Quai d'Orsay, est chargé de proposer une organisation plus détaillée. Le 1ᵉʳ mai 1930, alors que la Grande Dépression vient de se déclarer aux États-Unis, Léger propose que la future « Union européenne », dont le siège serait installé à Genève, soit une institution intergouvernementale « subordonnée » à la SDN. Trois institutions spécifiques la géreraient : un organe décisionnel, la « Conférence européenne », avec présidence tournante, et deux autres organes, l'un exécutif, l'autre administratif : le « Comité politique permanent » et le « Secrétariat permanent ». Il propose en outre la création d'un « Marché commun », une gestion commune des politiques monétaires et la mise en place progressive d'une Union douanière. Il recommande enfin d'entamer de manière concertée de grands travaux, d'harmoniser les législations sociales et de favoriser la coopération culturelle.

Mais le désastre du traité de Versailles, la façon absurde dont a été réglée la question allemande, l'absence totale de réflexion sur le protectionnisme et l'étalon-or, la non-résolution des contentieux, la frustration des pays vaincus annoncent mille conflits à venir.

LES RÊVES DE GOUVERNEMENT
TOTALITAIRE DU MONDE

Trois mouvements totalitaires tentent en effet de se dresser en « gouvernements du monde » contre l'idéal de paix, faible et naïf, de la SDN. Ils prétendent se dresser contre ce qu'ils considèrent comme un gouvernement du monde par l'argent, ou par les juifs, ou par la démocratie bourgeoise, ce qui, pour eux, revient d'ailleurs au même.

Persuadés que, sans un soulèvement généralisé en Europe, ils seront écrasés par l'« encerclement capitaliste », comme le furent les communards en 1871, Lénine et les bolcheviks cherchent des alliés. Ils organisent à Moscou, du 2 au 6 mars 1919, pendant que se déroule la conférence de Versailles, un congrès destiné à sceller une alliance des partis, légaux ou clandestins, qui les soutiennent : cinquante-deux délégués originaires de trente-quatre pays proclament la naissance de la IIIe Internationale. Cette Internationale, qui porte le nom de « communiste », pose 21 conditions aux partis qui souhaitent y adhérer ; inacceptables pour la plupart des membres des partis sociaux-démocrates d'Europe, elles entraînent nécessairement des scissions en leur sein, donc la création d'un parti communiste dans chaque pays et sa rupture avec les socialistes. Un comité exécutif est chargé de superviser ces partis et d'« encourager la révolution mondiale ». Le siège du Komintern est naturellement établi à Moscou. Cette organisation aura des envoyés secrets partout, des États-Unis à la Chine, et portera le fer contre la colonisation.

En guise de réplique, les socialistes reconstituent en 1921 une deuxième Internationale à Berne. Puis ils se divisent à nouveau et certains d'entre eux créent l'« Internationale deux et demi ».

En 1921, Moscou impose le « centralisme démocratique » (une fois qu'une décision est arrêtée dans un congrès, elle ne peut plus souffrir la moindre contestation interne) à l'ensemble des partis membres de la IIIᵉ Internationale. En 1924, à la mort de Lénine, Staline met la main sur l'appareil du PCUS et de l'État soviétique. Il place l'organisation au service exclusif de l'URSS, qui redoute toujours l'encerclement. Grigory Zinoviev, président de l'Internationale, annonce la « bolchevisation » de l'organisation : tout parti ne s'alignant pas sur la ligne déterminée à Moscou serait exclu. La chasse aux trotskistes commence. Le Komintern crée une école de formation des cadres destinée aux « partis frères ».

La même année, en 1924, Hitler dénonce dans *Mein Kampf* la conspiration juive qui utilise, dit-il, l'espéranto afin d'asseoir sa domination sur le monde. Il ne parle pas de riposter par une maîtrise allemande du monde, ni même de l'Europe, mais d'« assurer au peuple allemand le territoire qui lui revient en ce monde » pour « faire disparaître le désaccord entre le chiffre de [notre] population et la superficie de [notre] territoire […]. L'Allemagne sera une puissance mondiale ou ne sera pas ».

L'idéologie nazie, nationaliste et raciste, s'oppose par essence à toute conception de gouvernement du monde. Il est hors de question pour Hitler que le peuple allemand renonce à sa souveraineté au profit d'une entité mondiale, *a fortiori* si celle-ci laisse une voix au chapitre aux « races » réputées inférieures. Selon Hitler, l'internationalisme des juifs est responsable de la création des internationales communiste et capitaliste. Ils rongent les peuples parmi lesquels ils vivent, et les rendent inassimilables. En Europe, les « races » dites inférieures, notamment les Slaves, devaient être délogées ou exterminées, et remplacées par des Allemands « purs ». Les peuples germaniques, réputés plus proches des Allemands, notamment les Scandinaves et les Flamands, ont vocation, d'après Hitler, à être assimilés par l'Allemagne. Le peuple français, perçu comme plus distant racialement, doit servir de réserve agricole au Reich sans pouvoir prétendre à l'assimilation ni être condamné à l'extermination. Hitler souhaite donc conquérir l'Europe. Le monde viendra après.

Mussolini, qui a pris le pouvoir à Rome, tente, pour sa part, de faire revivre l'Empire romain. Il entend en effet créer une « nouvelle Rome », peuplée d'un « homme nouveau ». Pour lui, la décadence de l'Empire romain est imputable à trop de contacts entre la race romaine supérieure et les autres races, inférieures. L'Italie doit reconquérir la *mare nostrum*, et le bimillénaire du règne d'Auguste est l'occasion, pour le Duce, de se présenter comme son héritier direct.

À partir de 1927, Staline établit son contrôle absolu sur le Komintern et s'emploie à le rendre conforme à ses desseins. Il impose la ligne du « socialisme dans un seul pays » et fait en sorte que les actions des autres partis membres soient subordonnées aux intérêts nationaux de l'Union soviétique. Les différents partis sont étroitement surveillés par des agents directement envoyés de Moscou.

Ce réveil de totalitarismes à caractère nationaliste ruine tous les espoirs placés dans la SDN, qui, peu à peu, se délite.

En 1928, le Brésil s'en retire, faute d'avoir obtenu un siège permanent à son Conseil. En 1929, du fait de la crise financière, les frontières se ferment ; le maintien coûte que coûte de l'étalon-or fait plonger l'Occident dans la récession. En 1930, la SDN ne peut rien pour réduire le poids des réparations imposées à l'Allemagne par le traité de Versailles, ni pour gérer son incapacité à les acquitter. Cela débouche sur la création entre quelques banques centrales de la Banque des règlements internationaux (BRI). En 1931, la SDN se montre tout aussi impuissante à faire reculer le Japon, qui refuse de retirer ses troupes du territoire chinois et quitte l'organisation internationale. La SDN ne fait rien non plus pour appliquer les principes d'autodétermination qui la fondent aux colonies des pays membres. En 1932, elle ne peut rien pour éviter la guerre du Chaco entre la Bolivie et le Paraguay.

En 1933, alors que Wiley Post effectue le premier tour du monde en solitaire à bord d'un avion en 7 jours et 18 heures, Hitler prend le pouvoir à Berlin ; devant le refus de la France d'autoriser le réarmement de l'Allemagne, il se retire de la SDN. Le Komintern demande aux partis communistes des autres pays de s'allier aux socialistes pour faire barrage aux fascistes, ce qui, en France, ouvre la voie au Front populaire.

Face à la menace nazie, Albert Einstein renonce au pacifisme tout en regrettant l'absence d'une « force de police internationale soumise à l'autorité d'un organisme supranational » ; dans des lettres à Freud, il évoque la création d'une telle force aux côtés d'un « organisme législatif et judiciaire compétent pour résoudre tout conflit susceptible de survenir entre nations ». C'est oublier que la SDN, rejointe en 1934 par l'URSS, a été, en principe, créée pour cela.

En 1934, Mussolini organise des Comitati d'Azione per l'Universalità di Roma (Comités d'action pour l'universalité de Rome – CAUR), qui réunissent un « congrès international fasciste » à Montreux en décembre 1934, sans représentation du parti nazi allemand. Une « Commission de coordination pour le fascisme universel » se réunit trois fois en 1935 à Paris, Amsterdam et Montreux. Elle manifeste son soutien à la politique coloniale de Mussolini tout en condamnant certaines pratiques du nazisme, en particulier son paganisme. Mussolini tente également de « fasciser » les émigrés italiens, notamment au Brésil et en France, dans le but de les intégrer à ses projets pour l'Italie. Mais ces embryons d'internationales fascistes n'aboutiront jamais à des actions coordonnées ni à des déclarations communes réellement conséquentes. Foncièrement nationaliste, le fascisme ne peut être concilié avec l'idée internationaliste ou mondialiste.

En 1935, la SDN continue à ne rien pouvoir faire concrètement contre l'invasion italienne de l'Éthiopie, et Rome se retire à son tour de l'organisation. En 1936, elle assiste sans réagir au réarmement allemand, et en 1937 à la remilitarisation de la Rhénanie, au déclenchement de la guerre sino-japonaise et à celui de la guerre civile espagnole.

En 1938, à Londres, trois incorrigibles optimistes, Derek Ramsley, Charles Kimber et Patrick Ransome, créent une « Federal Union » qui prône l'instauration d'un gouvernement mondial. Au même moment, un ancien correspondant du *New York Times* auprès de la SDN, Clarence Streit, crée le Mouvement fédéraliste américain.

Cette année-là, la SDN reste impuissante face à l'Anschluss. En 1939, l'Espagne se retire de la SDN, laquelle n'est pas même consultée quand la Tchécoslovaquie est démembrée, et pas davantage informée quand, le 1er septembre 1939, les Allemands envahissent la Pologne, signant le commencement de la Seconde Guerre mondiale.

Le 14 décembre 1939, l'URSS est exclue de l'organisation : son attaque contre la Finlande, le 30 novembre 1939, est jugée illégale par le Conseil de la SDN, dont c'est un des derniers actes.

LE DEUXIÈME GOUVERNEMENT MULTILATÉRAL DU MONDE : L'ORGANISATION DES NATIONS UNIES

Une seconde fois, pendant une nouvelle guerre mondiale qu'ils n'ont su empêcher, des alliés, de part et d'autre de l'Atlantique, réfléchissent à la meilleure façon d'éviter que pareil événement ne se reproduise. Conscients enfin du désastre que représente le traité de Versailles, de l'impuissance de la SDN et du rôle de la crise de 1929 dans l'engrenage ultérieur, ils pensent d'abord qu'il faudra non plus seulement, comme le fit la SDN, se concentrer sur la promotion de la démocratie, mais s'occuper aussi du maintien d'un fonctionnement efficace de l'économie ; et, pour cela, tenir ouvertes les frontières, mettre en place des institutions monétaires et doter la nouvelle institution des moyens militaires qui avaient fait défaut à la SDN.

Celle-ci survit alors à Genève dans des conditions pathétiques : à partir de 1940, son secrétaire général, le Français Joseph Avenol, collabore avec l'Allemagne et licencie une grande partie du personnel, dont tous les Britanniques. Puis il démissionne et est remplacé par le secrétaire général adjoint, l'Irlandais Sean Lester. Celui-ci envoie de nombreux services de l'institution, ainsi que ses archives, en Amérique du Nord : le Bureau international du travail s'installe à Montréal, d'autres agences à Princeton. Lester reste, à Genève, gardien solitaire et courageux d'une SDN privée de ressources dans une Suisse encerclée par l'Allemagne.

Comme durant la Première Guerre mondiale, mais de manière encore plus intense, les pourparlers préparatoires au remodelage du monde d'après guerre sont menés pendant le conflit par les États-Unis et la Grande-Bretagne. Les premiers sont encore beaucoup plus puissants qu'un quart de siècle auparavant. Sortis de la crise de 1929 par l'économie de guerre, traversant celle-ci sans subir aucune des destructions qui ravagent jour après jour leurs alliés et rivaux européens, les Américains consolident leur pouvoir sur le monde, en tout cas sur la partie de celui-ci qui n'est pas inféodée aux trois totalitarismes encore en place. Le cœur « bostonien » du monde laisse alors la place à un autre « cœur » américain, cette fois dans la région de New York.

Le président Roosevelt reprend à son compte le rêve de Wilson. Pour ne pas répéter son erreur, il associe tout de suite le Congrès à sa réflexion sur l'avenir du monde : pas question de courir de nouveau le risque de voir une nouvelle architecture mondiale rejetée par le Congrès. Dans un message adressé justement, le 6 janvier 1941, au Congrès américain pour justifier le soutien apporté à la Grande-Bretagne, il déclare souhaiter « un monde fondé sur les quatre libertés humaines : la liberté de parole et d'expression, la liberté pour toute personne de prier Dieu de la façon qui lui convient, le droit d'être à l'abri du besoin [et le] droit de vivre à l'abri de la peur – ce qui, sur le plan mondial, signifie une réduction des armements ».

Trois conseillers de Roosevelt – le professeur de droit viennois (père de l'actuelle Constitution autrichienne) Hans Kelsen, le sous-secrétaire d'État Sumner Welles (homme fort du Département d'État) et le général George Marshall, chef d'état-major de l'armée américaine – rédigent la « charte de l'Atlantique », rendue ensuite publique le 14 août 1941, au large de Terre-Neuve, à bord du croiseur *USS Augusta*, en présence de Roosevelt et de Churchill. Elle reprend et précise le discours du président américain du 6 janvier et esquisse l'architecture des institutions internationales qu'il souhaite. Les deux alliés promettent qu'après la guerre ils n'auront pas de revendications territoriales et organiseront l'autodétermination des peuples : deux des lacunes de la SDN.

Décidés à ne pas répéter les mêmes erreurs qu'en 1919, ils ajoutent : « Ils [eux] s'efforceront, dans le respect de leurs obligations existantes, de favoriser la jouissance par tous les États, grands ou petits, vainqueurs ou vaincus, de l'accès à égales conditions à l'échange et aux matières premières mondiales nécessaires à leur prospérité économique. Ils entendent favoriser la plus entière collaboration entre toutes les nations sur le plan économique, avec pour objectifs la sécurité pour tous, l'amélioration des normes de travail, le progrès économique et la sécurité sociale. Après la destruction finale de la tyrannie nazie, ils espèrent voir s'instaurer une paix qui offrira à toutes les nations les moyens de vivre en toute sécurité au sein de leurs propres frontières, et qui donnera l'assurance que tous les hommes, où qu'ils habitent, puissent vivre leur vie à l'abri de la peur et du besoin. » Enfin, la charte prône le désarmement des « nations qui menacent ou peuvent menacer d'agression hors de leurs frontières ». En 1942 est fondée la Ligue internationale des droits de l'homme à New York, à l'initiative de Roger Nash Baldwin, le fondateur de l'American Civil Liberties Union. Elle s'inspire de la Ligue des droits de l'homme, créée en 1898 à l'occasion de l'affaire Dreyfus.

À partir de 1942, une fois les États-Unis entrés en guerre et alors que la victoire sur Hitler semble possible, il devient clair que les États-Unis vont rester au « cœur » du gouvernement du monde. De même, après Stalingrad, il est évident que rien de global ne sera possible sans l'URSS. Se multiplient alors les conférences destinées à préparer une refonte de la SDN, à mettre en place une autre institution en charge de la balance des paiements, une troisième encore chargée de lutter contre le protectionnisme, une quatrième visant à aider les pays colonisés à sortir de la misère. Surtout, pour les États-Unis, il s'agit de passer de l'équivalence entre l'or et la livre à une équivalence entre l'or et le dollar.

Ces négociations sont conduites par les Américains seuls, et d'abord par le sous-secrétaire d'État Sumner Welles, avec une figuration anglaise. Quand les représentants de la Grande-Bretagne n'acceptent pas assez vite les exigences de leurs vis-à-vis, les convois de bateaux américains chargés d'armes, qui traversent l'Atlantique pour ravitailler la Grande-Bretagne, ralentissent.

Les Soviétiques, eux, ont bien trop à faire face à l'avancée allemande pour s'occuper d'autre chose que de la guerre, si ce n'est d'élargir éventuellement leur zone d'influence : les institutions dont se dote le monde capitaliste ne les concernent pas encore.

En 1943, pour calmer les inquiétudes des États-Unis et de la Grande-Bretagne, Staline met fin à la IIIe Internationale et accepte de parler de l'organisation du monde à venir, au-delà des frontières d'Europe.

À Yalta, du 3 au 11 février 1945, les trois Alliés échouent à se mettre d'accord sur les modalités de vote au Conseil de sécurité. L'URSS redoute la domination de l'Assemblée générale par des États alliés des États-Unis et du Royaume-Uni. Ils conviennent de l'importance d'instituer un droit de veto au Conseil de sécurité.

En février 1944, un comité d'experts, réuni par l'Institut de droit américain, rédige un mémoire sur les droits fondamentaux de l'homme, première esquisse de ce qui deviendra la Déclaration universelle des droits de l'homme. Le 19 avril 1944, Roosevelt réaffirme que « les conditions d'une paix durable ne peuvent être assurées que par des institutions économiques sainement organisées, fortifiées par le labeur humain et un niveau social élevé, un emploi régulier et des garanties d'existence adéquates ». Pour lui, la dimension économique de la paix implique une mondialisation du modèle américain, en particulier une contractualisation universelle des conditions de travail et des salaires. Pour éviter toute concurrence déloyale, les salaires mondiaux doivent être élevés, conformément au modèle fordiste américain. Il envisage aussi une coordination des politiques macroéconomiques à l'échelle globale, dont le cadre pourrait être l'Organisation internationale du travail, seule instance issue du traité de Versailles dont le bilan se soit révélé à ses yeux positif. En mai 1944, à Philadelphie, lors d'une conférence de cette organisation repliée sur Montréal, des représentants mêlés de syndicats ouvriers, d'instances patronales et de gouvernements venus de quarante et un pays alliés proclament d'ailleurs « qu'il ne peut y avoir de paix durable sans justice sociale ».

Dans le même temps, à Bretton Woods, petite ville du New Hampshire, on commence à négocier, y compris avec l'URSS, la mise en place des institutions financières internationales prévues dans la charte de l'Atlantique. Le sous-secrétaire d'État américain au Trésor, Harry Dexter White, représentant des États-Unis, veut obtenir la reconnaissance du dollar comme étalon de change mondial. À la tête de la délégation britannique à Bretton Woods, après avoir fait partie de celle qui négocia le traité de Versailles, John M. Keynes rêve d'une monnaie unique mondiale qu'il nomme le *Bancor*, destinée au commerce et à laquelle les monnaies de chaque pays seraient reliées par un taux de change fixe. Le *Bancor* serait émis par une banque centrale internationale qu'il propose de nommer « Union internationale de compensation », qui agirait envers les banques centrales nationales comme celles-ci le font envers les banques privées, c'est-à-dire en mettant à disposition des liquidités. Des pénalités (sous forme d'intérêts) seraient imposées chaque année aux pays trop déficitaires ou trop excédentaires. Les Américains sont évidemment contre. Henry Morgenthau Jr., secrétaire du Trésor, propose une autre monnaie mondiale, l'*Unitas*, puis retire cette proposition, et revient au dollar.

Est finalement décidée la création d'un Fonds monétaire international (FMI). Sa mission est de faciliter une croissance équilibrée du commerce mondial, la coopération internationale en matière monétaire, de permettre la stabilité des changes, d'aider à instaurer un système multilatéral de paiement et de mettre des ressources à la disposition de pays confrontés à des difficultés de balance des paiements. Toutes dispositions qui, comme prévu, ne font qu'organiser la substitution du dollar à la livre comme étalon de change international. Aucune banque centrale mondiale n'est créée ; seule l'est une Banque internationale de reconstruction et de développement, la Banque mondiale. Le Fonds et la Banque sont installés à Washington, à quelques mètres de la Maison-Blanche ; les États-Unis y disposent d'un droit de veto sur les principales décisions.

Le 21 août 1944, à Washington, dans une villa nommée Dumbarton Oaks, alors que les troupes alliées entrent dans Paris, s'ouvrent les pourparlers en vue de la création d'une Organisation des Nations unies entre les États-Unis, le Royaume-Uni, l'URSS et la Chine (que dirige alors un général pro-américain, Tchang Kaï-chek, dans les soubresauts d'une guerre civile). Les États-Unis entendent mettre en œuvre les principes de la charte de l'Atlantique et donner à l'ONU les moyens dont la SDN n'a pas disposé ; ils veulent qu'elle soit universelle, alors que la SDN était largement dominée par les puissances européennes ; ils veulent aussi qu'elle puisse user de moyens de sanctionner, jusques et y compris par l'action militaire, en s'appuyant sur les forces que les États membres s'engageraient à mettre à sa disposition pour mener des opérations de maintien de la paix et sur des forces permanentes coiffées par un comité d'état-major international. Ils veulent encore que les anciennes instances, comme l'Organisation internationale du travail, et les nouvelles, comme la Banque mondiale et le FMI, soient placées sous son contrôle. Enfin, pour que cette nouvelle organisation soit efficace, ils proposent de créer, au-dessus de l'Assemblée générale, un Conseil de sécurité dont les résolutions auront seules une valeur juridique contraignante. Et, pour éviter que le gouvernement du monde ne leur échappe, les États-Unis s'octroient dans ce Conseil un droit de veto qu'ils finissent par accepter de partager avec les trois autres pays représentés à Dumbarton Oaks. Est aussi retenu le principe d'un Secrétariat et d'une Cour de justice.

Le préambule de la charte qui est alors rédigé n'est qu'un tissu de bonnes intentions : « Nous, peuples des Nations unies, résolus à préserver les générations futures du fléau de la guerre qui, deux fois en l'espace d'une vie humaine, a infligé à l'humanité d'indicibles souffrances, à proclamer à nouveau notre foi dans les droits fondamentaux de l'homme, dans la dignité et la valeur de la personne humaine, dans l'égalité de droits des hommes et des femmes, ainsi que des nations, grandes et petites, à créer les conditions nécessaires au maintien de la justice et du respect des obligations nées des traités et autres sources du droit international, à favoriser le progrès social et instaurer de meilleures conditions de vie dans une liberté plus grande ; à pratiquer la tolérance, à vivre en paix l'un avec l'autre dans un esprit de bon voisinage... »

Le 25 avril 1945, alors que se profile la victoire totale des Alliés sur l'Axe, Roosevelt convoque à San Francisco les représentants de 48 pays – soit 51 États, l'URSS ayant réussi à obtenir 3 voix – afin d'adopter la charte des Nations unies, sur la base des décisions prises l'année précédente à Dumbarton Oaks. Quatre commissions sont constituées, divisées en douze comités. Les propositions de Dumbarton Oaks servent de point de départ à la discussion. Le résultat est long et répétitif, puisque chaque comité tient à inclure sa contribution. La charte est beaucoup plus détaillée que le traité fondateur de la Société des Nations (111 articles contre 26).

Le 9 août, le recours à l'arme atomique par les États-Unis, puis la découverte des camps de la mort en Allemagne provoquent un choc planétaire. À Londres, des accords interalliés créent le Tribunal militaire international de Nuremberg afin de juger les principaux dirigeants nazis. C'est le premier tribunal supranational de l'Histoire.

Le 24 octobre 1945, la charte de San Francisco, signée par les 51 États présents, entre en vigueur. La France parvient à se faufiler parmi les membres permanents du Conseil de sécurité aux côtés des quatre participants à la conférence de Dumbarton Oaks où tout a été décidé. Les Anglais ont besoin de la France pour assurer la sécurité du continent contre l'URSS. Pour obtenir la ratification du traité, le président Harry Truman évoque devant le Sénat le président Wilson, qui n'obtint pas son accord ; il explique qu'il s'agit de « donner corps à l'idéal de ce grand homme d'État de la génération précédente. Ne laissons pas passer cette ultime chance d'instaurer de par le monde le règne de la raison et de créer une paix durable sous la direction de Dieu ».

De fait, la nouvelle organisation, l'ONU, n'a pas plus de pouvoir que la SDN. Elle ne dispose d'aucun moyen réel de faire appliquer ses décisions, pas plus que de moyens sérieux d'infliger des sanctions. Son indépendance financière est nulle, puisqu'elle vit des maigres cotisations octroyées par ses membres. Ce n'est, une fois de plus, qu'un forum destiné à faire se rencontrer des diplomates, pendant que les vraies décisions sont prises ailleurs par les vainqueurs de la guerre, et surtout par les deux superpuissances, les États-Unis et une nouvelle, l'URSS, tout auréolée de sa victoire militaire.

Albert Einstein, qui n'a pas renoncé à son combat de quarante ans pour un gouvernement mondial, cosigne une lettre au *New York Times* expliquant que « la Charte de l'ONU, en maintenant la souveraineté absolue d'États-nations rivaux, interdit la création d'un système efficace ; elle est, dit-il, aussi faible que l'Acte de Confédération des 13 États originels des États-Unis. Or on sait qu'une confédération n'est pas efficace. Si l'on veut empêcher une guerre nucléaire, on doit aller vers une constitution fédérale du monde, un règne mondial de la loi ». Il soutient un projet de Constitution mondiale de nature fédérale, celui de

Robert M. Hutchins, président de l'université de Chicago. Einstein propose même, dans un article publié dans l'*Atlantic Monthly*, que les États-Unis, la Grande-Bretagne et l'URSS prennent l'initiative de la création d'un tel gouvernement mondial.

Le 24 janvier 1946, l'Assemblée générale de l'ONU, réunie à Paris, crée, par sa première résolution, une commission « chargée d'étudier les problèmes soulevés par la découverte de l'énergie atomique », en vue de contrôler cette arme nouvelle dont on vient de mesurer les effets terrifiants. Les États-Unis souhaitent en fait empêcher les Soviétiques de parvenir à la fabriquer. La commission en question comprend les membres du Conseil de sécurité de l'ONU et le Canada.

Le représentant des États-Unis à cette commission, Bernard Baruch, stupéfie tout le monde en proposant de confier la responsabilité unique du développement de l'énergie atomique à un organisme international, une « Autorité du développement atomique », qui se verrait confier la propriété des mines d'uranium. Le désarmement nucléaire des États signataires serait surveillé par un corps d'inspecteurs internationaux.

C'est là une proposition très audacieuse : pour la première fois, un gouvernement, et plus encore celui qui domine alors le monde, propose la création d'un bien public mondial et son appropriation par une institution supranationale.

Soucieux de continuer à fabriquer leurs propres armes nucléaires, les Soviétiques refusent. Le projet de Baruch est vite oublié. Désormais, les questions de désarmement nucléaire ne seront plus traitées dans le cadre onusien, mais dans celui de la guerre froide qui s'annonce entre les États-Unis et l'URSS.

Certains, principalement aux États-Unis sous la houlette de Clarence Streit, rêvent encore d'une fédération mondiale limitée aux seules démocraties, c'est-à-dire en fait aux alliés des États-Unis, renouant ainsi avec l'esprit de l'« Empire de la liberté ». D'autres, plus proches de l'Union soviétique, entendent fonder une fédération mondiale « pour protéger l'humanité de la destruction nucléaire », arme dont l'Union soviétique ne dispose pas encore. D'autres, enfin, souhaitent commencer par la création de fédérations « continentales », et d'abord en Europe.

En 1946, les mondialistes du premier genre organisent une série de réunions qui aboutissent à la fondation à Luxembourg du « Mouvement universel pour une Confédération mondiale » (MUCM), qui deviendra ensuite le « World Federalist Movement », et adoptent la « Déclaration de Luxembourg » : « Nous, fédéralistes des diverses parties du monde, […] décidons de créer une association internationale regroupant toutes les organisations qui travaillent à la création d'un gouvernement fédéral mondial » ; le texte admet que « plusieurs d'entre nous proposent, comme une étape vers ce but, la formation d'unions fédérales régionales, en particulier des États-Unis d'Europe ».

En avril 1946, à Genève, la SDN, dont on avait oublié l'existence et qui compte encore 43 membres, toujours sous la direction de Sean Lester, transfère ses compétences à l'ONU.

D'autres organisations internationales surgissent dans la foulée de la création de l'ONU : en 1946, sous impulsion française, l'Organisation internationale de police criminelle, créée en 1914, renaît de ses cendres et adopte l'acronyme Interpol. En avril 1946 est créée une Cour internationale de justice permanente, composée de 15 membres élus pour neuf ans par les États membres des Nations unies. La CIJ est compétente pour « toutes les affaires que les parties lui soumettront ». Elle ne peut intervenir sans le consentement des États. La même année, une Commission des droits de l'homme, présidée par Eleanor Roosevelt, secondée par le Français René Cassin, travaille à une Déclaration universelle des droits de l'homme. Ce projet tient désormais implicitement pour acquis que tout homme pris individuellement est membre d'une espèce animale unique, la « famille humaine » universellement prédominante, l'*Homo sapiens sapiens*, et que de ce fait biologique découlent des implications morales. Pour Cassin, cette déclaration doit être un « acte législatif des Nations unies », donc être adoptée par l'Assemblée générale, être appliquée par les États et intégrée à la charte de San Francisco. Ambition excessive : toute modification de la charte doit être approuvée par deux tiers des membres de l'Assemblée, ce qui est désormais impossible à obtenir en raison de la constitution progressive du « bloc de l'Est », dont la conception des droits de l'homme est bien différente.

En 1947, pendant que Staline recrée le Komintern sous le nom de Kominform, une commission du droit international élabore un code des crimes perpétrés contre la paix et la sécurité de l'humanité. Sont aussi créées l'UNESCO (après une longue bataille pour savoir si la science fait partie de la culture), la FAO, l'UPU et l'OACI, en tant qu'institutions spécialisées de l'Organisation des Nations unies. L'OIT, créée entre les deux guerres, y est rattachée. Mais les Américains veillent soigneusement à ce que les institutions qu'ils considèrent comme les plus « sérieuses » (le FMI, la Banque mondiale, le GATT, qui tente de limiter la propension au protectionnisme) ne soient pas placées sous le contrôle de l'Assemblée générale de l'ONU, mais gardent leurs organes de gouvernance spécifiques, où ils ont tous les pouvoirs.

Le 29 novembre 1947, la résolution 181, qui décide du partage de la Palestine, puis de la création de l'État d'Israël, et l'armistice entre Israël et l'Égypte, signé sous l'égide de l'ONU, semblent conforter la nouvelle organisation.

En 1948, le mouvement fédéraliste mondial semble avoir le vent en poupe : il regroupe 250 000 membres dans 28 pays. Cette année-là, un comédien de Broadway devenu, pendant la guerre, pilote dans l'US Air Force, Garry Davis, crée le mouvement des « Citoyens du monde » ; le 25 mai, il rend son passeport à l'ambassade américaine à Paris en se présentant comme le « premier citoyen du monde », crée un « passeport mondial » et installe une tente dans les jardins du Trocadéro où siège provisoirement l'Assemblée générale des Nations unies. Il obtient le soutien d'Albert Camus, d'André Breton, de Claude Bourdet, d'Emmanuel Mounier et de l'abbé Pierre. Le 19 novembre, il interrompt une séance de l'Assemblée générale par un discours connu sous le nom de « déclaration d'Oran », en hommage à la ville natale de l'auteur de *La Peste*. Davis y réclame la création d'un gouvernement mondial et la convocation immédiate d'une Assemblée constituante planétaire : « Au nom des peuples du monde qui ne sont pas représentés ici, je vous interromps ! Mes paroles seront sans doute insignifiantes pour vous. Et pourtant notre besoin d'un ordre mondial ne peut être plus longtemps négligé. Nous, le peuple, voulons la Paix que seul un gouvernement mondial peut donner. Les États souverains que vous représentez ici nous divisent et nous mènent à l'abîme de la guerre. J'en appelle à vous pour que vous cessiez de nous entretenir dans l'illusion de votre autorité politique. J'en appelle à vous pour que vous convoquiez immédiatement une Assemblée constituante mondiale qui lèvera le drapeau autour duquel, nous les hommes, pouvons nous rassembler : le drapeau de la souveraineté d'un seul gouvernement pour un seul monde. » Immédiatement après, Albert Camus, posté dans le café en face du bâtiment où a lieu l'Assemblée générale, tient immédiatement une conférence de presse expliquant l'importance et le sens de l'action et lui apportant son soutien.

La même année, dans une lettre adressée au premier directeur général de l'UNESCO, nouvelle institution créée pour s'occuper de culture et d'éducation, le mahatma Gândhî, alors pris dans son ultime bataille, écrit, à propos de l'élaboration de la Déclaration universelle des droits de l'homme : « Le droit même de vivre ne nous est donné que si nous remplissons notre devoir de citoyens du monde. »

En 1948, alors que Howard Hughes effectue en avion le tour du monde en 3 jours et 19 heures, voient le jour l'Association internationale du transport aérien (IATA), l'Organisation internationale de normalisation (ISO), l'Organisation internationale pour les migrations (OIM) et l'Organisation mondiale des douanes (OMD).

Le 10 décembre 1948, le projet final de Déclaration universelle des droits de l'homme, rédigé par René Cassin, est adopté à la majorité simple par l'Assemblée générale de l'ONU réunie à Paris. Il proclame que « la reconnaissance de la dignité inhérente à tous les membres de la famille humaine, et de leurs droits égaux et inaliénables, constitue le fondement de la liberté, de la justice et de la paix dans le monde. L'avènement d'un monde où les êtres humains seront libres de parler et de croire, libérés de la terreur et de la misère, a été proclamé comme la plus haute aspiration de l'homme. [...] Il est essentiel que les droits de l'homme soient protégés par un régime de droit afin que l'homme ne soit pas contraint, en suprême recours, à la révolte contre la tyrannie et l'oppression. [...] Les États membres se sont engagés à assurer, en coopération avec l'Organisation des Nations unies, le respect universel et effectif des droits de l'homme et des libertés fondamentales ». Cette Déclaration, qui n'est qu'un « idéal commun », n'a aucune valeur contraignante. Elle n'en reste pas moins, jusqu'à aujourd'hui, le projet de définition le plus abouti des droits fondamentaux de chaque être humain.

Sont signées quatre conventions de Genève sur le droit humanitaire, et les Nations unies entérinent les principes juridiques du tribunal de Nuremberg qui terminent ces procès : affirmation de la responsabilité pénale internationale des individus, absence d'immunité des diplomates, reconnaissance de la responsabilité du supérieur hiérarchique.

Même si on est encore loin d'un gouvernement mondial, on se prend alors à rêver que le monde réussisse enfin à s'organiser.

En 1949, alors que l'URSS devient une puissance nucléaire, à Chicago, des savants américains groupés autour d'Albert Einstein, obsédés par le risque de suicide nucléaire de l'humanité, ne s'en contentent pas. Ils proposent de créer un gouvernement mondial chargé de contrôler l'arme nucléaire et d'instaurer la « paix » et la « justice ». Une revue, *Common Cause*, animée par l'Italien Giuseppe R. Borgese et par son épouse, Elisabeth Mann Borgese (fille cadette de Thomas Mann), rédige une esquisse de Constitution mondiale.

La même année, le congrès de Paris du Mouvement universel commandite un rapport à un parlementaire britannique, Philip Usborne, qui suggère de charger une convention mondiale de parlementaires, nommée « Assemblée constituante des Peuples du monde », de rédiger une Constitution universelle. Usborne propose d'organiser des élections populaires non officielles pour élire des représentants à cette assemblée sur le modèle du Congrès indien. À l'automne 1950, un « Comité pour l'Assemblée constituante » se réunit à Genève. Pitoyable échec : ne sont là que trois élus du Tennessee (dont l'élection sera par la suite invalidée) et un délégué nigérian…

LE DEUXIÈME G2 :
ÉTATS-UNIS ET URSS

La « guerre froide » sévit désormais entre deux mondes, avec chacun son gouvernement propre, l'un à

Washington et l'autre à Moscou. Le conflit a immédiatement des conséquences paralysantes pour les organisations internationales qui viennent d'être créées. L'OTAN, c'est-à-dire les États-Unis, et le pacte de Varsovie, c'est-à-dire l'URSS, se partagent la planète et se disputent les ex-colonies au fur et à mesure de leur accession à l'indépendance. L'Europe est coupée en deux par le « rideau de fer ».

À Moscou, tout mondialiste est suspect de naïveté. En Occident, il est perçu comme pacifiste, c'est-à-dire comme prosoviétique.

En 1951, l'élan mondialiste s'essouffle. Le Mouvement universel ne réclame plus que l'établissement d'une « Autorité de sécurité mondiale », qui serait une nouvelle institution multilatérale chargée de contrôler le maintien de la paix dans le cadre des Nations unies. Disparaissent, faute de lecteurs et de financement, différentes publications mondialistes (*Peuple du monde*, *Humanity*, *Common Cause*, *World Government News*…).

En 1952, à l'initiative du Mouvement universel et du Parliamentary Group for World Government (britannique), se réunissent à Londres deux conférences qui donnent naissance à la « World Parlementarians Association for World Federal Government » (devenue par la suite « Parlementarians for Global Action »).

En 1953, quand Staline meurt, remplacé par d'éphémères directions militaires collectives, et que l'Amérique semble ne plus s'intéresser qu'à elle-même, des nations européennes, qui se sont combattues pendant plus de mille ans, cherchent – en reprenant le projet de 1929 d'Aristide Briand et Stresemann – à se doter d'un gouvernement commun. Elles aspirent à écarter à la fois la peur des démons allemands, de la lâcheté française, de la puissance soviétique et du retrait américain. Inspirée par Jean Monnet et Robert Schuman, est d'abord créée la CECA (Communauté européenne du charbon et de l'acier), tandis qu'échoue un projet d'armée européenne, la CED (Communauté européenne de défense).

En 1954, Albert Einstein et Bertrand Russell appellent à nouveau les gouvernements à renoncer à l'arme atomique. En 1955, ils publient, avec neuf autres scientifiques, un manifeste dénonçant les risques d'anéantissement de l'humanité. Ils réclament le contrôle des armes de destruction massive et la limitation des souverainetés nationales.

LE SUD ENTRE DANS LE MONDE

Les fédéralistes mondiaux, considérés comme proaméricains, tentent de renouer le dialogue avec les pays du bloc socialiste et avec le Mouvement des non-alignés, en particulier, à l'occasion de la conférence de Bandoeng qui réunit pour la première fois, du 18 au 24 avril 1955, des représentants de vingt-neuf États indépendants africains et asiatiques, dont Gamal Abdel Nasser (Égypte), Nehru (Inde), Soekarno (Indonésie) et Zhou Enlai (Chine).

Le Sud frappe ainsi à la porte du gouvernement du monde. Dans le communiqué final, les pays membres de la conférence de Bandoeng demandent la création d'un Fonds spécial des Nations unies pour le développement économique, l'octroi de ressources supplémentaires aux États asiatiques et africains par la

Banque mondiale, la mise sur pied d'une instance financière internationale chargée de favoriser les investissements équitables, et l'admission de tous les États participants aux Nations unies (ce qui vise en fait la Chine, alors représentée aux Nations unies par le gouvernement nationaliste réfugié à Taïwan).

Des conférences des Nations unies pour le commerce et le développement tentent de parvenir à un consensus global sur les relations entre commerce et développement et sur les conditions d'une adhésion des pays du Sud à la cause du libre-échange.

En 1957, un ministre ghanéen est élu président du Mouvement universel, cependant qu'en Europe est signé le traité de Rome qui se veut l'amorce d'un mouvement fédéraliste européen, puis mondial. La même année est créée la Pugwash Conference on Science and World Affairs, organisation internationale réunissant des chercheurs afin de travailler ensemble à la réduction des conflits armés et à la lutte contre les menaces globales. Cette même année encore, les fédéralistes mondiaux, s'appuyant sur la charte de San Francisco, obtiennent la nomination d'une commission chargée de présenter un rapport sur la réforme de la charte, d'abord repoussée de dix ans, puis ajournée *sine die*.

Tous les grands enjeux mondiaux restent gérés par le couple américano-soviétique, en dépit des tentatives européennes pour s'organiser plus étroitement encore en créant, en 1958, une Communauté européenne, et des grands changements au Sud.

Cette année-là commence en effet la vague des décolonisations. Le nombre de pays indépendants, qui deviennent l'un après l'autre membres de l'ONU, passe progressivement de 51 à plus de 190.

En octobre 1962, on frôle la catastrophe nucléaire planétaire quand les Soviétiques décident d'installer des missiles nucléaires à Cuba. L'absence de moyens de communication efficaces manque de causer une tragédie, ce qui incite à relier ensuite les dirigeants des deux supergrands par un « téléphone rouge ». Le G2 est à son apogée. Cette année-là, la biologiste américaine Rachel Carson, dans son best-seller *Silent Spring*, met en garde contre les conséquences dramatiques pour l'environnement de la pollution chimique industrielle et suggère que l'écosystème planétaire a des limites, et que l'activité humaine est sur le point de les dépasser.

En 1965, lointaine conséquence de la conférence de Bandoeng, est créé le Programme des Nations unies pour le développement, qui vient compléter l'action de la Banque mondiale sous l'autorité directe du secrétaire général des Nations unies et regroupe d'autres programmes des Nations unies.

En 1966, nouvelle tentative utopique de création d'un droit supranational : Bertrand Russell fonde le Tribunal international contre les crimes de guerre afin d'instruire les crimes commis par les troupes américaines au Vietnam.

Cette même année (1966), grande première : un homme d'affaires italien, Aurelio Peccei, prend contact à Washington avec le Département d'État pour essayer de convaincre « le pays le plus riche du monde » de dresser l'inventaire des « moyens de vie » dont dispose encore la planète. Il est poliment éconduit.

En 1968, les Nations unies adoptent une convention sur l'imprescriptibilité des crimes de guerre et des crimes contre l'humanité, et est signé un traité de non-prolifération de l'arme nucléaire. Aux termes de ce traité, les États dotés de l'arme atomique, c'est-à-dire les membres permanents du Conseil de sécurité, s'engagent à ne pas aider les États qui n'en sont pas dotés à l'acquérir, et ceux-ci s'engagent à ne pas chercher à l'obtenir. Une agence spécialisée, l'Agence internationale de l'énergie atomique (AIEA), est créée afin de vérifier le respect des engagements pris lors de la signature de ce traité, qui entre en vigueur pour une durée de vingt-cinq ans.

En 1969, Aurelio Peccei réunit une trentaine de personnalités internationales du monde des sciences au palais Farnèse, dans la capitale italienne ; ce groupe prend alors le nom de « Club de Rome » et commandite un rapport à des professeurs du MIT (Massachusetts Institute of Technology) sur l'avenir des ressources de la planète.

ÉMERGENCE DE LA « GOUVERNANCE MONDIALE » : DU G5 AU G7

Le « cœur » américain plonge de nouveau dans la crise ; pour la seconde fois depuis son accession au pouvoir à la fin du XIXe siècle. L'économie américaine n'est plus compétitive ; ses grandes entreprises sont empêtrées dans leurs bureaucraties et les sureffectifs des « cols blancs ». Par ailleurs, les dépenses militaires, en particulier, liées à la guerre au Vietnam, cassent la dynamique du pays. La balance des paiements est de plus en plus déficitaire ; le monde est submergé de dollars, dont la valeur s'effondre. La fiction d'un lien direct avec l'or est rompue. Le dollar, monnaie faible, devient le seul étalon monétaire mondial : un étalon qui n'existe que par la confiance que les autres placent en lui. Les ministres des Finances des cinq principales puissances occidentales (États-Unis, Grande-Bretagne, France, RFA et Japon) commencent à se consulter régulièrement et informellement afin de discuter de l'évolution des taux de change.

Au même moment paraît la première réflexion quantitative sur un thème de dimension proprement planétaire : en 1972, le « Club de Rome » publie son rapport, qui conclut que cinq éléments (population, production agricole, production industrielle, ressources naturelles, pollution) déterminent et limitent la croissance mondiale. « Étant donné le taux actuel de consommation des ressources naturelles et l'augmentation probable de ce taux, la grande majorité des ressources naturelles non renouvelables les plus importantes auront atteint des prix prohibitifs avant qu'un siècle ne se soit écoulé. » Le rapport, qui connaît un immense retentissement, relève que plusieurs indices montrent des évolutions inquiétantes : chaleur dissipée dans le bassin de Los Angeles (pollution thermique) ; élévation des déchets nucléaires aux États-Unis ; modification des caractéristiques chimiques des eaux du lac Ontario ; teneur en oxygène des eaux de la Baltique ; teneur en plomb de la calotte glaciaire du Groenland. Sans pouvoir conclure définitivement, faute de statistiques d'ensemble, ces mises en garde, pour sommaires qu'elles puissent paraître, lancent le débat sur la rareté des matières premières.

Pour la première fois, la planète est perçue et étudiée comme un ensemble. D'autres auteurs, tels Nicholas Georgescu-Roegen et René Dubos, commencent à parler des risques de pénurie alimentaire qui menacent en raison de la croissance de la population mondiale – celle-ci dépasse désormais 3 milliards.

En octobre 1973, une hausse massive des prix du pétrole décidée par les pays producteurs constitue une première traduction concrète des constats portés par le Club de Rome sur la rareté des matières premières mondiales. La toute-puissance américaine semble menacée.

Un dialogue s'instaure alors entre pays consommateurs et pays producteurs afin de définir un « nouvel ordre économique international ». Chacun met néanmoins des choses bien différentes derrière ces mots.

Une commission dite « Trilatérale », créée par Zbigniew Brzezinski et David Rockefeller, rassemble des hommes et des femmes d'influence de nombreux pays du Nord ; elle publie cette même année 1973 un rapport sur ce « nouvel ordre », utilisant pour la première fois les termes « gouvernance mondiale ». Dans l'esprit de ses membres, il s'agit de légitimer la superpuissance américaine en action coordonnée des principales démocraties.

En mai 1974, en violation de toutes les règles internationales, l'Inde devient une puissance nucléaire sans que nul veuille ni puisse intervenir.

La même année, à l'initiative de la France et de l'Allemagne (dont les deux ministres des Finances, qui avaient l'habitude de se réunir, sont devenus respectivement chef d'État et chancelier), les cinq plus grandes puissances de l'Occident décident de se réunir annuellement de manière informelle en « sommet » ; en principe pour ne parler qu'économie. Ce G5 devient vite G7, le Canada et l'Italie y étant conviés. Ces réunions tournent d'emblée à l'avantage des États-Unis, toujours au « cœur » du monde. On y parle économie du pétrole, taux de change, mais aussi désarmement, relations Est-Ouest, rapports Nord-Sud. En général, les États-Unis y imposent un ordre du jour, que vient parfois contrecarrer une initiative soviétique prise à la veille du sommet. Les Américains voient de plus en plus dans ces réunions l'occasion de faire approuver leurs positions sur tous les sujets par leurs alliés. Par ailleurs, la réflexion continue sur le « Nouvel Ordre économique international ».

En 1980, la commission Brandt, créée à l'initiative du président de la Banque mondiale, Robert McNamara, rend un rapport appelant à une meilleure représentation des pays du Sud au sein des institutions financières internationales. En octobre 1981, à la suite de ce rapport, et à l'initiative de l'Autriche et du Mexique, un premier sommet Nord/Sud réunit vingt-quatre pays à Cancún pour traiter de l'ensemble des relations entre pays riches et pays en développement ; en particulier pour lancer des « négociations globales » en vue de placer les institutions financières internationales sous contrôle de l'Assemblée générale des Nations unies. Ce serait un changement radical. Le président américain Carter, qui a préparé cette rencontre, n'est pas réélu. Le nouveau président américain, Ronald Reagan, s'y oppose, seulement prêt à accepter que des discussions sans vote sur l'action du FMI et de la Banque mondiale aient lieu dans le cadre de l'Assemblée générale de l'ONU. Le sommet de Cancún se clôt sur un échec.

LE « GOUVERNEMENT DU MONDE »
PASSE DU CÔTÉ DU PACIFIQUE

Beaucoup parlent alors du Japon comme de la future superpuissance. De fait, l'archipel nippon a le vent en poupe : croissance forte, balance des paiements en excédent, maîtrise des technologies d'avenir, premier port du monde. Pourtant, il n'en sera rien. Les États-Unis savent mieux que le Japon attirer les talents étrangers, fermer les entreprises dépassées, et ils réussissent mieux que l'empire du Soleil levant à améliorer massivement la rentabilité du système industriel en automatisant le travail des « cols blancs » grâce au microprocesseur.

Le « cœur » de l'économie mondiale, qui aurait pu basculer de New York à Tokyo, migre en fait en Californie. L'Atlantique cède la place au Pacifique, où se trouvent désormais les plus grands ports du monde. Les États-Unis continuent cependant à dominer le monde – en tout cas l'Occident.

L'Organisation des Nations unies reste paralysée par la guerre froide. Toute initiative de l'un des deux supergrands est aussitôt contrée par l'autre. Au début des années 1980, les armes nucléaires stratégiques, c'est-à-dire à longue portée, s'accumulent et se sophistiquent. Des armes nucléaires à courte portée sont installées en Europe de part et d'autre du rideau de fer.

En mars 1985, l'arrivée de Mikhaïl Gorbatchev au pouvoir à Moscou change radicalement la donne. Les relations entre les États-Unis et l'URSS se détendent sans que le G2 disparaisse. En décembre 1987, Reagan et Gorbatchev signent à Washington un premier vrai traité de désarmement, qui prévoit la destruction de toutes les forces nucléaires intermédiaires installées par les deux puissances en Europe.

En juillet 1989, alors que s'accélèrent de grands changements à l'Est, que la Chine entame une période de très forte croissance et réprime sauvagement ses manifestants massés sur la place Tien Anmen, le G7, réuni à Paris, commence à prendre en compte l'intérêt de la planète en s'intéressant pour la première fois à l'environnement et à la finance criminelle.

Au même moment, la Banque mondiale transforme le thème de la « gouvernance » en concept normatif de « bonne gouvernance », et finance deux rapports sur ce thème. Rassemblant des conditions très rigoureuses dans un prétendu « Consensus de Washington », la Banque et le FMI cherchent à imposer aux pays en développement lourdement endettés l'ouverture de tous leurs marchés, en échange d'une aide parcimonieuse.

DÉBUT DE LA DEUXIÈME « GLOBALISATION »

Symbolisé par la chute du mur de Berlin, le 9 novembre 1989, l'effondrement du bloc soviétique met fin à la guerre froide. Se clôt ainsi la parenthèse ouverte avec la Première Guerre mondiale, qui avait donné un violent coup d'arrêt à la marche multiséculaire vers la mondialisation.

En décembre 1989, Mikhaïl Gorbatchev appelle à une coopération avec le G7. En avril 1990 est fondée la BERD – Banque européenne de reconstruction et de développement – pour aider l'Europe de l'Est et l'URSS dans leur transition vers l'économie de marché et la démocratie. C'est la première institution internationale conditionnant son action à l'évolution démocratique des pays qu'elle finance.

En juillet 1991, à Noordwijkerhout, aux Pays-Bas, le Congrès mondial des fédéralistes propose une nouvelle fois la démocratisation des Nations unies, de leurs agences et des autres organismes intergouvernementaux. Le fédéraliste canadien Dieter Heinrich lance le projet d'une « Assemblée parlementaire des Nations unies ».

En juillet 1991 également, Gorbatchev est malencontreusement reçu sans égards au sommet du G7 réuni à Londres, ce qui le discrédite à Moscou. Cela pousse les éléments conservateurs à déclencher un coup d'État, qui entraîne le démantèlement de l'URSS. La même année, l'expression « gouvernance mondiale » apparaît pour la première fois dans les institutions internationales avec la création par Willy Brandt de la Commission on Global Governance auprès de l'ONU. L'année suivante (1992), à Munich, la Russie, qui a succédé à l'URSS, est officiellement invitée à dialoguer avec les pays du G7.

Les États-Unis sont désormais la seule superpuissance, les maîtres incontestés du monde. Il n'y a plus de G2. Ils parlent d'un « Nouvel Ordre du monde », qu'on peut assimiler à l'« Ordre du Nouveau Monde » et qu'ils théorisent toujours autour du concept d'« Empire de la liberté », même si cette liberté est d'abord celle qui permet aux entreprises américaines de développer leurs affaires. Sous les deux présidents suivants, George Bush senior et Bill Clinton, ils déclenchent en peu de temps le plus grand nombre d'interventions militaires de leur histoire : en Somalie, en Haïti, en Bosnie, en Irak et au Kosovo.

Ils n'ont plus de concurrents ni à l'Ouest, où le Japon s'enfonce dans la crise, ni à l'Est, où la Russie peine à organiser sa transition, ni en Europe, où l'Union peine à s'organiser. Francis Fukuyama parle alors de la « fin de l'Histoire » tandis que Samuel Huntington annonce un « choc des civilisations ».

La course aux armements militaires entre l'URSS et les États-Unis a perdu sa raison d'être ; en 1990, les traités START I décident d'une réduction d'un tiers de leurs arsenaux, en 1993 START II de la réduction des deux tiers, puis en 2002 un traité SORT réduit l'ensemble.

QUELQUES RÉUSSITES DE GOUVERNANCE MONDIALE

Pendant ce temps, le gouvernement multilatéral du monde fait quelques rares progrès : le 10 décembre 1982, une convention signée à Montego Bay codifie le droit de la mer, resté jusque-là largement coutumier. Elle conforte en fait le « nationalisme maritime » en étendant les compétences de l'État riverain sur une part plus importante des espaces maritimes, portant les eaux territoriales de 3 miles marins (ce qui correspondait naguère à la portée des canons) à 12 miles. La convention consacre la création de zones économiques exclusives s'étendant jusqu'à 200 miles, qui pourraient couvrir 36 % de la surface des mers, et réserve à l'exploitation des États côtiers 90 % des ressources halieutiques. La haute mer, où subsiste le principe de liberté des mers (énoncé par Grotius dans *De mare liberum* en 1609), est limitée à 64 % de la surface maritime totale. Est créée une zone internationale des fonds marins dont les ressources (des nodules polymétalliques contenant du cuivre, du cobalt et du manganèse) constituent le « patrimoine commun de l'humanité » à exploiter « dans l'intérêt de l'humanité tout entière ». Pour ce faire, une Autorité internationale des fonds marins organise et conduit les activités d'exploitation des richesses de la zone internationale des fonds marins. Un Tribunal international du droit de la mer est créé et peut être saisi de tous les différends nés de l'application de la convention.

Par ailleurs, une gouvernance mondiale efficace est mise en place pour faire face à la disparition de la « couche d'ozone ». Au milieu des années 1970, des scientifiques découvrent que les émissions de chlorofluorocarbures (CFC) et d'autres produits chimiques détruisent la couche d'ozone, provoquent une augmentation des cancers de la peau et la diminution de la diversité biologique, de la productivité de l'agriculture et de celle de la pêche. Le gouvernement américain prend immédiatement des mesures unilatérales pour réduire sa production et sa consommation de CFC. Le Canada, la Suède, la Norvège, le Danemark et la Finlande adoptent des politiques similaires. En 1977, une nouvelle instance des Nations unies, le Programme des Nations unies sur l'environnement

(PNUE), recommande l'établissement d'un mécanisme global destiné à limiter l'utilisation des CFC.

Le débat paraît s'enliser quand en 1985 des scientifiques britanniques démontrent la réalité du « trou » dans la couche d'ozone au-dessus de l'Antarctique. La même année, le « Groupe de Toronto », réunissant l'Australie, la Nouvelle-Zélande, les États-Unis, la Norvège, la Suède et la Suisse, s'accordent à Vienne sur les termes d'une convention sur la protection de la couche d'ozone, première véritable avancée à l'échelle mondiale. Cette convention définit des mécanismes de coopération internationale pour la recherche et l'échange de données sur l'état de la couche d'ozone. Des organisations environnementales américaines obtiennent un engagement de leurs homologues britanniques. Des missions scientifiques américaines sont envoyées au Japon et en Union soviétique pour convaincre ces pays d'en faire autant. Malgré les ultimes résidus de guerre froide, les Soviétiques accordent leur soutien. La France, le Canada, l'Autriche, le Danemark, l'Égypte, la Finlande, la Nouvelle-Zélande, la Norvège s'engagent à leur tour. En 1987, un accord est conclu à Montréal. Le traité vise à une réduction des émanations de gaz à effet de serre de 20 % pour 1993-1994 dans les pays industrialisés et à une réduction supplémentaire de 50 % à échéance 1998-1999. Les pays en développement bénéficient d'un sursis de dix ans et ont la possibilité de solliciter une assistance technologique et financière.

Dans les années qui suivent, de nombreuses grandes entreprises productrices ou consommatrices de CFC développent des alternatives à ces gaz. Dupont, le plus gros producteur mondial de CFC, s'engage à cesser sa production. L'objectif devient la suppression complète de la production et de la consommation de CFC. Le nombre de produits concernés passe de 8 à 20. Un Fonds multilatéral assuré par 49 pays industrialisés est institué pour faciliter la mise en œuvre du plan.

D'autres succès couronnent la fin de la guerre froide : en 1993 est créé le Tribunal pénal international pour l'ex-Yougoslavie ; en 1994, un autre Tribunal pénal international est créé pour le Rwanda ; la même année, le GATT devient l'OMC (Organisation mondiale du commerce), première institution internationale vraiment supranationale ; en 1995, le traité de non-prolifération signé le 1er juillet 1968, entré en vigueur en 1970 pour une durée de vingt-cinq ans, devient permanent, une « conférence de revue » étant prévue tous les cinq ans.

Ces succès sont les derniers du multilatéralisme.

DU G8 AU G20 : LES CINQ CHOCS

Peu à peu, malgré la détente, les grandes puissances dominantes des périodes précédentes ne peuvent plus gérer seules un monde dont la population passe de 2 milliards d'habitants en 1930 à 7 milliards en 2011. Un monde où s'éveillent progressivement à la liberté de nouvelles puissances : à la liberté économique, qui fait désormais de la Chine une puissante dictature de marché ; à la liberté politique, qui gagne tous les continents, y compris les régimes dictatoriaux qui paraissaient les mieux installés.

Les États-Unis ne sont plus en situation d'imposer aussi facilement leurs diktats.

En 1997, un accord en vue de réduire les émissions de gaz à effet de serre est signé à Kyoto sans les Américains.

Au même moment, un projet d'accord mondial – voulu par les Américains – libéralisant l'investissement, connu sous le nom d'« Accord mondial pour les investissements », prétend obliger tous les pays à accorder aux investisseurs étrangers les mêmes avantages qu'aux investisseurs nationaux, par exemple à subventionner de même façon un film national et un film américain. Malgré l'insistance américaine, l'AMI n'est pas accepté.

En 1998, une convention crée à Rome une Cour pénale internationale, là encore sans l'accord des États-Unis.

En 2000, à Varsovie, les États-Unis réussissent à faire créer en théorie une « Communauté des démocraties ». Elle regroupe le Chili, la République tchèque, l'Inde, le Mali, la Corée du Sud et le Portugal, auxquels se joignent ensuite le Mexique, l'Afrique du Sud, les Philippines, la Mongolie, le Salvador, les îles du Cap-Vert, le Maroc, l'Italie. Sans existence réelle en raison du rôle trop présent des États-Unis, elle est remplacée en 2005 par un confidentiel Fonds des Nations unies pour la promotion de la démocratie.

Premier vrai succès des Nations unies : en septembre 2000, à New York, les dirigeants de tous les pays membres des Nations unies trouvent enfin une raison d'être en se mettant d'accord sur huit objectifs quantitatifs de développement à atteindre avant 2015 : réduire l'extrême pauvreté et la faim ; assurer l'éducation primaire pour tous ; promouvoir l'égalité des sexes et l'autonomisation des femmes ; réduire la mortalité infantile ; améliorer la santé maternelle ; combattre le sida, le paludisme, entre autres maladies ; assurer un environnement durable ; mettre en place un partenariat mondial pour le développement. Ces objectifs sont déclinés en vingt et une cibles, elles-mêmes évaluées grâce à soixante indicateurs mesurables. Tous les cinq ans (en 2005, puis en 2010), les 170 chefs d'État membres se réunissent en un incertain « Sommet mondial », au siège de l'ONU, à New York, pour étudier l'état de mise en œuvre de ce programme. Même si le choix de certains de ces objectifs est contestable (on n'y trouve ni la croissance du PIB, ni le progrès de la démocratie), du moins ont-ils le mérite d'exister ; mais, là encore, aucun moyen financier sérieux n'est mis en place pour les réaliser, et il est vraisemblable que, mis à part l'objectif de réduction de la pauvreté extrême, aucun ne sera atteint, en particulier en Afrique.

Puis c'est le premier choc : en septembre 2001, comme à l'orée du XXe siècle, le terrorisme vient rappeler que l'occidentalisation du monde qu'implique la globalisation ne fait pas l'unanimité. Al-Qaida (« la Base » en arabe), fondée en 1988 au Pakistan par deux membres de la classe dirigeante arabe, Ben Laden et Zawahiri, se donne pour mission de combattre les « infidèles » et les « mauvais musulmans ». Elle prône la constitution d'un « Front islamique mondial pour le djihad contre les Juifs et les Croisés ». Ses fondateurs rassemblent autour d'eux des déracinés de toute la planète : imams autoproclamés, activistes de la Ligue islamique mondiale, jeunes diplômés issus d'universités occidentales déphasés, clergé officiel saoudien, produits des madrasas traditionnelles d'Afghanistan, etc. Ils voient dans le désordre mondial un complot des États-Unis et de leurs alliés contre les peuples du monde. Les Américains réagissent en allant traquer les terroristes jusqu'en Afghanistan, et en profitent pour en finir avec le maître de Bagdad.

Pendant ce temps, la Chine et l'Inde amorcent un formidable retour en force sur la scène économique et politique mondiale. En 1980, le PIB chinois représentait à peine 2 % du PIB mondial, soit seulement 8,9 % du PIB américain ; ou, en termes de revenu par tête d'habitant, moins d'un dixième de la moyenne mondiale, et 2 % du niveau américain. En 2011, le PIB de la Chine est multiplié par plus de 15, la part de la Chine dans le PIB mondial par plus de 6 (passant de 2 % à 12,8 %). Le revenu moyen d'un Chinois atteint les deux tiers de la moyenne mondiale et 15 % de celui d'un Américain. Le régime devient une « dictature de marché », soucieux de jouer un rôle important sur la scène internationale et de se le voir reconnaître.

L'Inde, qui n'a jamais cessé d'être une démocratie, même du temps de sa proximité avec l'URSS, devenue puissance nucléaire, est plus riche en 1980 que la Chine en PIB total et en revenu par habitant. En 2011, l'Inde a plus que doublé sa part dans le PIB mondial, à 5,3 % ; son PIB vaut le quart de celui des États-Unis ; mais le revenu par habitant n'a pas encore atteint le tiers de la moyenne mondiale, et son PIB par tête ne vaut que 7,1 % de celui des États-Unis et 40 % de celui de la Chine ; le revenu moyen d'un Chinois est en moyenne le double de celui d'un Indien. Comme la Chine, l'Inde veut désormais occuper à plein son rôle sur la scène mondiale.

Deuxième choc : l'apparition, puis l'immense et très rapide développement d'Internet, des moteurs de recherche, du téléphone mobile et des réseaux sociaux resserre formidablement les liens entre les membres de la famille humaine. Pendant que les gouvernements tentent, désespérément, de contrôler ces réseaux et leurs contenus.

Troisième choc : en 2008, la croissance économique mondiale, qu'on croyait irrésistible, et la toute-puissance américaine, qu'on pensait invulnérable, sont remises en cause par une crise financière californienne qui prend immédiatement une dimension planétaire. Chacun comprend alors qu'on a mondialisé les marchés sans mondialiser les règles de droit, et que les marchés en ont pris à leur aise ; en particulier, l'extension des marchés financiers a conduit à une concentration des richesses au détriment des salariés, qui ont dû emprunter aux banques, lesquelles se sont autofinancées en fabriquant des produits de placement hautement risqués qu'elles ont disséminés sur la planète pour leur seul profit.

Au lieu de s'adresser aux institutions internationales existantes et de leur donner les moyens financiers, institutionnels et intellectuels de traiter le problème, et en particulier de confier la solution de la crise financière internationale au comité monétaire et financier du FMI, juridiquement compétent pour s'en saisir, les États-Unis réussissent à confier la gestion de la crise à une nouvelle organisation informelle, le G20, où l'on retrouve les membres du G8, la Chine et quelques autres. Un nouveau G2 s'instaure entre les États-Unis et la Chine.

Successivement réuni à Pittsburgh, à Londres, à Washington, à Séoul puis à Paris, ce caravansérail de chefs d'État, soucieux seulement d'effets d'annonce, sans autre pouvoir que celui de conforter les décisions des plus forts, ne fait rien d'autre que laisser chacun prendre les décisions les plus conformes à ses intérêts. D'abord les États-Unis, maîtres absolus de la finance, refusent de s'engager à mettre de l'ordre dans leur système bancaire. Puis la Chine répugne à s'engager à réduire ses excédents. Puis l'Europe renâcle à s'engager à maîtriser ses dettes. Tous, enfin, font la sourde oreille devant les problèmes cruciaux, devenus véritablement planétaires, comme ceux de la misère, de la faim, des droits de l'homme, de la démocratie, de l'environnement, de l'économie criminelle.

Quatrième choc, résultat des trois précédents : le mouvement de liberté commencé en 1989 à l'Est continue en décembre 2010 par des coups d'État en Tunisie et en Égypte, sans qu'aucune institution internationale soit en charge de les assister dans leur transition vers la démocratie. À Bahreïn, en Algérie, au Yémen, des révoltes sont matées. En Libye, le Conseil de sécurité de l'ONU vote, à l'ultime instant, une résolution visant à ralentir la répression du dictateur.

Seul continue imperturbablement le désarmement nucléaire des deux anciens maîtres du monde : le 8 avril 2010, un nouvel accord START III, signé par les États-Unis et la Russie, fixe un plafond de 1 550 têtes nucléaires opérationnelles pour chacun des deux États à atteindre dans un délai de sept ans après son entrée en vigueur, alors que leurs arsenaux respectifs sont encore de 2 200 têtes. L'accord est ratifié par le Sénat américain le 23 décembre 2010 et par le Parlement russe le 26 janvier 2011.

Enfin, cinquième choc, le 11 mars 2011, un tremblement de terre de magnitude 9,6, suivi d'un tsunami qui balaie plus de 400 kilomètres de côtes, fait plusieurs dizaines de milliers de victimes au Japon et entraîne la fonte du cœur et des brèches dans les enceintes de confinement de plusieurs réacteurs de la centrale nucléaire de Fukushima. Les radiations issues des fuites menacent la vie de millions de personnes. L'impact sanitaire et économique de la catastrophe se fera sentir pendant des années. C'est la première prise de conscience, bien au-delà de la catastrophe de Tchernobyl, vingt-cinq ans plus tôt, de la nécessité de contrôles mondiaux de sécurité nucléaire et, plus généralement, de contrôles des menaces technologiques.

Plus que jamais, ce qui compte, dans le gouvernement mondial, n'est pas qu'il existe ; c'est de faire oublier qu'il n'existe pas.

7

État actuel
du gouvernement du monde

Ainsi, après beaucoup d'allers et autant de retours, en élargissant peu à peu leurs pouvoirs, des empires religieux, puis militaires, puis marchands ont doté l'humanité d'un gouvernement du monde d'une extraordinaire complexité. Il n'a en apparence ni palais présidentiel, ni président, ni capitale, ni administration, ni police, ni armée, ni juges, ni stratégie, ni conscience de lui-même. Il n'a pas même de moyens de faire respecter les lambeaux de règles de droit qu'il a élaborés. Il se résume en fait à un ensemble de pouvoirs multilatéraux qui se complètent, s'enchevêtrent, parfois se contredisent, mais prolongent de façon presque toujours dérisoire l'action des gouvernements, en particulier de celui qui reste, malgré les mutations en cours, le principal maître du monde : celui des États-Unis d'Amérique.

LA CONSCIENCE DE L'ESPÈCE HUMAINE

Cette absence de gouvernement au sens strict ne doit pas étonner : comment l'humanité pourrait-elle exercer un pouvoir sur son propre destin alors qu'elle n'est pas même consciente d'elle-même ?

D'abord, sa raison d'être demeure aujourd'hui, comme depuis l'aube des temps, un mystère philosophique absolu : contrairement à ce que l'on peut soutenir d'une personne, d'une entreprise, d'une nation, nul ne saurait affirmer que quelqu'un (ou quelques-uns), un jour, a (ont) voulu qu'elle existe. Ni qu'elle ait une raison d'exister. Ni même qu'elle ait le droit d'exister. De cela, toutes les cosmogonies ont beaucoup discuté sans apporter d'autres réponses que des paris sur l'invisible.

Pourtant, on parle de plus en plus d'une « communauté internationale » et de ce qu'elle pense, désignant ainsi alternativement le point de vue des chancelleries et celui d'une hypothétique opinion publique mondiale. De fait, cette « communauté internationale » (dont seuls s'excluent les régimes dictatoriaux) partage aujourd'hui une même conception des droits de l'homme ; elle semble reconnaître comme des évidences le droit à la démocratie, au départ, à la transparence de la justice, à l'*habeas corpus*, à l'information, à la diversité des modes de vie, des cultures, des langues et des conceptions du bonheur, au respect de l'autre, à la tolérance, à la liberté de conscience, de religion, d'expression, d'association, à la vie privée, à la dignité au travail, au savoir, au crédit, à la santé, à l'eau, à l'air.

Au-delà émerge peu à peu la conscience d'une réalité planétaire et d'une identité de l'humanité.

De fait, l'interdépendance des habitants du monde n'a jamais été aussi grande : la part des échanges économiques transfrontaliers dépasse le quart de la production mondiale ; la part des pays émergents dans les échanges mondiaux est passée d'un quart à plus du tiers en quinze ans. Le marché financier mondial est de plus en plus intégré.

Les chaînes de production sont elles aussi mondialement intégrées : l'iPhone, par exemple, n'est pas « *made in China* », mais bel et bien « *made in the world* » ; il en va de même des langoustines du groupe britannique Young's Seafood, pêchées en Écosse, décortiquées en Thaïlande et commercialisées en Europe ; des jeans Tex, dont le coton est récolté en Ouzbékistan, puis filé et tissé en Inde, les autres pièces (rivets, boutons, étiquettes), fabriquées en Chine, en Corée du Sud et en Thaïlande, le jean lui-même étant ensuite confectionné à partir de ces différentes pièces au Bangladesh, avant d'être expédié de Singapour pour la France. De même encore, l'équipementier automobile Valeo fait faire les dessins d'un nouveau modèle de phares pour un constructeur japonais par des stylistes de Seine-Saint-Denis, développer les plans en Chine, construire le prototype aux États-Unis et produire ensuite en série partout dans le monde.

L'interdépendance des humains augmente aussi chaque jour avec la réduction du coût du transport des informations et la connaissance immédiate de tous les événements planétaires. Depuis son apparition à la fin des années 1980, Internet bouleverse le gouvernement du monde : il y a aujourd'hui dans le monde 5 milliards de téléphones mobiles, 3 milliards de téléspectateurs, 2 milliards d'internautes, plus de 155 millions de blogs, 500 millions d'utilisateurs actifs sur Facebook, 100 millions sur MySpace, 100 millions sur LinkedIn et environ 70 millions sur Twitter. On peut communiquer gratuitement avec qui que ce soit sur la planète. On sait à peu près tout de ce qui s'y passe. Aucune dictature, aucune personne privée ne peut plus cacher ses agissements, à moins de terroriser ou d'assassiner tous les témoins. Cette mutation technologique constitue à la fois un fantastique outil de promotion de l'individualisme et un formidable accélérateur de transparence, de démocratie, de prise de conscience de l'humanité par elle-même.

Pour autant, l'humanité ne dispose pas encore de mesures quantitatives sérieuses de ce qu'elle est, de ce qu'elle fait, de ce qu'elle construit et de ce qu'elle détruit. Et il est extrêmement difficile d'en établir un bilan comptable, même approximatif. Tentons néanmoins de le dresser pour 2011 :

La population mondiale est d'environ 7 milliards de personnes, dont 4 % vivent dans de grandes mégapoles de plus de 10 millions d'habitants. L'espérance de vie moyenne est de 68,9 ans (66,9 pour les hommes, 71 pour les femmes). Près de 500 millions d'individus ont plus de 65 ans. Les moins de 15 ans représentent 27,4 % de la population mondiale, soit 1,8 milliard d'individus. Plus de 200 millions de personnes vivent dans un pays autre que celui où elles sont nées. 3 millions d'étudiants font leurs études à l'étranger ; 1 milliard de touristes ont voyagé en 2010,

500 000 personnes sont en permanence à bord d'un avion en vol.

L'humanité dépose environ 155 000 brevets par an. Elle consacre environ 1 % de son PIB à la recherche. Si plus de la moitié de l'humanité sait lire et écrire, 775 millions d'adultes sont totalement analphabètes.

Environ la moitié des humains vivent dans des démocraties ; 87 pays sont libres, soit 45 % des 194 pays du monde et 43 % de la population mondiale ; 60 pays sont partiellement libres, soit 31 % des pays et 22 % de la population mondiale ; 47 pays ne sont pas libres, soit 24 % des pays et 35 % de la population mondiale ; 2,5 milliards de personnes vivent encore dans des dictatures.

Il y a environ 800 millions d'armes légères en circulation dans le monde, dont les deux tiers sont entre les mains de civils. Il existe 22 000 armes nucléaires, dont 4 500 têtes nucléaires opérationnelles et 2 000 en état d'alerte. 1 500 milliards de dollars sont consacrés aux dépenses militaires.

Le PIB mondial est, sans compter l'économie criminelle, d'environ 70 trillions de dollars, soit 10 000 dollars par habitant. Les actifs financiers mondiaux représentent 150 trillions de dollars ; 70 % d'entre eux sont utilisés pour financer du crédit, ce qui représente le double du PIB mondial. Les transferts de migrants représentent 500 milliards de dollars.

La consommation alimentaire moyenne est de 2 900 kcal/personne/jour. Il faut produire pour cela chaque année environ 2 milliards de tonnes de blé, 250 millions de tonnes de viande et 110 millions de tonnes de poisson, soit 16 kilos de poisson par personne et par an ; il faut produire 450 milliards d'animaux terrestres chaque année. Huit cents millions de voitures circulent sur la planète. La consommation mondiale annuelle d'énergie est de 11,6 milliards de tonnes équivalent-pétrole, dont 40 % par l'industrie. Celle-ci est alimentée à plus de 95 % par l'énergie fossile, dont les réserves mondiales avérées s'établissent à 1 200 milliards de barils, soit 43 ans de consommation constante. Quatre cent quarante-deux réacteurs nucléaires sont en activité et produisent 17 % de l'électricité mondiale. Les réserves mondiales de gaz naturel dépassent 180 milliers de milliards de mètres cubes, soit 63 ans de consommation constante. 30 milliards de tonnes de gaz carbonique sont émises chaque année. Le fer, le cuivre et l'aluminium sont les métaux les plus utilisés. Les matériaux critiques sont aujourd'hui l'antimoine, le thorium, le béryllium, le bore, le cobalt, le fluor, le gallium, le germanium, l'indium, le graphite, le magnésium, le niobium, les platinoïdes, et les terres rares, dont le tantale et le tungstène.

Quatre milliards d'hectares sont plantés en forêt ; 13 millions disparaissent chaque année. Chaque année, plus de 4 000 kilomètres cubes d'eau douce sont utilisés, soit en moyenne 1 300 mètres cubes par personne. Plus de 70 % de cette eau sont utilisés par le secteur agricole, 20 % destinés à un usage industriel et 10 % consommés à des fins domestiques.

Deux milliards trois cents millions de personnes (41 % de la population mondiale) manquent d'eau et disposent de moins de 1 700 mètres cubes par an. Deux milliards et demi de personnes ne disposent pas de systèmes d'assainissement d'eau. Un milliard de personnes vivent en dessous du seuil d'extrême pauvreté et souffrent de la faim ; la pauvreté s'est aggravée de 25 % chez les plus démunis. Les deux tiers des analphabètes sont des femmes ; seulement 17 % des ministres du monde sont des femmes, et la violence faite aux femmes reste un phénomène généralisé dans tous les pays du monde.

On dénombre 15 000 jets privés de par le monde. Il y a 1 011 milliardaires en dollars.

L'économie criminelle représente, selon les sources, entre 5 et 20 % de l'économie mondiale, soit environ, dans l'hypothèse la plus basse, 1 800 milliards de dollars (l'équivalent des deux tiers du PIB de la France) pour la criminalité financière et autant pour tout le reste, pour lequel les secteurs les plus importants sont, dans l'ordre : la contrefaçon de médicaments (200 milliards de dollars), la prostitution (190 milliards), la marijuana (140 milliards), la contrefaçon de produits électroniques (100 milliards), la cocaïne (80 milliards), l'opium et l'héroïne (60 milliards), le piratage de vidéos sur Internet (60 milliards), le piratage de logiciels (50 milliards), la contrebande de cigarettes (50 milliards), le trafic d'êtres humains (30 milliards), le commerce de ressources naturelles (20 milliards), l'abattage des arbres (5 milliards), le commerce illégal de produits artistiques et culturels (5 milliards), le trafic d'armes légères (1 milliard).

Il conviendrait d'y ajouter l'économie informelle, qui ne paie pas d'impôts, et l'économie illégale, qui transite par les paradis fiscaux. Environ 10 000 millions de dollars d'actifs sont gérés dans des paradis fiscaux. 55 % du commerce international et 35 % des flux financiers y transitent. Un tiers des investisse-ments directs étrangers s'y installent.

Plusieurs tentatives ont été lancées pour synthéti-ser toutes ces données. Les Nations unies calculent un indice de développement humain qui mesure les niveaux de développement social, tenant compte des niveaux de santé et d'éducation. Il est de 0,68 sur 1 en 2010, contre 0,48 en 1970.

Existe aussi en un « indice de gouvernance mon-diale », composé de 5 indicateurs (paix et sécurité, état de droit, droits de l'homme et participation, dévelop-pement durable, développement humain), subdivisés en 13 sous-indicateurs composés de 37 index. Le résultat de chaque grand indicateur en 2008 est de 8,40 pour « paix et sécurité », 5,30 pour « état de droit », 5,71 pour « droits de l'homme et participa-tion », 5,91 pour « développement durable » et 6,27 pour « développement humain », 10 étant la note maximale.

S'il est si difficile de réunir de telles données, et si leur fiabilité est si incertaine, c'est que personne n'a la charge de produire des statistiques mondiales, hor-mis par compilation de statistiques nationales. Et comme les statistiques sont le miroir d'une identité, leur défaut reflète l'absence de réalité institutionnelle de l'espèce humaine.

De fait, l'humanité n'est mentionnée par presque aucun traité international ; et quand elle l'est, ce n'est qu'en incidente, dans leur préambule, pour organiser la protection d'un droit reconnu à chaque personne humaine. Ainsi, l'alinéa 5 du préambule de la Décla-ration sur la race et les préjugés raciaux, adoptée le 27 novembre 1978 lors de la 20e session de la Conférence générale de l'Unesco, déclare : « Persuadée que l'unité intrinsèque de l'espèce humaine et, par conséquent, l'égalité foncière de tous les êtres humains et de tous les peuples, reconnues par les expressions les plus élevées de la philosophie, de la morale et de la religion, reflètent un idéal vers lequel convergent aujourd'hui l'éthique et la science… » Il ne s'agit pas ici de protéger l'espèce, mais de proclamer l'égalité en droits de chacun de ses membres.

De même, la Convention pour la protection des droits de l'homme et de la dignité de la personne humaine en rapport avec les applications de la biologie et de la médecine, élaborée au sein du Conseil de l'Europe et signée le 4 avril 1997, fait elle aussi référence à l'« espèce humaine » dans l'alinéa 10 de son préambule, mais, là encore, ce texte ne vise qu'à organiser la protection de chaque individu : « Convaincus de la nécessité de respecter l'être humain à la fois comme individu et dans son appartenance à l'espèce humaine, et reconnaissant l'importance d'assurer sa dignité… »

Pis encore, l'article 13 de la convention de l'Unesco intitulée « Interventions sur le génome humain » stipule : « Une intervention ayant pour objet de modifier le génome humain ne peut être entreprise que pour des raisons préventives, diagnostiques ou thérapeutiques, et seulement si elle n'a pas pour but d'introduire une modification dans le génome de la descendance… » Autrement dit, selon ce texte, une modification du génome de la descendance serait licite si elle pouvait se révéler bénéfique à celui dont le génome est modifié et si la modification du génome de l'espèce qu'elle entraînait était involontaire ! Négation même de la nécessaire intégrité des générations futures…

Le droit français, comme quelques autres, dont l'allemand, compte parmi les plus protecteurs pour l'espèce : selon la loi du 29 juillet 1994 relative au corps humain, devenue article 16-4, premier alinéa du Code civil, « nul ne peut porter atteinte à l'intégrité de l'espèce humaine » – ce que viennent compléter d'autres textes interdisant plus spécifiquement l'eugénisme, le clonage reproductif, les crimes contre l'humanité.

LES VALEURS DU MONDE :
OCCIDENT ET BRÉSIL

Les valeurs du monde sont aujourd'hui, en grande partie, celles de l'Occident ; elles sont issues – comme on l'a vu dans la longue histoire qui précède – du monde judéo-grec. Elles se résument pour l'essentiel à l'individualisme, et tout ce qui en découle (la rationalité, la démocratie formelle, les droits de l'homme, l'économie de marché, la propriété privée), aujourd'hui partout triomphant ou recherché.

Aujourd'hui, chacun en Inde, en Chine, au Nigeria, en Égypte, en Tunisie, en Arabie Saoudite, en Iran, veut avoir non seulement accès aux bienfaits matériels dont l'Occident bénéficie depuis plus de cinquante ans – la maison, l'automobile, la machine à laver, la télévision, l'ordinateur –, mais aussi à la liberté de circuler, de penser, de quitter son pays, de critiquer ses dirigeants et d'en changer.

On n'assiste donc nullement au déclin de l'Occident, mais bel et bien à l'occidentalisation du monde. Comme le dit le général Sertorius cité par Corneille,

« Rome n'est plus dans Rome, elle est toute où je suis » ; de même l'Occident n'est plus en Occident, il est partout où triomphe le rêve individualiste. C'est-à-dire à une uniformisation de l'identité culturelle de la planète même s'il existe encore, dans la majeure partie du monde, une grande diversité de valeurs spécifiques d'ordre religieux, philosophique ou idéologique.

L'avènement d'Internet et des réseaux sociaux accélère ce phénomène, facilitant la constitution de communautés de choix, affaiblissant les identités nationales et produisant un monde d'immédiateté, de globalisation culturelle, de métissage généralisé. Les individus deviennent directement des sujets de droit international. Cela accélère le processus d'intégration d'une « communauté mondiale », qui unifie les sujets de préoccupation et crée une hiérarchie unique des informations sur toute la planète.

Mais, comme au temps où on avait cru que l'avènement de l'imprimerie renforcerait les pouvoirs existants, Internet désarticule les valeurs des puissants, casse l'unité des ultimes empires, fait du monde une démocratie métissée, et non pas une société de marché uniformisée. La musique en dit tout : en même temps qu'Internet y impose une conception occidentale de l'usage et des modes de distribution, il fait surgir et partager une infinité de styles et de pratiques, aide aux métissages, à l'empathie, à la découverte de la culture des autres, à la création de cultures nouvelles, inattendues, par des hybridations jusque-là improbables.

Le Brésil est le prototype de cette occidentalisation métissée : il accède à grande vitesse aux objets et aux valeurs de l'Occident, mais il propose au reste du monde des produits, des idées, des musiques, des fêtes, des solidarités de plus en plus divers, tout en restant marqué par une grande misère, une prégnance croissante du fait religieux et un record absolu de violences.

À l'inverse, une très large partie de l'Asie, de la Chine au Vietnam, de la Corée au Japon, accepte l'occidentalisation des modes de vie tout en refusant la présence de l'étranger et ce qu'il pourrait entraîner comme métissage. Le monde demeure donc d'une immense diversité, que renouvelle sans cesse le métissage des gens, des langues, des idées, des cultures, des techniques.

LE GOUVERNEMENT MONDIAL D'AUJOURD'HUI : LE TROISIÈME G2

Qui dirige le monde aujourd'hui ? Il y faut une richesse matérielle, une armée, une volonté de pouvoir.

Comme depuis plus d'un siècle, les États-Unis sont toujours aujourd'hui au « cœur » du gouvernement planétaire. Le nouvel ordre du monde est encore le leur. Leur budget militaire (même s'il est en baisse régulière depuis 1950, en pourcentage du PIB) représente 4,7 % de leur PIB et reste sans égal ; il reste même supérieur au total de celui de tous les autres pays réunis. Les armées américaines assurent l'essentiel de la sécurité de l'Europe, du Moyen-Orient, de la Méditerranée, du golfe Persique, du Japon, du Pacifique ; elles sont au combat en Irak et en Afghanistan ; elles mènent une guerre globale contre le terrorisme et le trafic de drogue, et mettent en place un bouclier de satellites censé arrêter en principe, dès le départ, toute fusée hostile.

L'américain reste le langage du commerce, de la science, de la technologie, de la diplomatie. Hollywood règne sur l'imaginaire mondial. Internet et tout ce qui l'entoure, d'Intel à Google et à Facebook, sont des entreprises sous contrôle américain et confèrent une nouvelle nature à la puissance américaine. En 2009, la directrice du Policy Planning au Département d'État, Anne-Marie Slaughter, posait clairement le problème dans *Foreign Affairs* : « Dans un monde en réseau, l'essentiel n'est plus le pouvoir relatif, mais la centralité dans une toile globale de densité croissante. »

L'occidentalisation du monde est donc encore, de fait, pour l'instant, très largement une américanisation.

Ce gouvernement mondial par les États-Unis est complété depuis peu par un nouveau dialogue privilégié non plus avec la Grande-Bretagne, ni avec l'URSS, comme au sein des deux précédents G2, ni avec l'Union européenne, mais avec la Chine.

L'Empire du Milieu est devenu en vingt ans une grande puissance ; en 2011, le PIB chinois représente les deux tiers du PIB américain ; la Chine vient de détrôner le Japon comme deuxième économie du monde. Elle arrive en troisième position derrière les États-Unis et le Japon (mais bien après l'Union européenne, qui serait la première si elle formait un pays) pour le volume des dépenses de recherche. Elle déploie une stratégie mondiale pour maîtriser les matières premières dont elle a besoin et pour maintenir ses relations avec les clients de ses exportations. Elle dispose de la troisième armée du monde, après celles des États-Unis et de la Russie. Son budget militaire est de l'ordre de 80 milliards de dollars par an. Son premier porte-avions devrait entrer en service en 2014. Elle produit 90 % des terres rares, 75 % du germanium et du tungstène. Elle exporte la moitié de son PIB et consacre la moitié de son revenu national à épargner, ce qui lui a permis d'accumuler plus de 2 trillions de dollars en réserves de change ; elle peut, avec ce pactole, fixer la valeur du dollar et acheter des actifs en Afrique et en Europe ; elle détiendrait en particulier 7 % de la dette publique des pays européens. Un million de Chinois viennent de partir travailler en Afrique et en Asie et grossir les vieilles diasporas chinoises d'Europe et d'Amérique.

Mais la Chine reste un pays pauvre : le revenu moyen de chaque Chinois n'est que les deux tiers de la moyenne mondiale et 15 % de celui d'un Américain. Elle manque terriblement d'infrastructures sociales et politiques. Le parti unique, qui gère l'administration, reste très largement hostile à toute avancée démocratique.

L'Union européenne pèse moins que la Chine sur les décisions de la planète. Depuis toujours, on l'a vu, la richesse n'est pas tout, ni la population ; il faut en outre un « désir d'avenir », une capacité à disposer d'une forme claire de commandement, une volonté de s'imposer au monde. L'Union européenne n'a rien de tout cela. Sa puissance économique est aujourd'hui la première du monde (avec un PIB de 16,4 milliards de dollars, soit 28 % du PIB mondial en 2009, pour une population de 500 millions d'habitants) ; elle est la première dans un très grand nombre de secteurs économiques et financiers ; elle est le premier producteur mondial d'énergie renouvelable ; elle produit chaque année plus de docteurs que les États-Unis. Mais son budget est dérisoire ; le total de ses dépenses militaires, dont la moitié est assurée par la France et la Grande-Bretagne, est loin d'équivaloir celui des États-Unis : il représente moins de 15 % des dépenses militaires mondiales, et encore s'agit-il pour l'essentiel d'un armement nucléaire sans aucune utilité dans les conflits actuels ; sa monnaie n'est pas la monnaie de réserve du monde ; enfin, nul ne parle ni n'agit de façon crédible en son nom. Elle n'est donc pas en situation d'exercer un pouvoir sur le monde.

L'Inde n'est pas non plus aujourd'hui en situation de peser sur le monde : son PIB ne vaut que le quart de celui des États-Unis, et le revenu de chaque Indien n'a pas encore atteint le tiers de la moyenne mondiale, soit 7 % de celui des États-Unis. Elle possède une armée importante, mais est trop occupée par ses innombrables problèmes intérieurs et par des problèmes régionaux pour désirer, pour l'heure, jouer un rôle dans les grands problèmes mondiaux.

Le Japon reste une très grande puissance scientifique et économique, contrôlant les plus importantes technologies d'après-demain, mais, touché par une tragédie apocalyptique en mars 2011, grevé par une dette gigantesque, dominé par son voisin chinois et affaibli par une très basse natalité, il ne joue presque aucun rôle dans le gouvernement du monde, comme on l'en avait pensé capable il y a trente ans.

D'autres pays jouent un rôle stratégique en certains domaines, en particulier les matières premières, sans pour autant peser sérieusement dans le gouvernement du monde : le Moyen-Orient et la Russie, elle-même encore une très grande puissance globale, détiennent les deux tiers des réserves mondiales de gaz et plus de la moitié du pétrole. Tout dépendra de leur capacité pour l'un à établir une gouvernance d'ensemble, pour l'autre à la maintenir. Le Brésil est aussi une immense puissance en devenir, en particulier en matière agricole, et il produit 90 % du niobium, matériau critique de l'avenir. L'Afrique du Sud produit 77 % du platinium, autre matériau critique. La Corée contrôle une grande part des technologies d'avenir et se dote d'une armée de haut niveau. L'Indonésie et l'Australie sont elles aussi des puissances significatives. Le continent africain n'est pas encore en état de peser sur le destin du monde en raison de ses divisions et de la faiblesse de l'état de droit dont il pâtit, même si l'Afrique du Sud, l'Égypte et le Nigeria au moins sont des puissances en devenir. Malgré les bouleversements en cours au début de 2011, le monde arabe est encore trop divisé et trop mal gouverné pour tenir une place majeure ; ses exportations totales, hors pétrole, ne dépassent pas celles de la Suède.

Par ailleurs, les mouvements terroristes et surtout les maîtres de l'économie criminelle, s'ils jouent un rôle de plus en plus visible et impressionnant, restent encore politiquement marginaux. Ils contrôlent certes déjà quelques gouvernements, diverses institutions, mais pas au point, pour l'heure, d'influer significativement sur le gouvernement du monde.

Au total, le débat mondial se déroule aujourd'hui principalement entre les États-Unis et la Chine. C'est le troisième G2 dont les États-Unis soient membres, après en avoir constitué un avec la Grande-Bretagne et un autre avec l'URSS. Le plus grand créancier et le plus grand débiteur discutent et décident ensemble de plus en plus souvent, hors de toute institution internationale, de l'essentiel des grandes questions politiques, financières, monétaires, écologiques, stratégiques. Pour l'instant, ils se contentent de se partager les marchés et les matières premières, de s'assurer les influences stratégiques nécessaires pour en sécuriser l'accès, sans réglementer sur ce qui pourrait les gêner ; sans être ni capables ni désireux de mettre en place, dans aucun domaine, un véritable état de droit planétaire, fût-il conforme à leurs propres intérêts.

À côté de ce troisième G2 existent, agissent et s'agitent d'innombrables institutions internationales, formelles ou informelles, qui se veulent de compétence planétaire ; elles sont en général tenues en laisse par les États-Unis. On en trouvera la liste exhaustive en annexe. On se contentera, dans ce chapitre, de montrer l'ampleur et les lacunes des principales. On verra qu'elles sont encore incroyablement faibles au regard des enjeux du monde.

On peut les classer en institutions interétatiques et privées. Les institutions interétatiques peuvent elles-mêmes être réparties en « supranationales » (capables de prendre des décisions indépendamment des intérêts des nations membres) et « multilatérales » (lieux de rencontre et d'arbitrage des points de vue et des intérêts des pays membres). Les institutions privées peuvent être réparties entre institutions corporatives regroupant des entreprises privées et organisations non gouvernementales (ONG).

LA RÈGLE DE DROIT MONDIALE :
L'OMC ET LA JUSTICE PÉNALE

La première et unique institution véritablement supranationale, au moins dans sa dimension contentieuse, est l'Organisation mondiale du commerce, successeur du GATT depuis le 1er janvier 1995. On pouvait s'y attendre : depuis que le marché est devenu vraiment mondial à la fin du XIXe siècle, il a eu besoin, pour fonctionner, de s'appuyer sur un droit planétaire crédible. On a vu que se sont constituées peu à peu des institutions destinées à le faire mieux fonctionner, à simplifier les échanges, à rendre le commerce plus rentable. L'OMC, dont sont membres 153 États, est l'aboutissement de ces tentatives. Elle est justement là pour faire obligation aux gouvernements d'assurer le fonctionnement efficace des marchés et le libre accès aux produits et aux capitaux, même si les États conservent le droit, dans certaines circonstances culturelles, sociales et environnementales, de limiter la concurrence (ce que l'actuel directeur général de l'OMC, Pascal Lamy, nomme en 2011 le « consensus de Genève »). En réalité, cette prétendue égalité de traitement est évidemment surtout favorable aux pays riches, et d'abord aux Américains, dont les entreprises ont plus de chances de réunir les moyens d'acheter une entreprise du Sud que celles d'un pays du Sud d'acheter une entreprise nord-américaine. Et qu'eux se sont bien gardés d'ouvrir leurs frontières dans les premières phases de leur développement.

Là est la spécificité supranationale de l'OMC : des tribunaux *ad hoc*, mis sur pied par l'organe de règlement des différends de cette instance, permettent de décider si un pays est de bonne foi lorsqu'il invoque des motifs spécifiques pour justifier d'une distorsion ou d'une dérogation à la concurrence. Ces tribunaux *ad hoc*, authentiquement supranationaux, à qui il est d'ailleurs arrivé de condamner les États-Unis, sont cependant, pour l'essentiel, au service d'un libre-échange qui sert surtout les plus forts. De plus, ils sont encore peu efficaces : sur les 418 différends enregistrés, seuls 86 sont réglés ou classés.

En dehors de ses fonctions de contrôle de l'égalité en matière de concurrence, l'OMC est faible : ses décisions sont prises par consensus, et l'organisation n'a pas su créer de nouvelles règles de droit.

D'autres tribunaux supranationaux existent pour mettre en œuvre d'autres règles de droit international : d'abord la Cour de justice internationale créée en même temps que l'Organisation des Nations unies, qui peut être saisie par les États en cas de litige sur tout sujet, a traité jusqu'ici moins de deux cents affaires, pour l'essentiel des litiges liés à des questions de frontières, au droit de la mer ou au droit diplomatique. Il existe ensuite des tribunaux exerçant dans le domaine des droits de l'homme : les Tribunaux pénaux internationaux pour l'ex-Yougoslavie ou pour le Rwanda ; la juridiction mi-interne, mi-internationale, établie au Cambodge pour juger les crimes commis pendant la période 1975-1979 ; la juridiction mixte, où les juges internationaux sont majoritaires, établie en Sierra Leone. Plus récemment, la Cour pénale internationale créée en 1998 à Rome pour généraliser l'action de ces tribunaux spécifiques en cas de crimes de guerre ou de crimes contre l'humanité : elle compte 112 États membres, mais ni les États-Unis, ni la Chine, ni l'Inde, ni la Russie, ni Israël n'en sont membres, et ne peuvent donc être poursuivis ; elle commence à mettre en œuvre des normes relatives aux droits de l'homme ; elle ne juge les individus incriminés que si les États ne les poursuivent pas eux-mêmes, et si l'État dans lequel les actes criminels ont été commis est membre, ou si l'auteur des crimes est de la nationalité d'un État membre. Elle n'est compétente que pour juger des personnes physiques ; et encore : si la poursuite d'un dirigeant d'entreprise semblerait en théorie possible, le cas n'a jamais été envisagé. En revanche, on ne peut pas y poursuivre une entreprise (en particulier une institution financière), pas même du chef d'accusation de blanchiment de l'argent provenant d'un crime de guerre ou d'un crime contre l'humanité. Elle ne couvre pas non plus les cas de crimes économiques et sociaux.

Enfin, alors que le droit international des marchandises garantit leur libre circulation et interdit d'y poser une limitation quelconque, le droit international des personnes ne reconnaît qu'en théorie le droit d'émigrer (article 13 de la Déclaration universelle des droits de l'homme) et ne reconnaît pas, même en théorie, celui d'immigrer, pas même le droit d'asile ni le droit au regroupement familial.

LES INSTANCES MONDIALES MULTILATÉRALES

Toutes les autres institutions internationales, de quelque nature qu'elles soient, sont d'une faiblesse insigne et placées sous la tutelle étroite des pays membres : leur impact quantitatif sur tous les sujets ne dépasse presque jamais 0,5 % du montant total de ce que les gouvernements y consacrent (soit, en matière de développement, moins de 0,3 % de leur propre PIB !).

La première de ces institutions internationales multilatérales, la plus importante, l'Organisation des Nations unies, joue ainsi aujourd'hui un rôle mineur dans la résolution des conflits et dans la lutte pour le développement, et un rôle un peu moins ténu dans les situations post-conflit.

Mises en œuvre à l'initiative du Conseil de sécurité ou, plus rarement, de l'Assemblée générale, ces opérations de maintien de la paix sont dirigées par le Secrétaire général. Elles visent pour l'essentiel à s'interposer. Très rarement à combattre. Soixante-trois de ces opérations ont été conduites depuis la toute première, en Palestine en 1948. Leur budget annuel n'atteint que 7,78 milliards de dollars, soit 0,5 % des dépenses militaires mondiales. Elles concernent de plus en plus souvent des guerres civiles et impliquent une intervention humanitaire, économique, financière et politique en vue de consolider la paix. Aujourd'hui, quatorze de ces opérations de maintien de la paix sont en cours, notamment au Darfour, au Congo, au Liban, en Haïti, au Sud-Soudan, en Côte d'Ivoire et au Liberia, auxquelles s'ajoutent douze missions de consolidation de la paix. Cent mille Casques bleus sont mobilisés, dont 82 000 militaires, 14 000 policiers et 2 300 observateurs militaires. En l'absence de forces permanentes et d'un comité d'état-major de l'ONU (pourtant prévus par la charte des Nations unies en ses articles 43 et 46), les troupes mobilisées pour ces opérations sont fournies par les États membres (on compte 115 États contributeurs, les quatre plus importants étant le Pakistan, le Bangladesh, l'Inde et le Nigeria).

En matière d'aide au développement, l'ONU passe par le PNUD, dont les moyens ne sont que de 5 milliards de dollars par an pour agir dans 172 pays, aux côtés ou en concurrence avec la Banque mondiale, la FAO, le FIDA, l'ONUDI, la CNUCED et les banques régionales de développement.

Enfin, la capacité de l'ONU à financer son propre fonctionnement est incertaine : par exemple, son siège, construit à Manhattan par l'architecte américain Wallace K. Harrison en 1950, souffre, selon un rapport récent, « d'une détérioration inacceptable et de problèmes de sécurité », sans que l'organisation ait les moyens financiers de le réparer.

De l'ONU dépendent plus de 200 agences de compétence mondiale. Elles semblent couvrir l'ensemble des champs d'action nécessaires. Mais leurs moyens sont dérisoires et ceux qui y travaillent doivent, malgré leur compétence et leur dévouement, consacrer l'essentiel de leur temps à gérer leurs relations avec les pays membres, à répondre aux innombrables sollicitations de leurs ambassadeurs et à régler les conflits qui les opposent avec d'autres institutions internationales. Leur coordination est en principe assurée par un *chief executive board* réunissant les dirigeants des agences des Nations unies, des institutions de Bretton Woods et de l'OMC.

Parmi les plus importantes des agences dépendant de l'ONU :

– L'UNESCO, qui a mission d'aider à assurer une éducation de qualité à tous, de garantir la possibilité d'étudier tout au long de sa vie, de promouvoir le « patrimoine mondial », la diversité culturelle, le dialogue interculturel, la liberté d'expression et la liberté de la presse. Elle n'a absolument pas les moyens de mener son action. Son budget n'est que de 650 millions de dollars. Elle est à l'origine de la « Liste du patrimoine mondial », qui répertorie 911 biens (704 biens culturels, 180 biens naturels et 27 biens mixtes), situés dans 151 États, considérés comme ayant une valeur universelle exceptionnelle ; et de la « Liste du patrimoine mondial en péril », sur laquelle sont inscrits 34 biens. Elle est aussi à l'origine de la Convention pour la protection du patrimoine culturel subaquatique (2001) ; de la Convention sur la sauvegarde du patrimoine culturel immatériel (2003) ; de la Convention sur la protection et la promotion de la diversité des expressions culturelles (2005). Elle a enfin écrit la première histoire de l'Afrique et a dû abandonner, faute de moyens, à la Banque mondiale le soin de définir la stratégie éducative de nombreux pays.

– L'Organisation des Nations unies pour l'alimentation et l'agriculture (FAO) gère un budget annuel de moins d'un milliard de dollars, dérisoire au regard des besoins des 3 milliards de personnes vivant dans le monde rural dont elle est supposée s'occuper. En 2010, la FAO s'est contentée d'actions symboliques : elle est intervenue au Pakistan, où elle a distribué des semences de blé à un demi-million de familles en vue de reconstituer leurs cultures détruites par les inondations, et elle a lancé une campagne internationale de sensibilisation à la faim dans le monde, passée inaperçue, *The 1billionhungry Project*.

– Le Fonds des Nations unies pour la démocratie, créé en 2005 par le secrétaire général des Nations unies, finance, avec des moyens encore plus dérisoires (110 millions de dollars de contributions volontaires versées par 39 pays différents), des projets de renforcement de la société civile, l'éducation civique, l'inscription des électeurs sur les listes électorales, l'accès des citoyens à l'information, le droit à la participation, à la transparence et à l'intégrité.

– L'UNITAID, organisation des Nations unies fondée pour aider à lutter contre le sida, participe à 16 projets dans 94 pays, et est dotée d'un milliard de dollars. Elle achète des médicaments en grande quantité pour réaliser des économies d'échelle, développe un programme de soins à l'intention des enfants séropositifs, incluant par exemple un programme nutritif. Elle est financée par des fondations telle la William J. Clinton HIV/AIDS Initiative, et par une taxe sur les billets d'avion adoptée par cinq pays le 14 septembre 2005 et aujourd'hui appliquée par 25 pays.

La plupart de ces institutions internationales, qui devraient rapporter à l'Assemblée générale, se sont dotées de leurs propres organes de gouvernance et ne sont plus tenues d'obéir aux instructions du Conseil de sécurité, encore moins de l'Assemblée générale de l'ONU. Elles sont donc souvent en concurrence les unes avec les autres.

Les institutions financières internationales – FMI, Banque mondiale, BRI, banques régionales de développement –, totalement indépendantes de l'ONU, restent, pour la plupart, entre les mains des États-Unis d'Amérique, qui ont les moyens d'y dicter leur loi. La Chine et l'Inde, qui représentent maintenant près du quart du PIB mondial, n'y disposent pas de plus de 5 % des droits de vote. Les responsables de ces institutions, en général de très haut niveau et parfaitement désintéressés, passent eux aussi une partie considérable de leur temps à gérer des problèmes de territoire avec d'autres institutions et des relations avec des administrateurs, occupés à temps plein à vérifier si le travail de l'institution est conforme aux intérêts du pays qu'ils représentent.

– Le rôle du FMI demeure très limité. Principal soutien des pays du Sud en matière de balance des paiements, il leur a longtemps imposé des réformes économiques purement libérales, bien différentes de celles que les États-Unis se sont appliquées à eux-mêmes au moment de leur décollage économique. C'est ce qu'on nomme le « consensus de Washington », aujourd'hui de plus en plus décrié. Ses ressources proviennent des versements des pays membres (328 milliards de dollars au 31 août 2010) et d'emprunts qui peuvent atteindre 590 milliards de dollars, soit au total moins de 1 % du PIB mondial. Encore ces chiffres sont-ils théoriques : au 31 août 2010, l'encours des prêts était de 200 milliards de dollars, soit moins de 0,2 % de l'encours des crédits mondiaux. Une monnaie théorique, les Droits de tirage spéciaux (DTS), permet en principe aux États de compléter leurs réserves de change, mais seulement pour un total d'environ 308 milliards de dollars, soit moins de 1 % du PIB mondial. La modicité de ces sommes souligne la modestie du rôle que le FMI peut jouer dans les grandes crises financières modernes. Par ailleurs, le Fonds ne peut imposer aucune discipline aux pays membres, lesquels peuvent accumuler des surplus ou des déficits sans que nul soit à même de les contraindre à s'ajuster. La plupart de ses réserves sont détenues en dollars, donc dans une monnaie qu'il ne contrôle pas, émise par un pays dont les déficits vont croissant, pouvant entraîner de vastes mouvements de capitaux en cas de perte de confiance. D'où d'énormes risques de déstabilisation, d'abord pour les deux pays dominants du G2, en déséquilibre inverse, tout aussi incontrôlés l'un que l'autre. Au surplus, le FMI n'exerce aucune supervision sur le système financier mondial et n'a pas même réussi à imposer une définition commune de la liquidité et de la solvabilité des banques. Par ailleurs, sur ces sujets, la BRI, créée en 1930, le G20 et un Conseil de stabilité financière, créés récemment, disputent des compétences incertaines au comité monétaire du FMI, lequel existe depuis la création du Fonds sous le nom de Comité intérimaire.

– Le groupe de la Banque mondiale est tout aussi faible au regard des enjeux auxquels il est confronté. Il réunit cinq institutions : la Banque internationale pour la reconstruction et le développement (BIRD), l'Association internationale de développement (AID), la Société financière internationale (SFI), le Centre international pour le règlement des différends, l'Agence multilatérale de garantie des investissements. Son action se concentre sur sept principaux domaines : l'éducation, la lutte contre le VIH/sida, la santé maternelle et infantile, l'approvisionnement en eau et l'assainissement, le climat, le commerce, la viabilité écologique. Il puise ses ressources sur les marchés des capitaux, notamment par l'émission d'obligations. Soixante-dix-neuf pays, pour la plupart situés en Afrique, bénéficient aujourd'hui de l'action de l'AID. Pour la période 2009-2011, 45 pays contributeurs ont mis à disposition 41,6 milliards de dollars, soit, chaque année, moins de 0,02 % du PIB de ces pays. En 2010, la Société financière internationale a accordé 18 milliards de dollars de prêts au secteur privé des pays en développement. Au total, en 2010, le groupe, qui prête à peine plus qu'il y a dix ans, a débloqué 0,08 % du PIB mondial dans 875 projets, dont 44,2 milliards pour la BIRD et 14,5 milliards pour l'AID. Sur ces sommes, 4,5 milliards ont été dépensés pour l'éducation. Ont également été versés quelques fonds spécifiques liés à des catastrophes naturelles (un milliard de dollars à la suite des inondations au Pakistan). Ces moyens, très faibles, sont accordés selon des critères classiques, dans une grande complexité bureaucratique où chaque département de la Banque pense d'abord à préserver son territoire et ses relations avec les pays membres.

– La Banque des règlements internationaux, créée en 1930, on l'a vu, à l'occasion du rééchelonnement des réparations exigées de l'Allemagne par le traité de Versailles, et qui ne dépend pas de l'ONU, regroupe les principaux gouverneurs de banques centrales du monde entier. Elle définit des règles et des ratios prudentiels applicables au système bancaire de la planète : d'abord celles de Bâle I, signées en 1988, puis celles de Bâle II, signées entre 2004 et 2008. De nouvelles normes dites de Bâle III seront en principe mises en œuvre progressivement d'ici à 2019. En réalité, ces règles ne sont pas appliquées par les banques américaines, qui les imposent pourtant à leurs homologues européennes, réduisant ainsi la compétitivité de leurs concurrentes.

– L'Agence internationale de l'énergie atomique n'a pas réussi à limiter à cinq, comme prévu par le traité qui la fonde, le nombre de pays détenteurs de l'arme nucléaire ; aujourd'hui, près de quinze États sont explicitement ou implicitement en situation de disposer de cette arme. Elle n'a aucune compétence en matière de sécurité des centrales nucléaires civiles.

Quelques rares institutions internationales sont néanmoins très efficaces : l'Union internationale des télécommunications, la plus ancienne de toutes les institutions internationales, est aujourd'hui le centre des débats sur la société de l'information, la sécurité du cyberespace, la réduction de la fracture numérique, l'utilisation des technologies de l'information et de la communication (TIC) dans la lutte contre le changement climatique, l'établissement de normes fonctionnelles pour garantir l'accessibilité des télécommunications. Une autre institution, l'ICANN (Internet Corporation for Assigned Names and Numbers) – émanation directe du ministère du Commerce des États-Unis, qui a repris en 1998 le contrôle de l'IANA (Internet Assigned Numbers Authority), elle-même émanation du ministère de la Défense des États-Unis –, contrôle la fourniture des noms de domaine et gère le passage d'une norme (IPV4) à la suivante (IPV 6), laquelle donnera accès à un beaucoup plus grand nombre d'adresses Internet, rendues nécessaires par ce qu'on appelle l'Internet des objets, qui conduira à donner une adresse Internet à tout objet de la vie courante. L'ICANN a tenté de faire élire cinq des membres de son directoire au suffrage direct mondial. Sans beaucoup de participation. Certains tentent aujourd'hui de créer, dans le même domaine, un Conseil mondial de l'économie numérique, qui ne ferait qu'ajouter au chaos institutionnel existant, renforçant le pouvoir des États-Unis sur les réseaux.

L'Office international des épizooties, rebaptisé Organisation mondiale de la santé animale, qui compte 174 pays membres, joue un rôle très efficace dans la collecte et la transmission d'informations sur les zoonoses, maladies naturellement transmissibles de l'animal à l'homme et vice versa.

L'Organisation de l'aviation civile internationale gère avec précision les normes du trafic aérien et a abaissé les normes d'émission d'oxyde d'azote de 20 % depuis 1993.

Au total, les quelque 200 chefs d'État du monde peuvent se rendre chaque année à 4 000 conférences annuelles de leur niveau, contre deux en moyenne au XIXe siècle.

Mais de très nombreux domaines ne sont pas couverts par une institution internationale, comme l'ont montré les événements les plus récents ; aucune n'est en charge de la promotion de la démocratie ; aucune n'est en charge de la sécurité du nucléaire civil ; aucune de ces institutions internationales n'a créé quoi que ce soit de durable : pas de projet scientifique ou industriel d'envergure, pas d'université ou d'hôpital planétaire, pas de droits conquis, même pas de bâtiments autres que ceux abritant leurs propres sièges. Elles ne font, pour l'essentiel, que gérer le rapport de forces entre les pays membres, qui les contrôlent de plus en plus et les vident de leur sens.

LES TRAITÉS INTERNATIONAUX
SANS INSTANCE DE GOUVERNEMENT

Dans certains autres domaines, il existe aujourd'hui une règle mondiale de droit sans qu'aucune institution internationale soit chargée de la faire respecter.

Ainsi, la Convention sur l'interdiction de la mise au point, de la fabrication et du stockage des armes bactériologiques ou à toxines, et sur leur destruction, qui compte aujourd'hui 163 pays signataires, ne dispose d'aucun dispositif de vérification internationale des engagements pris par les parties.

De même, l'application de la Convention sur l'interdiction de la mise au point, de la fabrication, du stockage et de l'emploi des armes chimiques, qui prévoit leur destruction d'ici à avril 2012, n'est pas davantage contrôlée, et on pense que seulement 30 % des stocks auraient été détruits à ce jour.

Le protocole de Montréal, aujourd'hui considéré comme une référence dans le domaine environnemental, ratifié par tous les États membres des Nations unies, interdit la production et la consommation des produits responsables de la destruction de la couche d'ozone, les chlorofluorocarbures (CFC). Il n'a pas non plus d'agence destinée à le faire respecter ; seuls des groupes d'évaluation indépendants sont chargés de vérifier son application. Il n'en a pas moins été très efficace : à ce jour, près de 95 % de ces substances ont été effectivement interdites. Le trou dans la couche d'ozone s'est résorbé, ce qui limite l'ampleur du réchauffement climatique. Mais le bilan est loin d'être parfait : certains États, comme la Chine et l'Inde, continuent d'utiliser des gaz nocifs pour la couche d'ozone ; un marché noir des CFC existe en Europe, à Taïwan, en Corée et à Hong Kong. Rien n'est fait pour lutter contre les hydrofluorocarbures (HFC), produits de synthèse de la seconde génération, moins nocifs que les CFC pour la couche d'ozone, mais qui contribuent eux aussi au réchauffement climatique.

La Convention sur la diversité biologique, issue du Sommet de la Terre de Rio en 1992, qui réunit 193 États dans la lutte contre tout ce qui menace la biodiversité, n'a pas non plus d'agence chargée de mettre en œuvre ses recommandations. Elle utilise et favorise à cette fin des évaluations scientifiques et l'élaboration d'outils, d'incitations et de processus de transfert de technologies et de bonnes pratiques.

En juin 2010, en Corée, les représentants de 90 États ont créé l'Intergovernmental Science-Policy Platform on Biodiversity and Ecosystem Services, (IPBES), qui réunira des représentants des États, des experts, des firmes et des financiers, pour contrôler l'application de cette convention et suivre les tendances annoncées par les laboratoires de recherche associés, afin de permettre aux États d'anticiper les menaces liées à la biodiversité. Depuis sa création, l'IPBES a produit plusieurs rapports à l'intention des États sur les ressources forestières, les ressources zoogénétiques, un « Global Biodiversity Outlook » et la « Liste rouge » de l'UICN (Union internationale pour la conservation de la nature), inventaire mondial le plus abouti de l'état de préservation global des espèces en voie de disparition.

LES INSTANCES PUBLIQUES INFORMELLES

Par ailleurs, nombre d'instances publiques informelles à vocation mondiale ont été créées et se réunissent régulièrement, tels le G8 et le G20. Le premier a pratiquement cessé d'avoir du sens du jour où est apparu le G20, dans lequel certains voient un net progrès pour le gouvernement du monde. En réalité, son rôle aurait dû être rempli par le Comité monétaire et financier du Fonds monétaire international, qui aurait pu se réunir au niveau des chefs d'État et de gouvernement. Par ailleurs, le G20 (en réalité G34), qui se réunit en principe en sommet une fois par an, avec une présidence tournante et sans secrétariat permanent, avec malgré tout une formidable bureaucratie, n'a pris aucune décision sérieuse pour résoudre la crise, si ce n'est d'entériner par ses silences le report de la dette privée sur la dette publique, c'est-à-dire sur les futurs contribuables. Il n'a abouti pour l'instant qu'à un meilleur contrôle des paradis fiscaux non anglo-saxons et non chinois, contrôle utile mais sans rapport aucun avec les causes profondes et la nature de la crise. Il n'a pris aucune décision ni sur les fonds propres des banques, ni sur les dettes publiques des principaux États, ni sur les agences de notation, ni sur la spéculation à nu, ni sur l'ensemble du secteur du *shadow-banking*, qui gérerait 16 trillions de dollars d'actifs. Il ne dispose d'aucun instrument de suivi de la mise en œuvre de ses déclarations, encore moins de moyens de sanction en cas de non-respect de ses prétendues décisions. Il n'est en fait qu'un masque de la toute-puissance des États-Unis et de la nouvelle puissance de la Chine – un faux nez du troisième G2. Et pourtant tous les ministères, de tous les pays, sur tous les sujets, veulent y être associés.

À l'inverse, un exemple d'instance publique mi-formelle relativement efficace est le Groupe intergouvernemental d'experts sur l'évolution du climat (GIEC). Créé en 1988 à l'initiative du G7, le GIEC est une institution intergouvernementale d'un genre radicalement nouveau, chargé d'opérer la synthèse de travaux scientifiques souvent contradictoires et contestés, menés dans le monde entier, sur le changement climatique, son impact sur la biosphère et les systèmes socio-économiques, les possibilités d'adaptation ou la vulnérabilité des écosystèmes. Ces travaux doivent obtenir un consensus scientifique et politique. Les experts discutent comme des scientifiques et votent comme des politiques : des directeurs des groupes d'experts sur chaque sujet sont choisis selon des critères scientifiques et de représentation régionale ; chaque État dispose d'une voix égale sur les « Assessment Reports » publiés tous les cinq ans environ. Même si les résultats de ses travaux sont contestés, le GIEC constitue une belle avancée dans la mise en commun des résultats de la science.

Une autre instance supranationale informelle relativement efficace est celle qui assure la sécurité dans le golfe d'Aden et l'océan Indien. Par là transitent 12 % du commerce maritime et 30 % du pétrole brut mondial. Alors que le chaos est toléré, on l'a vu, à l'intérieur de la Somalie, les grands États ne pouvaient admettre que des pirates viennent mettre sérieusement en péril cette voie commerciale majeure. Aussi, sans plan préétabli, de manière totalement informelle, de nombreuses marines de guerre venues du monde entier – américaine, indienne, russe, chinoise – se sont précipitées dans la région, puis huit États de l'Union européenne fournissant six navires et un millier de marins sous le commandement d'un vice-amiral britannique se sont regroupés au sein de l'opération Atalante, dans le cadre de la convention de Montego Bay. Leur objectif affiché est d'escorter les navires du Programme alimentaire mondial (PAM). En réalité, il s'agit surtout pour eux de protéger les grands porte-containers et les grands pétroliers. Preuve que, dès lors qu'un grave sujet affecte les grandes puissances, elles réussissent à prendre les initiatives nécessaires.

Une autre est le GAFI (Groupe d'action financière), créé en 1989 et qui permet une certaine coordination des activités de police en matière de blanchiment de l'argent.

Un autre projet mondial concret est l'ISS, station spatiale permanente en orbite terrestre dans laquelle un équipage est toujours présent. L'ISS est composée de quinze modules : sept américains, cinq russes, deux japonais et un européen. Le premier module a été lancé en novembre 1998 et le dernier devrait être assemblé à la fin 2011. À ce jour, des astronautes de quinze pays différents ont visité la station. Son altitude oscille entre 270 kilomètres et 450 kilomètres de la Terre. Un équipage de six personnes à temps plein pourra être accueilli. On y étudiera principalement l'astronomie, la météorologie, la physique de l'espace et les effets d'un séjour prolongé dans l'espace sur les organismes vivants, notamment l'homme.

L'ISS est le résultat de la fusion de plusieurs pro-grammes spatiaux nés à l'époque de la guerre froide. Les Russes avaient envoyé deux stations spatiales per-manentes dans l'espace : *Salyut*, puis *Mir*. Les États-Unis avaient le projet d'envoyer la station *Freedom*. Faute de fonds, *Freedom* n'est jamais sortie des tiroirs, et l'envoi de *Mir 2* n'a jamais été réalisé. Le premier accord a eu lieu en 1992, lorsque les prési-dents George Bush Sr. et Boris Eltsine ont signé un accord de coopération spatiale. Le Japon, le Canada et les pays membres de l'Agence spatiale européenne se sont ensuite joints à l'aventure, qui a abouti à la décision de lancer conjointement la Station spatiale internationale. L'accord intergouvernemental de la Station spatiale internationale a été signé en 1998 entre le Japon, la Russie, le Canada, les États-Unis et les pays membres de l'ESA. C'est cet accord qui pose les règles d'utilisation de l'ISS. En 2009, les chefs des programmes spatiaux de la Corée du Sud et de l'Inde ont déclaré vouloir participer à l'ISS. La Chine a exprimé également son intérêt à plusieurs reprises, mais les États-Unis n'ont pas voulu la laisser entrer. Le Brésil, lui, est associé à la NASA et fournit une partie du matériel envoyé en échange de droits d'uti-lisation dans la station. Là encore, une institution internationale très largement américaine : les droits d'utilisation de chaque pays ou entité sont proportion-nels à l'investissement ; la NASA dispose de plus de 76 % des droits d'utilisation, l'Agence spatiale euro-péenne de 8 % et l'agence japonaise de 12 %.

Quarante vols en tout auront été nécessaires pour achever l'ISS, pour un coût supérieur à 100 milliards d'euros.

Un autre enfin est la gestion des tsunamis et des tremblements de terre, devenue planétaire depuis ceux de 2004 ; ceux de mars 2011 au Japon ont montré l'extraordinaire accélération de l'efficacité des réseaux mondiaux d'analyse, de surveillance et d'alerte sur toute la planète.

LES INSTANCES PRIVÉES FORMELLES

Les religions sont elles aussi dotées d'instances planétaires formelles. Le Vatican, héritier de la longue histoire de l'Église, empire dominant pendant plus de mille ans, est aujourd'hui à la fois un État-nation et une entité supranationale influant sur l'esprit de près de 1,2 milliard de personnes. Il entretient des relations avec cent cinquante États. Le pape s'appuie sur un secrétariat d'État, un gouvernement composé d'une vingtaine de cardinaux, la Curie, et 4 500 évêques répartis à travers le monde. Observateur à l'ONU, le Vatican prétend fonder son action diplomatique sur la recherche de la « dignité humaine », et défend des valeurs comme le refus de l'avortement et la préservation de la famille. Il intervient dans de nombreux dossiers régionaux ou globaux sans plus prétendre au gouvernement du monde.

L'Alliance réformée mondiale rassemble les Églises chrétiennes réformées. Elle réunit 214 Églises de 106 pays, représentant près de 75 millions de fidèles.

Le Congrès juif mondial, fondé à Genève en 1936 pour mobiliser la communauté internationale contre les nazis, est une des multiples organisations qui entendent représenter aujourd'hui les communautés juives dispersées à travers le monde.

L'Organisation de la conférence islamique, seule organisation internationale formelle à caractère religieux, représente 57 États à majorité musulmane.

Un « Parlement mondial des religions », interconfessionnel, convoqué pour la première fois à Chicago en 1893, au moment de l'Exposition universelle, se réunit désormais chaque année depuis 1999.

L'Internationale socialiste conserve un rôle exclusivement consultatif, les partis membres étant « individuellement responsables devant leurs propres membres et leur corps électoral ». L'organisation rassemble aujourd'hui les partis de plus de 110 pays membres de plein droit, une trentaine de membres consultatifs et une douzaine d'observateurs. Certains de ces partis sont en fait des partis uniques sans que le comité d'éthique de l'Internationale socialiste ait à y redire : ce comité ne s'est d'ailleurs jamais réuni. L'instance n'a donc aucune crédibilité internationale. On pourrait en dire tout autant de l'Internationale libérale, fondée en 1947 par Salvador de Madariaga et qui rassemble d'une façon floue des partis de 104 pays membres.

Les principales associations internationales de syndicats ouvriers ont fusionné pour n'en plus former qu'une : la Confédération syndicale internationale. Représentant plus de 170 millions de travailleurs, elle est née en novembre 2006, à Vienne, de la fusion de la Confédération internationale des syndicats libres et de la Confédération mondiale du travail, à laquelle se sont ajoutées des organisations syndicales sans affiliation antérieure, comme la CGT. La Confédération met en place des accords mondiaux avec des entreprises multinationales. Le premier de ces accords a été signé en novembre 2010 entre plusieurs fédérations syndicales fusionnées (des travailleurs de la chimie, de l'énergie, des mines et d'industries diverses ; des travailleurs du bâtiment et du bois, des services publics) et le groupe Suez. Cet accord porte « sur les droits fondamentaux, le dialogue social et le développement durable », et prévoit que « le dialogue social international se poursuivra à partir de la conclusion du présent accord ».

Les institutions sportives – le CIO (Comité international olympique) et les fédérations internationales de tous les sports – organisent les compétitions mondiales, établissent les règles de leurs jeux et se piquent de morale, d'éthique et d'écologie. Ainsi de la campagne initiée par la FIFA, « Carton rouge au travail des enfants », et de l'opération *« Goal for Girls »* lancée avec l'UNICEF pour promouvoir l'égalité entre les sexes et le football féminin.

Dans cette catégorie, il convient aussi de ranger la Croix-Rouge et le Croissant-Rouge, institutions d'origine privée ayant obtenu une reconnaissance diplomatique mondiale, aujourd'hui incontournables puissances humanitaires. Le Comité international de la Croix-Rouge (CICR) est présent dans au moins 80 pays et emploie près de 11 000 personnes, pour la plupart des nationaux du pays de la mission. La moitié d'entre eux sont des techniciens, des docteurs, des interprètes, des agronomes… Le budget annuel de l'organisation est de 550 millions d'euros. En 2011, ses projets les plus importants seront menés en Afghanistan, en Irak, au Soudan, au Pakistan, en Israël et dans les Territoires occupés palestiniens, en République démocratique du Congo, en Somalie, au Yémen, en Colombie et au Niger/Nord-Mali.

L'Union internationale de conservation de la nature, première organisation environnementale mondiale créée en 1948, fédère plus de mille organisations membres dans 140 pays, dont 200 gouvernements ou organisations gouvernementales et 800 organisations non gouvernementales. Près de 11 000 scientifiques et spécialistes volontaires siègent au sein de six commissions. Plus de mille professionnels travaillent dans 60 bureaux à travers le monde entier. L'UICN est financée par des gouvernements, des organismes bilatéraux et multilatéraux, des organisations membres et diverses sociétés.

Par ailleurs, des associations nationales d'entreprises privées se regroupent pour instaurer un état de droit ou pour influer sur les décisions des institutions internationales et des gouvernements.

En matière comptable, si essentielle au bon fonctionnement de l'économie mondiale, l'IFAC, Fédération internationale des experts-comptables, association de droit suisse, est présente dans 125 pays et représente près de 2,5 millions de comptables. Elle a pour mission de « protéger l'intérêt général en encourageant les comptables du monde entier à suivre des pratiques de haute qualité ». C'est là un rôle capital puisqu'il détermine la façon dont les comptes des entreprises sont établis et comparables. L'IFAC élabore à cette fin des normes internationales portant sur la déontologie comptable et le code d'éthique de la profession (IESBA), l'audit et l'assurance des comptes des entreprises (IAASB), la formation académique du comptable (IAESB) ainsi que la définition des normes comptables liées au secteur public (IPSASB). Mais c'est un organisme concurrent, l'IASB (International

Accounting Standards Board), créé en 2001 par des représentants des associations professionnelles d'experts-comptables de dix pays (Australie, Canada, France, Allemagne, Japon, Mexique, Pays-Bas, Royaume-Uni, Irlande et États-Unis), en réalité aux mains des Américains, qui a pris l'ascendant en matière de production des normes comptables internationales. Les normes qu'il édicte, les IFRS (International Financial Reporting Standards), sont davantage appliquées que celles de l'IFAC – démonstration de la toute-puissance anglo-saxonne dans ce domaine essentiel comme en tant d'autres.

De nombreuses autres professions se regroupent pour édicter des normes ou des labels que les institutions internationales ne produisent pas – ainsi les Bureaux de vérification de la publicité, la Fédération mondiale des annonceurs, l'Organisation internationale de la vigne et du vin, l'Organisation internationale du café, l'Organisation internationale du cacao, l'Organisation internationale du sucre, etc. La principale sanction qu'elles peuvent infliger en cas de non-respect de leurs normes est l'expulsion du récalcitrant de leurs rangs. Ces associations existent aussi largement dans le tourisme, la gastronomie, la médecine, entre autres domaines.

Enfin, des associations professionnelles se battent pour faire reconnaître les droits de leurs membres – ainsi l'Association internationale des étudiants en sciences économiques et commerciales (la plus grande association étudiante au monde), la Fédération internationale des journalistes, la Fédération internationale des producteurs agricoles, l'Association médicale mondiale, l'Union internationale des architectes, l'Union internationale des avocats, etc.

Elles constituent comme un corporatisme mondial, amorce d'un état de droit planétaire.

Des organisations, tel le Forum économique mondial, mettent en place des rencontres de ces dirigeants sans jouer pour autant un rôle autonome dans le processus de gouvernance mondiale.

Certaines de ces associations professionnelles n'ont d'autre statut que celui d'organisations non gouvernementales (ONG).

LES INSTANCES MONDIALES INFORMELLES : LES ONG

De très nombreuses ONG, associations à but non lucratif, s'assignent des missions planétaires. Elles sont plusieurs milliers. La plupart d'entre elles portent un nom suivi de « sans frontières » ou du qualificatif « mondiale ». Ce sont en général des institutions supranationales autoproclamées, remplissant les vides laissés par l'action publique mondiale. À ce titre, elles participent au gouvernement du monde. Lorsqu'elles regroupent des professions entières, elles sont rangées dans la catégorie précédente.

Elles mènent en général des combats pour obtenir la reconnaissance de droits (droits de l'homme, droits des femmes, droit à mourir dignement, droit à contrôler les naissances, droits de l'enfance, protection de l'environnement, droit à la gratuité de la santé et de l'éducation, droit à l'information, droit à la démocratie, droit à se regrouper en associations, etc.) ou produisent des biens publics mondiaux permettant la réalisation concrète de ces droits (aide d'urgence, santé, éducation, lutte contre la pauvreté, développement, accès au crédit, nourriture d'urgence, élimination des mines antipersonnel, équité dans le commerce, protection de l'environnement).

Parmi les premières, certaines sont aujourd'hui très influentes sur des sujets extrêmement divers : Amnesty International, Reporters sans frontières, Organisation mondiale contre la torture, Mouvement des Sans-Terre, Human Rights Watch, World Wildlife Fund, Greenpeace, End Child Prostitution, World Vision International, Action Innocence, Anti-Slavery International, Survival International, Organisation internationale des intersexués, Transparency International, Mouvement Pugwash, Emergency, Electronic Frontier Foundation, Free Software Foundation, Secours islamique, Ligue islamique mondiale.

Bien des changements majeurs intervenus au cours de ces cinquante dernières années dans le droit international, dans les relations entre les peuples, dans les progrès de la démocratie, dans l'approche de l'économie, sont dus à l'action de ces ONG. Elles portent les plus importants combats pour la mise en œuvre des fondements de la démocratie : liberté d'expression, protection des femmes et des enfants, lutte contre la peine de mort, droit au travail, droit au crédit, droit au logement, etc. Elles donnent sens à la lutte pour le développement durable, dont elles ont inventé le concept. Elles sont à la pointe de la lutte pour la protection de la diversité, pour la sauvegarde des langues, des cultures, des espèces animales et végétales, du climat et des ressources rares.

Leur influence sur les institutions internationales se manifeste à partir du sommet de Rio sur l'environnement, en 1992, puis de celui du Caire sur la démographie et de celui de Pékin sur les droits des femmes en 1995. Le militantisme d'ONG environnementales a permis d'aboutir au protocole de Kyoto sur la réduction des émissions de gaz à effet de serre. Le travail de Handicap International a débouché sur le traité d'Ottawa sur l'interdiction des mines antipersonnel. Amnesty International et la Fédération internationale des droits de l'homme ont aidé à la création de la Cour pénale internationale.

Parmi les ONG produisant des biens publics mondiaux, on peut citer Oxfam International, Care, Save The Children, Mercy Corps, Accion, Médecins sans frontières, Médecins du monde, Action contre la faim, PlaNet Finance, ActionAid, Grameen International, Women World Banking, Handicap International, Max Havelaar.

Certaines de ces ONG font à la fois de l'action militante et de la production de biens publics. Les unes et les autres sont financées par le grand public, par des institutions internationales, par des entreprises ou des fondations d'entreprises et par de grandes fondations privées.

À côté d'actions menées dans leurs pays d'origine, ces fondations privées ou d'entreprises commencent en effet à étendre leurs interventions à l'échelle mondiale. Elles sont en passe de devenir d'importants acteurs du gouvernement du monde. La Ford Foundation, créée cn 1936 par le fils de Henry Ford, dispose de programmes dans des domaines très variés : aide économique, démocratie et droits de l'homme, éducation, développement durable, etc. Depuis sa création, elle a distribué plus de 16 milliards de dollars ; ses actifs sont estimés à 10 milliards de dollars ; elle dispose de bureaux dans 11 pays (États-Unis, Mexique, Brésil, Chili, Nigeria, Kenya, Afrique du Sud, Égypte, Inde, Chine et Indonésie). L'Open Society Institute de George Soros promeut la démocratie partout dans le monde. C'est le cas aussi de la Fondation Jimmy Carter, qui travaille surtout à la surveillance électorale et à l'assistance au processus démocratique. La Fondation Bill et Melinda Gates dispose de 33 milliards de dollars d'actifs et a distribué 23 milliards depuis sa création en 1994. Warren Buffett lui a fait don de plus de 99 % de sa fortune, soit 47 milliards de dollars. Le projet « Giving Pledge » vise à réunir 400 milliardaires disposant à eux tous de 600 milliards de dollars, pouvant verser 30 milliards de dollars par an, soit moitié moins que la Banque mondiale. Parmi eux, Charles F. Feeney (fondateur des Duty Free Shoppers Group), qui a créé l'Atlantic Philantropies Foundation en 1982 et dépensé depuis 5,4 milliards de dollars dans des programmes d'aide allant de la santé à l'éducation en passant par les droits de l'homme et l'aide aux personnes âgées. Il entend dépenser le reste de sa dotation (estimé à 4 milliards de dollars) d'ici à 2020, date à laquelle la fondation fermera ses portes.

L'idée se répand aussi d'utiliser directement une partie des profits d'entreprises comme ressources pour des ONG. Ainsi, la Fondation The Children Investment Fund reçoit un pourcentage important des profits réalisés par le fonds d'investissement éponyme, et le consacre à améliorer le sort des enfants à travers le monde.

Toutes les ONG, institutions internationales au service d'un bien public, doivent veiller à leur équilibre financier et rendre des comptes à leurs bailleurs de fonds. Certaines se transforment parfois en entreprises, distribuant des profits à leurs actionnaires.

LA LANCINANTE CROYANCE
EN UN GOUVERNEMENT MONDIAL SECRET

Malgré cette extraordinaire diversité d'initiatives plus ou moins efficaces, indépendantes les unes des autres et si souvent concurrentes ou contradictoires, bien des gens croient encore en l'idée, très ancienne, d'un gouvernement mondial secret complotant pour atteindre des objectifs inavouables.

Mille et un conjurés sont ainsi dénoncés aujourd'hui : on entend dire par exemple de manière également péremptoire que la crise financière actuelle a été depuis longtemps voulue, pensée, organisée et conduite de main de maître par un gouvernement mondial constitué par l'ensemble des banques américaines afin de transférer leurs pertes sur les contribuables ; ou par l'une d'entre elles pour écarter ses concurrentes ; ou par les compagnies pétrolières afin qu'une récession interrompe les investissements et pousse à la hausse du prix du brut ; ou par les détenteurs d'or pour le faire monter ; ou par les détenteurs d'argent pour remplacer l'or ; ou par les démocrates américains pour en finir avec les républicains ; ou par les républicains pour laisser le sale boulot aux démocrates ; ou par la Chine, pour supplanter les États-Unis en faisant baisser les taux d'intérêt et en incitant les

Américains à s'endetter ; ou par les États-Unis pour ruiner la Chine, qui a placé l'essentiel de ses réserves en dollars ; ou par la Banque centrale européenne pour mettre le dollar à genoux ; ou par les islamistes pour saper le capitalisme financier après avoir détruit les Twin Towers, etc.

Les problèmes écologiques tiennent lieu aussi de « preuves » de l'existence d'un tel gouvernement mondial secret : certains médias pakistanais ont avancé l'idée que les inondations qui ont ravagé leur pays seraient le résultat d'une opération conjointe de l'Inde et des États-Unis ; les États-Unis ont également été accusés d'être responsables du tsunami de 2004 en Asie du Sud-Est. Pour les opposants à la théorie du réchauffement climatique, ce serait une invention d'un groupe de scientifiques et de politiciens destinée à dicter leur conduite aux peuples. Selon certains, le virus du sida serait le résultat d'une guerre biologique entre chercheurs soviétiques et américains, ou bien aurait été créé par la CIA.

D'autres encore désignent des maîtres du monde théologiques : les jésuites, les juifs, les francs-maçons, les *Illuminati* formeraient, chacun à leur façon, un invisible gouvernement mondial. Les derniers seraient les héritiers d'un pouvoir très ancien, originaire de la civilisation sumérienne et de l'ordre du Serpent, rassemblant une élite mondiale autoproclamée pour gouverner les peuples, par nature ignorants, stupides et potentiellement violents.

Pour d'autres encore, c'est le groupe de Bilderberg ou la commission Trilatérale qui dirigeraient en secret le monde. Les attentats du 11 septembre 2001 seraient l'œuvre des services secrets américains. L'État

276

d'Israël aurait pour ambition de devenir l'État le plus puissant de la planète. D'autres partisans des théories conspirationnistes sont convaincus que des extraterrestres gouvernent à distance notre planète. La trilogie *Matrix* des frères Wachowski a suscité de nombreuses légendes sur l'existence de mondes parallèles dont les humains seraient les marionnettes.

Certains dénoncent avec assurance le NOM (Nouvel Ordre mondial) qui voudrait homogénéiser les modes de vie pour transformer les hommes en esclaves au service d'une oligarchie financière mondiale. Le NOM se servirait des crises pour accélérer son emprise.

Chaque tenant d'une théorie prétend posséder des preuves parfaitement documentées, solidement établies, issues des sources les plus sûres, de la véracité de sa thèse : un complot est en marche pour prendre le pouvoir sur le monde.

En fait, tout pouvoir, tout groupe de pression, tout groupe en révolte, même moribond – surtout moribond – a besoin, pour durer, de donner un sens à ce qu'il ne sait expliquer, et pour cela de dénoncer un pouvoir secret, un complot, d'en désigner les auteurs et d'en faire des coupables. Au lieu de rechercher des causes, il cherche des responsables.

Or tous les pouvoirs, dans le cadre de la globalisation, sont, chacun à sa manière, moribonds.

Aucun pouvoir, aucun contre-pouvoir, aucune des institutions dont il a été question jusqu'ici n'exerce plus la moindre influence sérieuse sur le cours des événements. L'humanité s'est laissé déborder par les systèmes qu'elle a créés, à commencer par le marché.

Faute de gouvernement du monde, on imagine que des gens complotent pour s'en saisir.

Il n'y a pas de gouvernement du monde, et les théories du complot ne sont qu'une manifestation de l'impuissance de l'humanité face à son destin.

Il faudra donc avoir aujourd'hui le courage de s'attaquer aux règles du jeu et non aux joueurs, si l'on veut éviter que la partie ne tourne au carnage.

8

Demain, l'anarchie du monde

Les États-Unis paraissent capables de rester durablement la première puissance du monde. Un ensemble d'institutions multilatérales semble constituer aujourd'hui un gouvernement planétaire cohérent et capable de gérer les principaux problèmes de l'humanité. Toutes les nations semblent en voie de renforcer leur gouvernance.

Cependant, à y regarder de plus près, ce ne sont là qu'apparences. Bien des nations sont en train de se défaire. Les États-Unis ne seront bientôt plus qu'une grande puissance relative disposant, pour un temps encore, de la plus grande armée, de la principale monnaie, de la première économie, mais sans plus être les maîtres d'un monde trop peuplé, trop complexe, hors du contrôle de qui que ce soit. Comme tous les précédents, l'empire américain ne prend au sérieux que ce qui le menace dans ses relations avec ses rivaux, sans se préoccuper de ce qui peut menacer l'ensemble de la communauté humaine.

De plus, aucune alliance ne se hissera à la hauteur des problèmes de plus en plus graves qui affecteront la planète : des mouvements de population de plus en plus vastes ; une uniformisation intolérable, un système financier de moins en moins contrôlable ; des règles de droit de moins en moins crédibles ; des armements de plus en plus disséminés ; des pollutions de plus en plus envahissantes ; des ressources de plus en plus rares ; des technologies de plus en plus difficiles à contrôler ; des puissances non étatiques de plus en plus influentes ; des mouvements criminels de plus en plus puissants. Ces problèmes forment un ensemble de risques systémiques auxquels aucun empire et nulle instance mondiale ne sont préparés.

Il n'existera par ailleurs aucun moyen sérieux de faire respecter les règles posées par les innombrables traités internationaux en vigueur et par la multitude d'institutions internationales en fonction, supposées s'occuper de ces problèmes.

Alors, comment sera gouverné le monde ? Par personne, sans doute, et c'est là le pire.

L'INTROUVABLE DIXIÈME « CŒUR » DU MONDE

Si l'Histoire se répète pour la dixième fois, à l'intérieur d'un ordre marchand aujourd'hui étendu à l'ensemble du monde, une longue période de crise précédera l'émergence d'un nouveau « cœur », avant que le système mondial ne s'organise autour de lui.

Où sera situé ce nouveau « cœur » ? Peut-on émettre, comme beaucoup le firent en 1980, le pronostic d'un effacement des États-Unis ? Mais, cette fois, au profit de qui ? Qui peut, demain, devenir la nouvelle superpuissance ? Et cette nouvelle puissance, si elle existe, pourra-t-elle disposer des moyens éco-nomiques, militaires, financiers, culturels et idéolo-giques nécessaires pour gouverner le monde ? Qui peut y aspirer ? Qui peut y prétendre ? En quoi l'his-toire des trois derniers millénaires nous aide-t-elle à répondre à ces questions, au moins pour les trois pro-chaines décennies ?

À la lumière des chapitres qui précèdent, on sait qu'un empire dominant doit disposer des moyens de contrôler les réseaux de communication les plus importants du moment, qu'ils soient militaires ou mar-chands. Selon ce critère, les États-Unis demeureront pendant longtemps encore la première puissance ; ils continueront de disposer de la première armée du monde avec trois millions d'hommes, avec les robots, les avions, les navires, les chars, les réseaux d'infor-mation dont aucune autre nation ne disposera. Ils continueront d'émettre la principale monnaie de réserve, d'attirer les meilleurs talents du monde, les iconoclastes, les hétérodoxes, les marginaux, les rebelles ; ils continueront d'être un des lieux majeurs de l'innovation technologique, de l'enseignement supérieur et de la recherche, de la création artistique, de l'influence médiatique. Ils resteront au centre des réseaux numériques, dont la densité ira croissant.

Ils pourront donc perdurer, à l'instar de l'Empire romain d'Occident, qui survécut cinq siècles après la mort de César ; à l'image de celui d'Orient, qui réussit à survivre mille ans après la chute de celui d'Occi-dent. Et aussi de l'Empire romain germanique qui leur survécut trois siècles de plus. Les États-Unis d'Amé-rique pourront même retrouver le chemin d'une forte croissance, autour de nouvelles technologies – sans doute les nanotechnologies – et, pour la quatrième fois, héberger un « cœur », le dixième, après Boston, New York et Los Angeles. Ils pourront même maintenir leur suprématie en matière de défense, en installant le bouclier antimissiles, la sécurité profonde et en promouvant la contre-insurrection.

Mais rien de cela ne pourra les empêcher de décliner, du moins sur le long cours. D'abord en valeur relative, en raison de la croissance plus rapide de quelques autres : en 2030, leur population représentera moins de 6 % de celle du globe ; leur PIB sera inférieur à 20 % de celui de l'ensemble du monde, contre un peu plus de 26 % aujourd'hui. Ensuite parce que, en raison de leur dette publique interne et externe, ils auront, comme tous les autres « cœurs » finissants avant eux, de moins en moins de moyens de maintenir leur contrôle des réseaux de communication et le statut de leur monnaie ; de contrer l'émergence de dictatures, de lutter contre les mouvements terroristes, de prévenir l'émergence d'un rival ou d'un ennemi. Leur budget de défense sera inexorablement réduit, au moins en valeur relative, pour ne plus représenter au mieux que 3,8 % de leur PIB en 2020, et moins encore en 2030 (contre 4,8 % en 2011) ; et, s'il se maintient à ce niveau, ce sera surtout au détriment des dépenses d'investissement dans les nouvelles technologies, ce qui affaiblira davantage encore l'économie américaine.

Enfin, parce que la montée du chômage et des inégalités, le vieillissement des infrastructures, l'incapacité de mettre en place des systèmes de protection sociale conduiront nombre de gens à travers le monde à ne plus considérer le modèle américain comme un idéal. Aux États-Unis même, de très nombreux Américains s'opposeront à leur modèle de société et refuseront que leur nation continue de régir le monde : retour à l'isolationnisme de l'empire de la liberté.

Comme dans tous les « cœurs » précédents, le déclin commencera à se manifester par des mouvements au cœur du « cœur », parmi les exclus. Cela continuera par un refus massif d'envoyer des jeunes Américains se faire tuer sur des fronts extérieurs. Puis par l'impossibilité de trouver des mercenaires disposés à se faire tuer sous l'uniforme américain en échange de la citoyenneté.

Si, à une date encore incertaine, les États-Unis se retirent du jeu, le candidat le plus naturel au rang de première puissance mondiale sera, cette fois, la Chine. Ses idéologues parlent déjà de prendre exemple sur l'ancien Empire du Milieu pour faire du monde un ensemble harmonieux au sens de la philosophie taoïste : de gérer le monde comme le fut jadis l'Empire de Chine, sinon de faire du monde un empire chinois. Il est certain que la croissance de ce pays lui permettra de se doter d'une armée encore plus considérable qu'elle ne l'est ; elle maîtrisera bientôt la totalité des armements nucléaires et des missiles à moyenne et longue portée. Elle disposera des moyens de détruire les capacités satellitaires et de communication des puissances occidentales. D'ici à 2030, elle modernisera son aviation et sa marine. Elle disposera d'avions furtifs de 5e génération et d'un porte-avions école, le *Shi Lang* (version modernisée du porte-avions russe *Varyag*) ; elle disposera aussi d'un groupe de combat naval centré autour de ce porte-avions, de centaines de missiles de croisière et de plusieurs milliers de missiles balistiques à courte portée. Cela lui donnera la faculté de se projeter dans le monde entier et de sécuriser ses approvisionnements en matières premières. Car, en ce domaine, ses besoins seront énormes : si elle venait à consommer un jour autant de pétrole par habitant que les Américains aujourd'hui, elle devrait disposer de 130 % de la production mondiale actuelle, et si elle venait à consommer autant de nourriture que les Américains aujourd'hui, elle devrait monopoliser les deux tiers de la récolte mondiale de céréales et les quatre cinquièmes de la production mondiale de viande.

Ce n'est encore qu'une hypothèse lointaine, car, même si elle augmente encore pendant vingt ans au rythme actuel, la production totale de la Chine sera à peine égale à celle des États-Unis, et le revenu de chaque Chinois n'atteindra encore que la moitié de celui d'un Américain. À ce rythme pourtant très rapide, la Chine ne retrouvera la part du PIB mondial qu'elle détenait en 1800... qu'en 2100.

De plus, comme le démontre abondamment son histoire, elle devra se consacrer à nouveau pleinement à ses énormes problèmes intérieurs : la pollution confinera au désastre ; la pauvreté sera encore considérable ; les campagnes resteront arriérées ; la population aura beaucoup vieilli : en 2020, le nombre de personnes âgées (plus de 60 ans) s'élèvera probablement à quelque 250 millions ; en 2050, un tiers de la population totale, soit environ 437 millions de personnes, sera âgé de plus de 60 ans. Ses moyens financiers, aujourd'hui dévolus à la constitution de réserves, devront être de plus en plus utilisés pour la mise en place d'infrastructures internes, en particulier en matière d'éducation, de santé, de retraite et de politique familiale. Même en matière militaire, le retard technologique de la Chine sur les États-Unis ne sera vraisemblablement pas rattrapé avant les trente prochaines années ; il lui faudra gérer au mieux les effectifs colossaux de ses forces armées (2,3 millions d'hommes). L'évolution progressive du pays vers la démocratie entraînera des luttes sociales, des soubresauts politiques qui ne peuvent que ralentir sa croissance, sinon remettre en cause son unité. Enfin et peut-être surtout, la Chine n'a jamais eu une vocation universaliste. On peut donc s'attendre à ce qu'elle ne soit encore, pour longtemps, qu'une grande puissance régionale et emploie surtout ses forces à protéger ses frontières, à contenir sa population, à faire évoluer ses institutions politiques, à défendre ses intérêts économiques, à se procurer ses matières premières en Asie, en Afrique et au Moyen-Orient, plutôt qu'à chercher à dominer politiquement des puissances militaires rivales. Enfin, à supposer même qu'elle devienne un jour la première puissance mondiale, elle serait loin, elle aussi, d'avoir les moyens de gouverner la planète, en raison même de l'immensité des problèmes qui, affectant celle-ci et s'ajoutant aux siens, la déborderaient.

L'Inde, dont la tradition de conquête impériale est plus marquée que celle de la Chine, voudra à l'évidence contrôler la région qui l'entoure ; et avoir son mot à dire au moins sur ce qui se passe en Asie centrale et en Afrique orientale. Elle disposera pour cela d'une armée, d'une industrie, d'une culture, d'une influence et d'un rayonnement grandissants. En 2030, la population indienne dépassera la chinoise et atteindra 1 450 millions d'habitants. Mais aura-t-elle les moyens de devenir un jour la première puissance mondiale ? Sans doute pas.

L'Inde possédera alors la plus jeune force de travail au monde avec la moitié de sa population âgée de moins de 25 ans. Vers 2030, son économie dépassera celle du Japon pour devenir la troisième derrière celles des États-Unis et de la Chine ; elle pourrait même dépasser celle des États-Unis vers 2040.

Mais elle aussi aura encore beaucoup de problèmes internes à régler : bureaucratie, corruption, faiblesse de ses infrastructures, misère des masses rurales. Elle devra en effet faire face à une urbanisation massive et désordonnée et à une trop faible productivité agricole, à une immense pauvreté, à des forces centrifuges et à des mouvements terroristes d'une grande violence. En 2030, deux fois plus d'Indiens (590 millions) qu'aujourd'hui vivront dans des villes, et le caractère démocratique du régime ne permettra pas de raser des quartiers entiers pour les reconstruire comme le fait la Chine actuellement. L'Inde se contentera pour de nombreuses décennies encore de chercher à stabiliser son voisinage, ce qui ne sera déjà pas une mince affaire. De ce fait, on ne saurait penser qu'elle puisse s'ériger avant un siècle en superpuissance ; et il lui faudra encore davantage de temps avant qu'elle puisse être candidate au gouvernement du monde.

À moins que, ensemble, Chine et Inde ne forment un G2 d'un nouveau type, cumulant alors dès 2030 un PIB égal à celui du reste du monde, et retrouvant le niveau perdu autour de 1900. À elles deux, elles ne feraient alors qu'une bouchée de l'influence russe, japonaise et musulmane dans la région. Sans pour autant nécessairement dominer l'Occident.

Cette hypothèse reste peu plausible : Chine et Inde font tout, depuis l'aube des temps, pour ne pas s'affronter, mais aucune des deux n'a jamais proposé à l'autre une alliance, car la proposition aurait pu être considérée comme un aveu de faiblesse. L'hypothèse d'une alliance russo-chinoise, russo-indienne ou pakistano-chinoise contre le reste du monde n'est guère plus vraisemblable.

L'Afrique, dont la population doublera d'ici à 2040, représentera la vraie grande puissance en devenir. Elle devra cependant commencer à se penser comme une confédération pour compter dans le monde, comme l'Amérique latine. Et cela prendra encore au moins un demi-siècle.

L'Union européenne, si elle ne se désintègre pas, peut prétendre devenir une très grande puissance politique. En raison de son histoire et de sa vocation universaliste, elle serait même la seule à pouvoir aspirer à rivaliser avec les États-Unis pour le gouvernement du monde. Il lui faudrait pour cela devenir au préalable une fédération politique dotée d'un vrai gouvernement, d'un vrai budget, d'une vraie capacité d'emprunt et d'une armée européenne intégrée. Si elle y parvient, ce qui est peu probable, il lui restera encore bien des problèmes à surmonter : elle continuera sans doute de vieillir ; sa population diminuera de 40 millions d'habitants ; elle aura du mal à réussir l'intégration des immigrants nécessaires à sa survie ; si tant est qu'elle en ait jamais le désir, elle n'aura pas avant très longtemps les moyens militaires de concurrencer les États-Unis ; elle reposera même encore longtemps, sur ce plan, presque entièrement sur la force militaire française, et, à moins d'un rapprochement, peu probable, avec la Russie, elle aura du mal à conserver une influence politique significative.

Au total, en 2030, la première puissance économique, militaire et politique restera les États-Unis, loin devant l'Union européenne, elle-même alors à égalité avec la Chine et l'Inde, suivies du Japon, qui restera une très grande puissance malgré les tragédies qui le touchent. Les technologies militaires américaines continueront d'inonder le marché, contribuant à un isolement de l'Europe et, potentiellement, de la Russie. Le Brésil pèsera autant que la France. Le Mexique, davantage que la Russie ou l'Espagne. L'Inde sera le pays le plus peuplé du monde. L'Italie, l'Allemagne, le Japon, la Russie, la Corée entre autres, verront leurs populations se réduire. S'ils ne réagissent pas vite, les pays du G7 cumuleront une dette publique égale à 200 % de leur PIB. L'Afrique sera plus peuplée que l'Inde, mais n'exercera pas encore d'influence majeure hors de ses frontières en raison de ses divisions.

L'accès aux ressources énergétiques et minérales, dont un grand nombre (titanium, rhénium, chromium, cobalt...) seront essentielles à la fabrication des armements et de leurs vecteurs, jouera un rôle stratégique majeur dans les alliances à venir.

Au total, aucun de ces pays n'aura une puissance assez incontestable pour s'imposer à tous les autres. Encore moins pour faire face aux problèmes globaux de la planète. D'autant plus que le marché viendra de plus en plus bousculer la puissance géopolitique des nations.

Le gouvernement mondial du marché

Le marché sera de plus en plus mondial, alors que la démocratie, là où elle existe ou existera, restera locale. Ce qui rendra de plus en plus dérisoire le prétendu pouvoir des États, y compris les plus puissants.

Concrètement, cela signifiera que le capital, la direction et la stratégie des entreprises seront de plus en plus détachés de toute base nationale ; leurs sièges se délocaliseront sans cesse là où les lois seront les moins contraignantes et la fiscalité la plus basse ; leurs cadres, leurs chercheurs vivront dans des lieux en concurrence permanente les uns avec les autres ; la mobilité du travail et du capital permettra aux entreprises d'échapper à toute règle, de choisir des sites où ne pas payer l'impôt ; les évolutions technologiques accéléreront ce nomadisme réel ou virtuel.

Aucune souveraineté nationale ne pourra résister à cette déloyauté permanente du capital et des cadres. On verra se réduire les ressources fiscales et croître le refus de toute autorité, la défiance à l'égard de toute élite, l'indignation contre tout pouvoir. Devenus faibles, les gouvernements du XXIe siècle souffriront du mépris, voire de la haine suscités par les gouvernements autoritaires du XXe siècle.

Le monde sera alors non plus, comme à la fin du XXe siècle, un ensemble d'économies de marché juxtaposées, en voie d'intégration les unes avec les autres ; mais une seule économie de marché, presque pure et parfaite, sans État. Il ressemblera ainsi à ce que décrivent les économistes classiques, de Walras à Friedman en passant par Pareto, Debreu, Arrow et quelques autres : en modélisant une économie de marché sans État, ils concluront qu'une telle économie ne trouve son équilibre qu'à un niveau de sous-emploi des facteurs. Autrement dit, la mondialisation des marchés sans la mondialisation de l'État ne peut que conduire à une insuffisance de la demande, à installer un chômage de masse, à favoriser le développement de monopoles industriels. Les entreprises gestionnaires du risque prendront de plus en plus le relais des États providence. Les assureurs, en particulier, se verront en maîtres du monde parce qu'ils fixeront les normes de comportements souhaitées, tolérées, refusées, tout comme les entreprises de distraction, qui occuperont l'essentiel du temps du consommateur.

Pour tenter de compenser ces déséquilibres, les marchés continueront de susciter une demande artificielle par l'accumulation des dettes privées. Des bulles financières de plus en plus nombreuses se formeront sur tous les marchés, en particulier ceux des matières premières. L'économie financière accaparera une part croissante des richesses mondiales. Certains groupes sociaux seront particulièrement riches dans les pays pauvres ; d'autres, particulièrement pauvres dans les pays riches. De plus, un marché mondial sans État mondial ne peut être qu'un marché sans état de droit. Les droits de propriété eux-mêmes seront difficiles à défendre. L'économie informelle, la contrefaçon, la piraterie, l'économie criminelle se développeront.

De plus en plus faibles, les États ne pourront assurer le respect du droit, au mieux, que sur leur territoire, laissant béants de vastes et nombreux espaces où l'état de droit pourra être contourné. On commercialisera plus encore qu'aujourd'hui armements, drogues, sexualité, organes. Les jeunes pauvres du Sud seront une proie pour les vieux riches du Nord. L'économie criminelle deviendra un véritable pouvoir politique doté d'armements et de moyens d'influence diplomatique.

Le monde ressemblera de plus en plus à une gigantesque Somalie, pays sans État stable, en guerre civile depuis plus de vingt ans, où s'entretuent des seigneurs de guerre, des pirates, des milices ; où des provinces comme le Somaliland et le Puntland se considèrent comme indépendantes ; où le tiers de la population dépend de l'aide humanitaire ; et où la seule force stable est un maigre contingent militaire envoyé là par l'Union africaine.

Le sort du monde risque même de s'apparenter à celui du « nombril du monde », nom que ses habitants donnèrent à une île que les Européens ont baptisée l'île de Pâques : après des siècles d'abondance, sur cette terre de cocagne, la démesure des puissants a conduit à la guerre civile, à la destruction des ressources naturelles, et, finalement, à la disparition de leur précieuse civilisation.

Ainsi, le monde de demain sera écartelé entre la globalisation des menaces, d'une part, et la balkanisation, d'autre part.

Aussi, même si – ce que je ne crois pas – un pays le domine, même si des alliances permettent à d'autres de tenir leur rang, aucun État, aucun pays, aucune union, aucun G7 ni G20, aucune des institutions internationales d'aujourd'hui ne pourra gouverner le monde. Nul ne pourra transformer en décisions opérationnelles et planétaires les vœux pieux de sommets de plus en plus vains.

Nul n'aura les moyens de résoudre les problèmes locaux qui, faute d'être maîtrisés et résolus, s'étendront à toute la planète ; encore moins les problèmes par essence planétaires.

Ces deux catégories de problèmes formeront les *risques systémiques mondiaux.*

Examinons d'abord les risques locaux qui peuvent dégénérer en catastrophes mondiales.

DES DÉSORDRES FINANCIERS EN CHAÎNE

Le premier risque systémique mondial est celui de voir une braise allumer quelque part l'incendie géant de l'inflation mondiale. L'énorme masse de 6 trillions de dollars de liquidités déjà créée par les banques centrales, la croissance des déficits publics, la remontée des prix des matières premières pourraient en effet aboutir un jour à une poussée d'inflation majeure. Ni les États-Unis, ni le G7, ni le FMI, ni le G20 ne sont armés aujourd'hui pour y répondre. L'humanité n'a aucun moyen de contrôler globalement les masses monétaires émises par les nations, en particulier par la Banque centrale américaine. Celle-ci pourrait d'ailleurs faire faillite en cas de perte de confiance des prêteurs, avec des conséquences tragiques pour l'humanité entière, sans que nul y puisse quoi que ce soit. Aucun droit d'ingérence ne permettra à un étranger d'intervenir dans la politique monétaire du pays détenteur de la monnaie de réserve, même si cette politique a un impact sur l'ensemble de la planète.

On peut aussi parfaitement imaginer que les institutions financières privées (banques, banques « fantômes » ou autres fonds d'investissement), aujourd'hui hors de contrôle, continuent de se développer sans que les gouvernements ou les institutions internationales puissent maîtriser leur prolifération. Elles pourraient alors choisir de se localiser dans les zones de non-droit et d'y développer toutes les opérations qui leur sont interdites dans les pays organisés. On verrait alors le système financier prendre de plus en plus de risques pour s'assurer davantage de profits, sans que les rares instances de contrôle, nationales ou internationales, aient les moyens d'en connaître la réalité planétaire. Ce système financier entretiendrait pour un temps la croissance du monde par des crédits illimités, en gardant pour lui-même l'essentiel des profits et en transférant les risques aux épargnants et aux contribuables. Se côtoieraient alors dans ces zones de non-droit financier des filiales d'institutions financières régulées dans leurs pays d'origine et des institutions financières au service de la criminalité. Les unes et les autres pourraient même se confondre à terme.

Tout serait alors en place pour une nouvelle crise financière d'une ampleur sans précédent, aux conséquences économiques, sociales et politiques inouïes ; sans qu'aucun pays, aucune institution internationale, aucun G2, ou G7, ou G20, ait les moyens de la prévenir ni d'empêcher qu'elle contamine la planète entière.

UNE DÉMOGRAPHIE HORS DE CONTRÔLE

La démographie est le deuxième domaine où un problème local peut déraper en problème mondial ; c'est le deuxième risque systémique mondial.

En principe, la démographie mondiale semble sous contrôle, après une formidable croissance pendant deux siècles : l'humanité devrait plafonner à environ 9 milliards de personnes en 2050, puis ce nombre devrait redescendre à environ 8 milliards à la fin du siècle. La Terre pourrait alors nourrir durablement ses habitants.

Mais si la fécondité des pays du Sud, en particulier celle des pays africains et moyen-orientaux, ne continue pas de baisser jusqu'à atteindre moins de deux enfants par femme, et si la politique de l'enfant unique est remise en cause, en particulier en Chine, dès 2050 la population mondiale pourrait atteindre les 11 milliards d'habitants, voire 15 milliards en 2100. Il ne serait alors plus possible de produire assez de nourriture ni de trouver assez d'eau pour nourrir une telle population. Les pays les plus sérieux pourraient décider de ne plus partager leurs ressources avec ceux dont la démographie n'est pas maîtrisée ; ils refuseront non seulement l'immigration en provenance de ces pays, mais aussi l'exportation de leurs propres produits agricoles. À terme, des guerres seraient inévitables, en particulier pour le contrôle de l'eau potable.

Pour prévenir une telle situation, l'humanité devrait prendre conscience de ce que la démographie ne peut plus rester un sujet de compétence nationale, que la croissance de la population d'un pays ne concerne pas que lui, mais l'humanité entière. Il faudrait dès lors prévoir assez à l'avance l'évolution de la population pays par pays et, si nécessaire, imposer une politique de limitation des naissances aux pays ne respectant pas les prévisions. En l'état actuel du droit international, aucune institution internationale n'a le mandat, et encore moins les moyens, d'imposer une telle politique à un pays souverain.

D'autres problèmes locaux liés à la population peuvent avoir des conséquences planétaires et constituer des risques systémiques mondiaux – ainsi d'une maladie contagieuse.

Là encore, ce qui se joue dans un pays précis peut avoir des conséquences pour l'humanité. La libre circulation laisse craindre la probabilité d'une ou plusieurs pandémies partant d'un lieu quelconque et devenant une menace majeure pour l'existence même de l'humanité. Ces pandémies démarreront vraisemblablement dans des régions pauvres où l'hygiène est rare et le repérage médical inexistant. Elles concerneront la grippe, la malaria ou la tuberculose. Et, là encore, on ne voit pas comment les grandes puissances ou les instances internationales en place, telle l'OMS, pourraient gérer un tel choc, ni comment elles pourraient faire accepter un droit d'ingérence imposant à tel ou tel pays des politiques contraignantes en matière d'hygiène publique et privée.

Enfin, d'autres problèmes considérables seront liés aux migrations. Tout converge pour que plus d'un milliard de personnes quittent leur pays de naissance. Un tiers bougeront à l'intérieur du Sud ; un tiers à l'intérieur du Nord ; un tiers du Sud vers le Nord. La population deviendra urbaine pour plus des deux tiers. Aucune règle internationale, aucune institution internationale n'est en charge de gérer les migrations, ni de donner du sens au statut de citoyen du monde.

DES GUERRES EN CASCADE

Un autre problème local pourrait devenir planétaire : la guerre. Certes, un conflit mondial ne semble pas menacer. Mais, après six décennies relativement pacifiques à l'échelle du globe, on ne peut exclure son retour.

D'abord parce qu'un nombre croissant de disputes locales peuvent déboucher sur des conflits a priori circonscrits : parmi les plus prévisibles, ceux entre les deux Corées, entre Israël et l'Iran, entre l'Inde et le Pakistan ; d'autres encore : entre la Russie et la Chine, entre l'Ouganda et la République démocratique du Congo, entre la Chine et la Russie pour le contrôle de la Sibérie, ou entre la Russie et le Canada pour le contrôle de l'Arctique, etc. Sans compter les innombrables guerres civiles et tribales qui peuvent se déclencher partout où des frontières artificielles ont dissocié des ethnies ou en ont fait au contraire cohabiter de force. Ou encore les conflits pour la maîtrise de l'espace, pour celle de sous-sols terrestres ou sous-marins, pour celle des matières premières ou de l'eau.

Ensuite parce que les nations, de plus en plus réduites à la condition de démocraties de marché, les individus, de plus en plus uniformément consommateurs, se trouveront de façon croissante en situation de rivalité mimétique, et donc de violence potentielle, pour l'accès aux mêmes ressources et la satisfaction des mêmes désirs.

Ensuite encore parce que les guerres sont toujours plus fréquentes quand les armes offensives l'emportent sur les moyens défensifs, ce qui est aujourd'hui le cas : même si l'on parle de mettre en place des boucliers antimissiles face aux dix mille armes nucléaires existant sur la planète, on voit, on verra, proliférer des armes offensives très meurtrières utilisant des technologies civiles peu coûteuses (biotechnologies et nanotechnologies), capables de franchir tous les remparts.

Enfin parce que ces conflits locaux sont susceptibles, comme lors des deux guerres mondiales, de dégénérer en conflit planétaire. Celui-ci pourrait résulter soit du jeu des alliances dans un conflit local, soit d'une alliance offensive de l'islam et de la Chine contre l'Occident.

Si elles restaient conventionnelles et locales, les guerres pourraient ne pas avoir de conséquences pour l'humanité entière, comme c'est le cas des affrontements en cours aujourd'hui. En revanche, l'humanité disparaîtrait si une guerre dégénérait en conflit nucléaire, chimique ou bactériologique, même local. Or, en l'état actuel du droit, aucune institution internationale n'est à même d'enrayer un tel engrenage.

Par exemple, si une guerre conventionnelle venait à éclater entre l'Inde et le Pakistan et que, pour mille raisons possibles, cent armes de 15 kilotonnes au total (ayant alors chacune la même puissance que celle d'Hiroshima) venaient à être tirées par chacun des deux belligérants, elles feraient environ 20 millions de victimes directes ; mais on ne pourrait espérer que la tragédie reste confinée : en moins de quinze jours, un nuage de suie et de fumée recouvrirait l'ensemble de la planète et perdurerait pendant une décennie, provoquant une baisse globale des températures, une réduction des précipitations et un raccourcissement des périodes de végétation. S'ensuivrait une famine mondiale qui pourrait exterminer un milliard d'êtres humains.

Autre exemple : si – ce qui est devenu très peu vraisemblable – Russes et Américains venaient à entrer en conflit et utilisaient leurs missiles aujourd'hui déployés, une première salve de l'un des deux camps rendrait impossible toute culture agricole sur la planète, débouchant sur des famines de masse et rendant la planète inhabitable. Même si un tel conflit nucléaire ne se déclenchait qu'après que les arsenaux des États-Unis et de l'URSS eurent été réduits à 2 200 têtes opérationnelles, comme le prévoit le traité SORT, il pourrait encore faire 770 millions de victimes directes ; la moitié de la population de la planète disparaîtrait ensuite.

Si les armes chimiques censées être détruites en 2012 ne le sont pas (et il est peu vraisemblable qu'elles le soient entièrement), elles pourront ravager l'humanité. La génétique, les biotechnologies, les nanotechnologies permettront aussi de créer des agents d'une résistance et d'une virulence à toute épreuve. Ainsi, la dispersion d'une quantité de germes d'anthrax équivalente à celle d'un sac de sucre pourrait suffire à tuer trois millions de personnes. Si un des missiles utilisés aujourd'hui par une puissance quelconque pour porter des ogives nucléaires était chargé d'anthrax, il éliminerait toute la population d'une agglomération de 20 millions d'habitants. Là encore, aucun contrôle n'est à l'œuvre, de la part d'aucune institution. Pis encore, ces armes nouvelles seront bientôt entre les mains de groupes criminels non étatiques, en particulier de cartels de la drogue, menant des actions terroristes et criminelles de grande envergure, utilisant les mêmes armes que les États. Et ils seront peu sensibles aux injonctions d'un gouvernement, aussi puissant soit-il, ou d'une institution internationale telles l'ONU ou l'AIEA.

D'autres problèmes, de nature technologique, commencent localement et deviennent planétaires. Ainsi d'une catastrophe nucléaire, comme celle de Fukushima, aux conséquences économiques, humaines et politiques immenses. Ainsi aussi d'un virus informatique qui peut contaminer la planète.

D'autres problèmes encore seraient immédiatement planétaires, sans être, comme les précédents, le résultat d'une réaction en chaîne à partir de problèmes locaux : ainsi de la rareté des matières premières, de la destruction de la nature, des risques liés aux météorites. Ils constituent une seconde catégorie de *risques systémiques*, *globaux* par nature.

LA PÉNURIE DE MATIÈRES PREMIÈRES

La pénurie de certaines matières premières, terres rares ou sources d'énergie, à quoi aucun gouvernement, aucun G20, aucune institution internationale ne prépare sérieusement l'humanité, pourrait avoir des répercussions globales tragiques. Jusqu'à présent, l'homme a toujours réussi à l'éviter en trouvant les technologies et les ressources nécessaires pour remplacer celles qui venaient à disparaître. Ou plus exactement, on l'a vu, certaines civilisations ont su prendre le relais de celles qui ont décliné pour n'avoir pas prévu ces pénuries et n'avoir pas su innover à temps.

Aujourd'hui, rassemblée en une civilisation quasi unique, l'humanité pourrait ne pas avoir la même capacité : faute de redondance, en raison de son uniformisation, elle pourrait ne pas avoir assez d'émulation pour mettre au point à temps les innovations nécessaires et être menacée par la disparition d'une ressource rare. Là encore, aucun pays dominant, aucun G20, aucune institution internationale n'aura le mandat, encore moins le moyen, de l'éviter.

Dans le cas du pétrole, le risque est assez nettement identifié ; on sait que l'humanité rencontrera successivement deux limites.

La première, le *peak oil* technique (date à laquelle la production deviendra provisoirement inférieure à la demande en raison de l'insuffisance des investissements consacrés à la prospection), est pour bientôt : la récente crise économique a ralenti l'exploration, ce qui va réduire l'offre à moyen terme, alors que la demande va augmenter massivement avec la reprise de croissance mondiale et l'arrivée sur la planète d'un milliard de personnes supplémentaires dans les dix prochaines années. Ce *peak oil* technique conférera un pouvoir considérable aux pays du Golfe, qui, disposant seuls des ressources permettant de le dépasser rapidement, pourront l'instrumentaliser à leur guise, si leur stabilité politique n'est pas d'ici là remise en cause. Aucun pays, aucun groupe de pays, aucune institution internationale n'est en situation de l'empêcher

– à moins d'exercer un droit d'ingérence, ce que ne manqueront pas de faire les pays consommateurs.

La deuxième limite, le *peak oil* absolu (date à laquelle la moitié de toutes les réserves de pétrole mondiales prévisibles aura été consommée et où commencera pour de bon l'épuisement des réserves restantes), sera atteinte à une date beaucoup plus incertaine, et avec des conséquences encore moins prévisibles. Pour les géologues de l'Association for the Study of Peak Oil, il sera atteint entre 2014 et 2018. Selon l'Agence internationale de l'énergie, il aura lieu avant 2030. Pour d'autres, plus optimistes, ce ne sera que vers 2060. Ce *peak oil* sera suivi d'un pic pour le gaz, dix ans plus tard, et quarante ans après d'un pic pour les ressources en charbon. Pour d'autres encore, le *peak oil* n'aura jamais lieu, car on aura déjà amorcé la transition vers le recours à d'autres sources d'énergie, comme ce fut le cas au début du XIXe siècle, lorsqu'on passa du charbon de bois au charbon de terre, puis du charbon de terre au pétrole. Quoi qu'il en soit, la situation ne peut que se tendre : pour maintenir la consommation par habitant à son niveau actuel, il faudra trouver, d'ici à 2050, l'équivalent de *quatre fois* les réserves de l'Arabie Saoudite, et, pour faire face à une croissance régulière de la demande mondiale, il faudra, au rytme actuel, trouver l'équivalent de *six fois* ces mêmes réserves, ce qui n'est concevable qu'en exploitant les schistes bitumineux d'Amérique, moyennant d'énormes dégâts écologiques.

Là encore, aucune institution internationale n'est en charge de préparer l'humanité à ce virage : l'humanité n'a pas modifié radicalement ses habitudes énergé-

tiques ni développé les nouvelles technologies nécessaires, en particulier automobiles. Il faudra, au
moment du *peak oil*, diviser brutalement par quatre en
vingt ans, en les rationnant, les quantités d'énergie
fossile utilisées par personne. On ne voit pas comment
les gouvernements d'aujourd'hui, dominants ou pas,
et les instances internationales actuelles pourraient
surmonter un tel choc.

LA DESTRUCTION DE LA NATURE

Un autre risque systémique global pèse sur l'humanité et elle y est tout aussi peu préparée : la modification du climat.

La disparation d'une part significative de la vie en
raison d'un choc climatique paraît impossible. Pourtant, à cinq reprises durant les 650 derniers millions
d'années, des événements climatiques majeurs ont
provoqué la disparition de plus de la moitié des
espèces vivantes. Seule leur très grande diversité
d'alors a permis à une fraction d'entre elles de résister
et à la vie de repartir. Ce ne serait plus le cas
aujourd'hui.

Il y a 650 millions d'années, une ère glaciaire très
sévère entraîna la disparition de 70 % de la flore et de
la faune (*extinction précambrienne*) ; il y a 545 millions d'années eut lieu l'*extinction ordovicienne,* aux
causes énigmatiques ; entre –543 et –510 millions
d'années, une glaciation et un refroidissement des
océans, accompagnés d'un déficit d'oxygène dans
l'eau, provoquèrent la disparition des trilobites, des
brachiopodes et des conodontes (*extinction cam-*

brienne) ; il y a 440 à 450 millions d'années, une nouvelle glaciation fit baisser le niveau de la mer et disparaître plus d'une centaine de familles d'invertébrés marins (*extinction ordovicienne*). Enfin, il y a 248 millions d'années, d'énormes éruptions basaltiques en Sibérie, qui s'étalèrent sur mille ans, élevèrent les températures moyennes de 15 degrés, provoquant un dégagement massif de méthane issu des plaques sousmarines qui provoqua à son tour un échauffement de 15 degrés supplémentaires, faisant disparaître de 90 à 95 % de toutes les espèces marines, avec, parmi les rares survivants, le *Lystrosaurus*, ancêtre de tous les mammifères, donc de l'espèce humaine (*extinction permienne*).

Ces catastrophes peuvent se reproduire sous l'effet de l'action humaine ou indépendamment d'elle.

Certains disent même que la sixième cause d'extinction massive des espèces a déjà commencé, en raison de la destruction des écosystèmes par les activités humaines, de la dissémination de microbes et de virus, d'introductions accidentelles ou inconsidérées d'espèces dans un nouveau milieu et du réchauffement climatique : au cours des cinq cents dernières années, au moins 80 des 5 570 espèces de mammifères recensées ont disparu, contre moins de deux extinctions par million d'années précédemment. Au rythme actuel, plus des trois quarts des espèces de mammifères auront disparu dans 350 ans et les trois quarts des amphibiens dans 250 ans.

En 2030, les émissions de gaz à effet de serre seront de 37 % plus abondantes qu'aujourd'hui ; or si leur moyenne ne descend pas à 2,5 tonnes par habitant (contre 9 en France et 23 aux États-Unis aujourd'hui), la température moyenne de la planète augmentera de 1,7 °C à 2,4 °C ; des tempêtes, des sécheresses, des inondations suivront, entraînant des mouvements de populations. Si le phénomène continue encore, la température moyenne augmentera de 5° C et l'humanité n'y survivra pas.

Sans même attendre une évolution aussi fatale, de faibles changements dans les taux du dioxyde de carbone atmosphérique suffiront à déclencher l'extinction de presque toutes les espèces.

La biodiversité, moteur de la résilience écologique (qui fournit l'oxygène et contribue à l'épuration et au cycle de l'eau, ainsi qu'aux grands cycles biogéochimiques et à la régulation climatique), sera de plus en plus remise en cause. On peut plus particulièrement s'attendre, à partir du milieu des années 2020, à l'accélération de la destruction (par acidification et augmentation de la température des océans, liées l'une et l'autre à l'émission de gaz carbonique) d'une espèce vivante particulière, le corail sous-marin. Or celui-ci joue un rôle essentiel dans la survie de l'espèce humaine : il abrite en effet un tiers des espèces marines, protège les côtes des raz de marée, empêche la prolifération d'une algue, le *Gambierdiseus toxicus*, qui rend les poissons toxiques. Cette destruction a déjà commencé : environ 40 % des récifs coralliens, surtout dans l'océan Indien et les Caraïbes, sont déjà plus ou moins dégradés ; 10 % sont irrémédiablement perdus ; la Grande Barrière de corail d'Australie pourrait être très largement dégradée d'ici à dix ans et mourir d'ici à quelque vingt ans ; tous les récifs coralliens du monde sont même menacés d'extinction d'ici au milieu du siècle, ce qui entraînerait l'extinction de la vie dans les océans et, à terme, des conditions de survie de plus en plus difficiles pour l'humanité.

Là encore, on ne voit pas comment une superpuissance mondiale, quelle qu'elle soit, ni les instances internationales actuelles, tels le G8, le G20, la Banque mondiale, le PNUE, le GIEC ou autres, pourraient enrayer une telle évolution.

La destruction de la vie
par le choc d'un astéroïde

Enfin, dernier risque systémique global : la planète a été et sera percutée par des astéroïdes. Là encore, on ne voit pas comment les gouvernements ou les instances internationales actuelles pourraient faire face à une telle menace, à laquelle nul ne se prépare sérieusement.

Ce n'est pourtant pas là une menace hypothétique : l'humanité a déjà subi deux chocs d'une ampleur considérable, qui auraient pu faire périr des milliards d'habitants s'ils avaient eu lieu aujourd'hui. Il y a 370 millions d'années, l'impact d'un météore entraîna une glaciation et la disparition de la faune marine, mais eut relativement peu de répercussions sur la flore terrestre (extinction dévonienne). Il y a 65 millions d'années, la chute d'une météorite dans le Yucatán détruisit 85 % des espèces vivantes sur la planète, dont tous les dinosaures : c'est l'extinction de la fin du crétacé, qui ne laisse survivre que quelques mammifères de faible taille, des oiseaux, des tortues, des amphibiens. Le désastre fut immense et durable ; les récifs coralliens, qui disparurent alors, mirent plus de dix millions d'années à se reconstituer.

D'autres météorites ont eu des impacts moins importants : il y a 2,5 millions d'années, l'impact dit d'Eltanin, dans la mer de Bellinghausen (secteur occidental de la Péninsule antarctique, entre l'île d'Alexandre et l'île de Thurston), entraîna d'énormes tsunamis qui dévastèrent les côtes. Il y a 4 000 ans, en Égypte, une météorite de 55 tonnes, dite de Hoba, décrite par des hiéroglyphes, a chu comme du « fer tombé du ciel ». En 961, au Japon, une météorite s'est abattue sur le temple shintoïste Suga Jinga, dans l'île de Kyushu. Le 7 novembre 1492, année si particulière, un bloc de 127 kilos est tombé à Ensisheim, en Alsace. En 1908, à Toungouska, en Sibérie, le choc d'un astéroïde de 45 mètres de long provoqua une explosion équivalant à 5 mégatonnes de TNT, et détruisit 2 000 kilomètres carrés de forêts.

D'autres météorites tomberont certainement sur la Terre dans les années à venir : une météorite de plus de 50 mètres de diamètre heurte notre planète tous les cent à trois cents ans ; un objet céleste d'un kilomètre de diamètre tombe tous les quelques milliers d'années ; une météorite de la taille de celle de Toungouska se fracasse dans l'atmosphère deux à trois fois par millénaire. Une météorite de plus grande dimension encore, menaçant l'existence de toutes les grandes espèces, peut tomber en moyenne tous les cent millions d'années.

Parmi les quelque 7 700 objets célestes passant dans les parages de la Terre et répertoriés aujourd'hui (dont 823, à ce jour, font au moins un kilomètre de diamètre), deux sont classés au niveau un de l'échelle de Turin qui sert à mesurer leur probabilité de percuter la Terre : l'astéroïde 2007 VK184 (130 mètres de diamètre) a une chance sur 3 000 d'entrer en collision avec la Terre le 3 juin 2048 ; et l'astéroïde 2011 AG5 (140 mètres de diamètre), dont la probabilité de collision avec notre planète, le 5 février 2052, est pour le moment estimée à une sur 9 000. La plus proche menace vient de l'astéroïde 99942 Apophis : il mesure 350 mètres de diamètre et n'a, selon les calculs actuels qu'une chance sur 45 000 de frapper la Terre en 2036 ; il est donc classé au niveau zéro sur l'échelle de Turin à une date incertaine. Cependant, s'il touchait un continent, son impact correspondrait à une bombe de 500 mégatonnes qui pourrait rayer de la carte du monde un pays de la taille de la France.

Là encore, on ne voit pas comment les instances internationales actuelles, dont aucune n'est explicitement compétente, pourraient préparer, éviter ou gérer un tel choc.

Le monde en 2030

Si de telles évolutions se concrétisaient, autrement dit si ces tendances se prolongeaient, indépendamment de toute catastrophe systémique, voici à quoi ressemblera approximativement le monde en 2030.

Le PIB mondial sera environ le double de celui d'aujourd'hui pour une population mondiale qui aura augmenté de 15 % pour atteindre 8,5 milliards. L'espérance de vie atteindra en moyenne 72,8 ans. Plus de 2 milliards de personnes seront âgées de moins de 20 ans. Plus d'un milliard auront plus de

65 ans. Plus de 7 milliards posséderont un téléphone mobile et s'en serviront comme moyen de paiement. Plus de 4 milliards auront accès à Internet. Plus de 2 milliards tiendront un blog. Près de 5 milliards seront inscrits à des réseaux sociaux ou à ce qui les aura alors remplacés. Près d'un milliard de personnes vivront dans un autre pays que celui où elles sont nées. Soixante pour cent de la population mondiale vivront dans des villes d'Afrique et d'Asie, dont la moitié dans des bidonvilles. La demande en énergie sera encore couverte à hauteur de 75 % par des énergies fossiles (notamment le charbon) ; la consommation annuelle de pétrole dépassera les 100 millions de barils à des prix beaucoup plus élevés. Pour maintenir la consommation alimentaire au niveau actuel, il faudra produire 20 kilos de poisson et 50 kilos de viande par habitant et par an, ce qui exigera l'industrialisation de leur production. Près de la moitié de l'humanité survivra avec moins de deux dollars par jour. En Asie, le nombre de pauvres sera divisé par deux (de 60 % à 30 %), tandis qu'il augmentera massivement en Afrique. Vingt pays et 48 % de la population mondiale, soit 3,5 milliards de personnes, souffriront du manque d'eau. À l'autre extrémité, la fortune se concentrera entre les mains de quelques dizaines de milliers d'oligarques. On dénombrera 30 000 jets privés ; 1 % de la population de la planète possédera 35 % du patrimoine mondial.

À moins d'une réduction considérable des interdits, c'est-à-dire de la légalisation de l'usage, de la production et de la distribution des drogues et de la prostitution, l'économie criminelle représentera plus de 15 % du PIB mondial, soit presque autant que le PIB de l'Union européenne. La mafia prendra le pouvoir dans de nombreux pays. Elle disposera de moyens militaires considérables. Elle sera heureusement divisée en un certain nombre de forces qui se livreront une guerre sans merci pour le contrôle des marchés, en même temps qu'elles voleront, attaqueront, enlèveront les gens honnêtes.

Les institutions internationales, tout comme les instances étatiques et les ONG, deviendront de simples alibis utilisés pour tenter de rendre supportables les injustices et les horreurs du monde. Certaines se déferont, faute de moyens ; d'autres seront investies par les forces de l'économie criminelle, qui pourraient même en arriver à créer *ex nihilo* des institutions internationales, des ONG, voire des États à leur dévotion pour blanchir leur argent. Ce n'est pas là de la science-fiction : de tels États, de telles ONG existent déjà.

Les puissants ne s'intéresseront au long terme que pour écarter les menaces qui planent sur eux et dominer leurs rivaux, et non pas pour écarter les périls pesant sur l'humanité. Les États-Unis et la Chine se partageront un peu d'influence sur un monde où chacun jouera de plus en plus égoïstement ses cartes. L'Europe sera la principale victime du renforcement du pouvoir américain, puis du G2 entre la Chine et les États-Unis, puis de la désarticulation du monde.

Il arrivera alors à l'humanité ce qui advient à tout pays en de telles circonstances : dans un sauve-qui-peut général, les plus puissants chercheront refuge en des lieux isolés, îles ou bunkers ; pour les autres, le premier recours sera l'assurance, substitut aux États en termes de protection ; quand ils auront compris que l'assurance est impuissante et que la fuite est impossible, restera la distraction sous toutes ses formes. Ces deux types d'entreprises seront devenus les maîtres des marchés mondiaux.

LE DOUBLE VERT

Le marché et la démocratie seront alors dénoncés comme responsables de l'essentiel des nouvelles menaces et de l'impuissance générale à les détourner. L'assurance et la distraction ne suffiront pas à rassurer les peuples. Le chaos les conduira à une demande d'ordre, fût-il totalitaire. Et à la victoire sans doute provisoire de mouvements identitaires promettant la stabilité, érigeant à nouveau des frontières et niant la démocratie.

Comme on a vu émerger des idéologies totalitaires dans les années 1920, on en verra apparaître d'autres qui tenteront d'imposer de nouvelles règles de vie pour esquiver certaines menaces.

En réponse aux risques systémiques mondiaux, on verra notamment surgir une idéologie écologique planétaire prônant la réduction de la production pour diminuer la consommation d'énergie et atténuer les risques de pollution, et imposant des restrictions en tous domaines au nom de la frugalité et du long terme.

Par ailleurs, une idéologie religieuse – ou plusieurs – tentera elle aussi d'imposer des règles conformes aux exigences d'un au-delà où résidera, selon elle, l'unique espoir de salut.

Ces deux idéologies fondamentalistes, écologique et religieuse, convergeront : l'une et l'autre diront que le destin des hommes est réglé d'avance et que le vrai maître du monde est ailleurs – Nature ou Dieu. L'une et l'autre, en quête de pureté, dénonceront l'Occident. L'une et l'autre diront penser au bonheur à long terme des hommes.

Pourrait même émerger un jour une idéologie associant les deux doctrines : un fondamentalisme religieux et écologique à la fois. Un oxymoron, comme le fut le national-socialisme.

On le voit déjà prendre son essor au Brésil, où se développe un fondamentalisme évangélique éminemment soucieux de protection de l'environnement. De même, en 2002, Ben Laden, dans sa *Lettre à l'Amérique*, accusa les États-Unis de détruire la nature, plus qu'aucune autre nation, par l'émission de gaz à effet de serre et par la production de déchets industriels. En janvier 2010, il rendait « toutes les nations occidentales » coupables du changement climatique. En octobre 2010, il soutenait que les victimes du changement climatique étaient plus nombreuses que les victimes de guerres, et invitait à la « révision des directives de sécurité concernant tous les barrages et les ponts ».

Tel est le monde qui s'annonce. Un monde impossible à vivre, qu'il nous faut donc d'urgence oser rêver tout autre.

Et pourtant, le monde dispose de formidables atouts pour l'avenir. S'il savait s'organiser, il pourrait réussir une forte croissance écologiquement et socialement durable. L'humanité dispose pour cela de compétences, de technologies, de ressources financières, d'entrepreneurs, de créateurs. Reste à s'organiser.

9

Un gouvernement idéal du monde

Dans bien des anciennes traditions, le roi idéal n'est pas celui qui demande à régner, mais celui que le peuple réclame. Tel serait le gouvernement idéal du monde : celui qui s'imposerait par le désir unanime de l'humanité.

Ce gouvernement ne saurait être celui d'un seul pays, d'un seul empire, d'un seul maître : l'humanité n'acceptera jamais d'être durablement aux ordres de quelques-uns. En outre, aucun pays, si puissant soit-il, n'aura jamais, on l'a vu, les moyens de financer la sécurité et la solidarité nécessaires aux 9 milliards d'habitants que comptera la planète en 2050 ; ni de maîtriser tous les enjeux dont il a été question au chapitre précédent ; ni de valoriser toutes ses potentialités.

L'heure est venue pour l'humanité de se doter au plus vite des instruments nécessaires à la maitrîse de son destin, et, pour cela, de mettre en place un gouvernement démocratique du monde. Non pour des raisons idéologiques ; simplement parce que c'est le seul moyen d'espérer durablement survivre.

Parce qu'il ne peut pas y avoir de marché efficace ni juste sans état de droit, ni d'état de droit mondial sans État mondial disposant des moyens de le faire respecter. Parce qu'il n'existe aucun autre moyen de construire un monde dans lequel chaque femme, chaque homme vivant ou à venir aurait les mêmes droits et les mêmes devoirs, et dans lequel les intérêts de la planète, de toutes les formes de vie et des générations à venir, seraient enfin pris en compte. Dans lequel toutes les sources de croissances seraient utilisées de façon écologiquement et socialement durable.

Un tel gouvernement ne remplacerait pas les gouvernements de chaque nation. Ceux-ci veilleraient, lorsqu'ils en seraient capables, sur les droits spécifiques, sur l'identité culturelle de chaque peuple. Le gouvernement du monde serait en charge des intérêts généraux de la planète, qui peuvent contredire les intérêts de chaque nation ; il vérifierait que chaque État respecte les droits de chaque citoyen de l'humanité en veillant à empêcher la propagation de risques systémiques mondiaux. Il permettrait d'éviter à la fois l'empire d'un seul et l'anarchie de tous.

Un tel gouvernement s'appuierait aussi sur des relais continentaux, pour ne pas avoir à gérer de loin des problèmes spécifiques. Il devrait s'accommoder d'une économie de marché et en constituer le nécessaire contrepoids démocratique, pour en utiliser au mieux les formidables potentialités.

Un tel gouvernement pourrait difficilement surgir de l'action d'un conquérant ou d'une superpuissance, même si cette hypothèse a été la source de bien des romans et des films de science-fiction ; ni de la victoire d'une idéologie globale comme celles dont il a été question au chapitre précédent et dont, là encore, la littérature et le cinéma ont largement traité.

Il pourrait plus vraisemblablement surgir d'une guerre et être conçu pour éviter son retour. Ce ne serait pas la première fois : ce fut déjà l'objet du « Concert des nations » en 1815, de la Ligue des nations en 1920, de l'Organisation des Nations unies en 1945. À chaque fois, on l'a vu, en vain. Parce qu'à chaque fois le prétendu « gouvernement du monde » ne disposait d'aucun moyen de prendre des décisions ni de mettre en œuvre des sanctions contre ceux qui ne le respectaient pas.

Il pourrait plus vraisemblablement encore venir de l'imminence d'un des désastres systémiques majeurs évoqués au chapitre précédent : désordres écologiques extrêmes, crise économique majeure, montée en puissance d'une économie criminelle, imminence de la chute d'une météorite, prégnance d'un mouvement terroriste inciteraient enfin les gouvernements démocratiques du monde à joindre leurs forces.

On peut alors espérer que l'humanité, à l'image de ce que firent jadis quelques cantons formant la Suisse, prendra conscience, avant toute catastrophe, de la nécessité de s'unir. Et qu'elle mettra rationnellement en place, à froid, les institutions démocratiques capables d'assurer sa survie et de se développer au mieux.

Aussi est-il nécessaire de penser dès maintenant à ce que pourrait être un tel gouvernement idéal du monde, ce que devraient être ses institutions, comme des modèles vers lesquels il faudra un jour tendre.

L'exercice n'est ni vain ni illusoire : l'Histoire, on l'a vu au long des chapitres précédents, a bien plus d'imagination que nombre de romanciers, et la réalité est souvent plus créative que les utopies.

Bien des penseurs se sont employés à toutes les époques à penser le gouvernement mondial – certains, on l'a vu aussi, très en avance sur leur temps ; ce dont ils ont rêvé il y a quatre ou cinq siècles est parfois devenu une évidence, parfois resté à l'état de projet plus ou moins irréaliste. Leur but, en général, était de maintenir la paix entre les nations. Et, pour certains, de préserver un statu quo favorable à la puissance dont ils étaient les ressortissants.

Demain, la préservation de la paix restera la mission première de toute nouvelle forme d'organisation du monde. Mais elle ne sera plus la seule : les hommes, on l'a vu, influent les uns sur les autres par bien d'autres moyens que la paix et la guerre. Pour le meilleur et pour le pire.

Comment y parvenir ? La situation mondiale ne renvoie pas aux situations révolutionnaires nationales. Il ne s'agit pas ici de réformer un État imparfait ; il n'y a pas de bastille à prendre, pas de monarque à détrôner, pas de ministères ou de palais nationaux à occuper. Non seulement il n'y a pas de pilote dans l'avion, mais il n'y a pas de cabine de pilotage. On ne peut donc penser en termes de prise de pouvoir dans un appareil de pouvoir préexistant. Il faut constituer une architecture neuve, comme le firent les Suisses ou les Américains du Nord.

C'est à la fois une difficulté et une chance. Une chance pour penser, une difficulté pour agir. Un gouvernement mondial, si nécessaire soit-il, ne devra pas se résumer à la ratification de la toute-puissance de quelques-uns. Il ne devrait pas imposer à tous une nouvelle phase de totalitarisme au nom des générations à venir, au moment précis, justement, où de plus en plus d'hommes se libèrent de leurs dictatures nationales.

Au fil des dernières décennies, des utopistes ont commencé à en parler, jusqu'à rendre l'idée, de prime abord improbable, de plus en plus sérieuse.

LES UTOPIES THÉORIQUES

Depuis la Seconde Guerre mondiale, le débat théorique sur le gouvernement mondial s'est accéléré. En dehors de l'action des mouvements politiques, dont il fut question plus haut, des réflexions théoriques peuvent aider à penser le gouvernement idéal.

Pour certains auteurs, se dire « citoyen du monde » ne fut d'abord qu'une posture, parfois même une justification de l'inaction. Ainsi, l'écrivain argentin Jorge Luis Borges ne se dit tel (« Cette idée de frontières et de nations me paraît absurde. La seule chose qui peut nous sauver est d'être des citoyens du monde ») que pour se justifier de ne pas avoir pris parti contre la dictature qui sévissait alors dans son pays.

Pour d'autres, en revanche, c'est l'occasion de fournir de véritables projets mondialistes. Depuis la création de l'Organisation des Nations unies, les essais proposant de meilleurs gouvernements du monde n'ont pas manqué. Ainsi, dès 1945, Karl Popper, dans *La Société ouverte et ses ennemis*, parle d'un gouvernement mondial doté d'une branche exécutive armée.

En mars 1948, le comité de Chicago publie, dans *Common Cause*, un Preliminary Draft of a World Constitution. Ce projet vise à créer une République fédérale mondiale, aux pouvoirs très larges, assurant la paix et la sécurité internationales, mais aussi la justice, comme l'affirme son Préambule : « Peace and justice stand together. » Cette République mondiale aurait pour institutions :

– un Parlement de 99 « législateurs mondiaux », élus par des « grands électeurs » (rassemblés dans une « Convention fédérale ») eux-mêmes désignés dans le cadre de 9 circonscriptions régionales correspondant à de grandes aires civilisationnelles (il y aurait ainsi un représentant pour 22 millions d'habitants) ;

– un « Sénat syndical » rassemblant des représentants des travailleurs et des entreprises ;

– un Président ;

– un tribunal constitutionnel (qui connaîtrait des litiges impliquant le gouvernement mondial, y compris dans ses rapports avec les États ou les individus) et une cour d'appel ;

– une « tribune du peuple », chargée de la représentation et de la protection des minorités ;

– une « chambre de gardiens », compétente en matière de Défense ;

– une agence de planification, compétente en matière de développement économique ;

– un « institut de la science, de l'éducation et de la culture ».

La République mondiale disposerait d'une armée mondiale, et aurait, outre l'encadrement des forces armées nationales, de nombreuses compétences :

– la supervision des changements affectant les États (création de nouveaux États, modification des frontières…) ;

– la protection des droits de l'homme (avec notamment un « bill of rights and duties ») ;

– la supervision des moyens de communication et de transport, et la régulation des flux migratoires ;

– la régulation du commerce mondiale et la gestion d'une monnaie et d'une fiscalité mondiales.

Les États-nations ne devaient donc pas être supprimés a priori, mais la logique voulait qu'ils disparaissent progressivement, pour laisser place à la souveraineté exercée par un peuple composé d'hommes égaux.

L'avènement de la République mondiale devait venir d'une initiative populaire, de la pression des « citoyens du monde » sur leurs gouvernements.

Plusieurs autres auteurs bien plus récents, parmi beaucoup, méritent d'être cités :

En 2000, Jürgen Habermas, dans *Après l'État-nation : une nouvelle constellation politique*, explique qu'un gouvernement mondial, communauté cosmopolitique, est nécessaire, dans le seul domaine des droits de l'homme, et avec des moyens militaires pour réagir à leurs violations les plus graves.

Il propose « la création du statut politique de citoyens du monde, relevant de l'organisation mondiale non seulement par le biais de leurs États, mais par l'intermédiaire de représentants élus par eux et siégeant dans un Parlement mondial ; la création d'une Cour pénale internationale ; la transformation du Conseil de sécurité en véritable pouvoir exécutif ».

La légitimation démocratique des décisions qui seront prises à l'échelle mondiale pourra être renforcée par « une participation institutionnalisée d'organisations non gouvernementales aux délibérations des systèmes internationaux de négociation » (qui renforcerait la transparence de la prise de décision) ; par « la proposition qui a été faite de conférer à l'ONU le droit de demander aux États membres d'organiser à tout moment des référendums sur des sujets importants ». Habermas donne pour exemples l'environnement, l'égalité entre les sexes, l'interprétation des droits de l'homme et la pauvreté.

En 2000, Toni Negri et Michael Hardt, dans *Empire*, partent du double constat d'un déclin progressif de la souveraineté des États-nations et de l'émergence d'une nouvelle forme de souveraineté, composée d'une série d'entités nationales et supranationales : ce qu'ils nomment l'« Empire », forme du monde organisée autour du capitalisme – un « tout sans dehors » – et de l'idéologie qu'il véhicule. Dans ce monde, le pouvoir « monarchique » des Américains est contrebalancé par le pouvoir « aristocratique » des acteurs du marché mondial et par le pouvoir « démocratique » des plus démunis. Negri et Hardt proposent d'instituer une citoyenneté mondiale comme « premier élément d'un programme politique pour la multitude mondiale », sur le modèle de l'Union européenne, qui pourrait être l'un des moteurs de cette citoyenneté mondiale.

En 2003, dans une analyse très subtile, Zhao Tingyang, chercheur à l'Académie chinoise de sciences sociales à Pékin, explique (dans *Le Monde sans vision du monde* et dans *Le Tout-ce-qui-est-sous-le-Ciel, ou Tianxia en tant qu'institution du monde*) qu'un Occidental ne peut imaginer le gouvernement du monde que sous la forme d'une Organisation des Nations unies parce que, du fait de l'histoire européenne, il ne peut penser qu'en termes d'États-nations. L'Occident ne peut pas penser le monde comme Un, mais seulement par des relations entre les nations, de plus en plus rivales ; il n'en émergera jamais un véritable gouvernement mondial. Selon lui, il faut donc penser directement « monde » : « Le monde dans lequel nous sommes correspond bien plus à une unité géographique qu'à une unité politique [...], car il n'existe aucune société mondiale réelle, cohérente, qui correspondrait à une institution mondiale reconnue de tous. » Il faut remplacer l'« internationalité » des Occidentaux par une « mondialité » (*worldness*). La cohérence de ce système serait maintenue par « l'harmonie intérieure de la diversité », qui s'obtiendra par une « amélioration confucéenne » de chacun, créant une situation dans laquelle l'intérêt général est mieux satisfait par la coopération entre les acteurs que par leur compétition.

Cela renvoie, pour lui, au concept fondateur de l'empire chinois, le *Tianxia* (qu'on peut traduire par « tout-ce-qui-est-sous-le-Ciel », ou « harmonie de tous les peuples », ou « système politique mondial ») : Tianxia est à la fois le monde physique (la Terre), le monde psychologique (le sentiment général des peuples) et le monde institutionnel (l'institution mondiale). Tout ce qui vit sous le ciel doit, pour lui, participer de ce Tianxia, gouvernement harmonieux du monde. Le Tianxia, empire du monde à la chinoise, ne reproduira pas, dit-il, les erreurs de l'Empire romain, qui domina par la conquête militaire ; ni celles de l'universalisme chrétien, qui domina par la religion ; ni celles de la paix perpétuelle selon Kant, qui domina par l'imposition d'une culture universelle impérialiste. Comme le faisait jadis l'empereur chinois, demain, le

Tanxia mettra le monde en ordre au lieu de le dominer.

Dans le même sens, et plus clairement impérialiste, l'économiste chinois Sheng Hong (directeur de l'institut économique indépendant Tianzé de Pékin et professeur à l'université du Shandong, bastion du confucianisme) parle du tianxiaïsme comme de la doctrine qui devrait permettre à la Chine de dépasser la civilisation occidentale et d'ouvrir la voie à la paix universelle. D'après Sheng, contrairement au nationalisme occidental, qui fonde l'unité du groupe sur des critères ethniques ou culturels, le tianxiaïsme propose « un cadre identitaire commun pour l'humanité entière ».

Pour ces deux penseurs, il s'agit de gérer le monde comme l'était l'Empire de Chine. Mais aussi, peut-être, de faire du monde un empire chinois.

En 2003, à l'inverse, dans *La Fin de l'histoire et le dernier homme*, le professeur américain Francis Fukuyama défend la suprématie américaine. Pour cela, il imagine la création d'un « État universel » « reposant sur le double pilier de l'économie et de la reconnaissance ». Pour lui, il ne faut pas commencer par songer à un gouvernement du monde. Il existe aujourd'hui trop d'institutions internationales (« le monde du multi-multilatéralisme existe déjà ») ; elles sont inefficaces et non réformables ; et un élargissement du Conseil de sécurité à de nouveaux membres permanents ne ferait qu'augmenter les blocages, car aucun des membres permanents actuels n'acceptera, pense-t-il, de renoncer à son droit de veto. Et, en premier lieu, les États-Unis. Il propose donc de se concentrer plutôt sur la construction d'organisations régionales, les unes autour de l'Atlantique, les autres autour du Pacifique. Pour l'Atlantique, il suggère de renforcer l'OTAN, en obligeant tous les pays membres, y compris les États-Unis, à se conformer à ses décisions, prises à la majorité avec un système de voix pondérées. Pour l'Asie, Fukuyama suggère la création de deux organisations : l'une, dans l'esprit de l'OSCE, dont la Chine serait membre, aiderait au règlement des différends entre pays ; l'autre, qui ne regrouperait que les démocraties de la région en une zone d'intégration économique (sorte de Marché commun asiatique), se doterait ultérieurement d'un pacte de sécurité (sorte d'OTAN asiatique). La première de ces deux institutions chercherait à satisfaire la Chine ; l'autre pourrait lui répliquer si elle adoptait une attitude agressive.

À l'échelle mondiale, Fukuyama propose de donner corps ensuite à une institution restée jusqu'ici confidentielle, la Communauté des démocraties, créée à Varsovie en 2000, regroupant en théorie toutes les démocraties du monde. Cette communauté pourrait se voir dotée de moyens de promouvoir la démocratie de par le monde, tels que l'envoi d'observateurs en période électorale et l'organisation de formations à la vie démocratique ; elle pourrait en particulier jouer un rôle dans la démocratisation des pays du Moyen-Orient et relancer le projet « Greater Middle East », élaboré en 2004 par les États-Unis et discrédité par l'identité même de son initiateur. Le mot lui-même renvoie au concept de « plus Grande-Bretagne », idéologie de l'impérialisme britannique. En fait, c'est toujours l'idée jeffersonienne d'empire de la Liberté, pour la Liberté.

En 2006, dans *Cosmopolitan Vision*, le philosophe allemand Ulrich Beck, qui s'intéresse d'abord au problème des migrations, propose la création d'un « État mondial cosmopolite » dans lequel les hommes se sentiraient reliés par une double loyauté au monde et à la nation, au *cosmos* et à la *polis*, double allégeance qui les rendrait à la fois universels et particuliers. Cela serait rendu possible par la formation d'un État mondial fondé sur la tolérance et le dépassement des différences nationales. Beck définit ce « cosmopolitisme » comme « le nouveau concept dominant quant à la manière d'insérer la mondialisation dans la politique, l'identité et la société [...]. Le nationalisme est affaire de distinctions et de loyautés exclusives, le cosmopolitisme est affaire de distinctions et de loyautés inclusives [...]. Il est donc possible d'avoir tout à la fois des ailes et des racines, et de développer des affiliations riches de sens sans pour autant renoncer à ses origines ». Le cosmopolitisme « ne doit pas être confondu avec l'idée d'un État mondial centralisé ». Pour Beck, le cosmopolitisme n'est pas si loin de la réalité d'aujourd'hui : « Tout pays qui met la démocratie et les droits de l'homme au-dessus de l'autocratie et du nationalisme est déjà sur la voie de l'État mondial cosmopolite centralisé. » Le proche avènement d'un État mondial cosmopolite s'inscrit pour lui dans la logique de l'Histoire : « Comme la paix de Westphalie a mis un terme aux guerres de religions des XVIe et XVIIe siècles en séparant État et religion, demain la séparation de l'État et de la nation pourrait apporter une réponse aux guerres des XXe et XXIe siècles. Comme l'État non religieux a rendu possible la pratique de religions différentes, l'État cosmopolite pourra garantir la coexistence dans un même ensemble de plusieurs identités nationales. [...] Au milieu du XVIIᵉ siècle, un État laïc était inconcevable ; il était même synonyme de fin du monde. De nos jours, un État [mondial] non national semble presque tout aussi impensable. »

Pour y parvenir, il faudrait donc « donner des règles mondiales au capitalisme "sauvage" » et « obliger les États-nations à s'ouvrir au cosmopolitisme ».

LE PROJET FÉDÉRAL

À partir de tout ce qui précède, on peut dessiner ce que pourrait être, hors de toutes contraintes historique et géopolitique, le meilleur des gouvernements du monde. Il serait nécessairement fédéral, décentralisé, transparent, démocratique, en charge des seuls sujets planétaires, préoccupé des enjeux du long terme. Il devrait être capable de répondre aux deux types de risques identifiés plus haut : ceux d'une propagation planétaire d'une violence à partir d'un point du globe mal contrôlé ; ceux d'un choc immédiatement global. Les premiers risques exigeraient des moyens d'ingérence. Les seconds exigeraient des moyens d'action globale. Il devrait aussi être capable de mettre en valeur toutes les potentialités du monde. Un gouvernement mondial pouvant y répondre allierait aussi idéalement l'équilibre des pouvoirs de la Constitution américaine, les préoccupations économiques et sociales des pays d'Europe du Nord, le sens du long terme de la société chinoise.

Il se trouve ici décrit sans qu'on se préoccupe de savoir s'il est concrètement imaginable. On verra, au

chapitre suivant, comment s'en approcher concrètement avant qu'il ne soit trop tard.

Un tel gouvernement, prenant en compte l'intérêt
général de la planète et de l'humanité, ne pourrait
donc être simplement multilatéral. Il devrait posséder
une certaine dimension de supranationalité sans pour
autant être centralisé. D'où le fédéralisme.

Plus précisément, le meilleur gouvernement du
monde serait une démocratie de type fédéral dans
laquelle les nations joueraient à plein leur rôle, rassemblées en ensembles continentaux.

Le fédéralisme obéit à trois principes : la *séparation*, qui consiste à répartir les compétences législa-
tives entre gouvernement fédéral et gouvernements
fédérés ; l'*autonomie*, qui permet à chaque niveau de
gouvernement d'être seul responsable dans son
domaine de compétence ; l'*appropriation*, grâce à
laquelle les entités fédérées, représentées au sein des
institutions fédérales et participant à l'adoption des
lois fédérales, éprouvent un sentiment d'appartenance
à la communauté et à ses règles, et ont la certitude de
la capacité du centre de maintenir la diversité et le
compromis.

Les systèmes fédéraux peuvent être « symé-
triques » (toutes les unités fédérées jouissent du même
statut, comme en Allemagne ou en Suisse) ou « asy-
métriques », avec une souveraineté plus grande
reconnue à certaines régions (comme en Espagne ou
en Inde).

Toute société fédérale doit aussi se doter des instruments nécessaires à la révision périodique de son
modèle.

À partir de tout ce qui précède, voici ce que pourrait être le modèle idéal (il va sans dire que je n'en cite ici que les principes directeurs, sans entrer dans le détail de la mise en œuvre).

DROITS ET DEVOIRS
DES CITOYENS DU MONDE

Le respect de l'humanité par elle-même exige d'abord qu'elle ait une idée claire de ce qu'elle est, de ses droits et de ses devoirs. Qu'elle s'approprie son destin.

L'humanité doit être définie comme l'ensemble des êtres humains passés, présents et à venir. Dans la mesure où il n'existe plus, depuis trente mille ans, qu'une seule espèce humaine, la définition n'en est pas difficile : certains la nomment *Homo sapiens sapiens* ; d'autres, *espèce humaine*.

Il convient ensuite de définir les droits et devoirs de cette espèce. L'humanité a des droits et des devoirs spécifiques, distincts de ceux des autres espèces vivantes et de ceux de la planète elle-même. L'humanité a le droit de vouloir survivre, même s'il lui faut pour cela se défendre contre d'autres formes de vie.

Les droits et devoirs de l'espèce ne se confondent pas avec ceux de chaque être humain. Enfin, les droits de chaque être humain passé et à venir sont autant de devoirs des contemporains.

Chaque être humain doit disposer d'une « citoyenneté mondiale ». Nul ne doit plus être « apatride ». Chacun doit se sentir chez lui sur la Terre. Chacun doit avoir le droit de quitter le pays de sa naissance, d'être reçu au moins temporairement dans tout autre pays où il en fera la demande.

Chaque être humain doit avoir droit à un ensemble de biens publics mondiaux : l'air, l'eau, la nourriture, le logement, les soins, l'éducation, l'emploi, le crédit, la culture, l'information, un revenu équitable pour son travail, la protection en cas de maladie ou d'infirmité ; la diversité du mode de vie, la vie privée, la transparence, la justice, le droit à migrer et celui de ne pas quitter son pays ; la liberté de conscience, de religion, d'expression, d'association ; la fraternité ; le respect de l'autre, la tolérance, la curiosité, l'altruisme, le plaisir de faire plaisir, le bonheur trouvé à rendre l'autre heureux, la diversité des cultures et des conceptions du bonheur.

Le droit à certains de ces biens est déjà consacré, au moins en principe, dans des instruments internationaux, notamment dans la Déclaration universelle des droits de l'homme, le Pacte international relatif aux droits civils et politiques et le Pacte international relatif aux droits économiques, sociaux et culturels. Beaucoup d'autres droits ne sont pas cités dans ces déclarations, en particulier des droits économiques et sociaux des générations futures. De plus, la plupart d'entre eux restent théoriques.

Réciproquement, chaque être humain a des devoirs à l'égard des autres êtres humains, des générations suivantes, des autres espèces vivantes et de la planète. L'humanité a en particulier le devoir de montrer de l'empathie à l'égard des générations à venir et des autres espèces nécessaires à sa propre survie. Elle doit donc considérer comme de son devoir de créer les conditions pour que les prochaines générations et les autres espèces puissent exercer leurs droits. Elle doit disposer d'un accès à l'ensemble de ses ressources, et en particulier au savoir accumulé.

L'ensemble des lois mondiales et l'ensemble des traités internationaux existants seront regroupés dans un *Code mondial* qui aura une valeur juridique supérieure à celle des constitutions nationales.

SUBSIDIARITÉ ET INGÉRENCE

Un État mondial devra disposer des moyens de faire respecter ce *Code mondial*.

L'organisation d'un tel État devra se fonder sur l'apport de toute la réflexion constitutionnelle des derniers millénaires. En particulier, il devra respecter le principe de subsidiarité, quand ce sera possible, et celui d'ingérence, lorsque ce sera nécessaire.

Autrement dit, il ne devra agir que quand aucun niveau inférieur, plus proche des citoyens, continental, national ou local, ne pourra le faire mieux que lui. Il ne devra s'ingérer dans les affaires d'un pays que dans les domaines où son comportement peut menacer les droits des autres. La liste de ces domaines correspond à celle des risques systémiques mondiaux examinés au chapitre précédent.

Pour rendre effectif cet état de droit dans un contexte démocratique, il faudra qu'un Parlement mondial vote les lois nécessaires, qu'un gouvernement mondial les mette en œuvre, qu'un pouvoir judiciaire mondial condamne leurs violations.

Toutes ces institutions seront décrites dans une Constitution mondiale dont l'actuelle Déclaration universelle des droits de l'homme formera le préambule.

Un Parlement tricaméral

À la différence des parlements nationaux actuels, qui confèrent un pouvoir absolu aux contemporains, le Parlement mondial devra tenir compte des exigences du long terme, considérées en général comme incompatibles avec l'exercice de la démocratie. Pour remplir cet objectif, il devra être subdivisé en trois chambres : une « Assemblée mondiale » en charge de représenter les intérêts de chaque citoyen du monde d'aujourd'hui ; un « Sénat des nations » en charge de représenter l'intérêt des nations ; une « Chambre de patience » en charge de représenter les générations futures et le reste du règne du vivant.

La mission principale de l'Assemblée mondiale sera de voter les lois mondiales, en particulier de voter le budget destiné à financer les opérations planétaires en réponse aux risques systémiques évoqués plus haut et à réaliser toutes les potentialités de la croissance planétaire. Ses 1 000 membres seront élus au suffrage universel indirect à cinq niveaux par les citoyens du monde réunis dans des circonscriptions de taille égale. Ils seront élus pour cinq ans sur la base de listes proposées par des partis mondiaux. Chaque élu mondial s'appuiera sur un comité consultatif rassemblant des citoyens. L'Assemblée mondiale désignera le chef du gouvernement, qui choisira ses ministres et viendra présenter son programme devant elle. Il appartiendra au Parlement mondial de décider du caractère public ou privé des entreprises produisant des biens publics mondiaux.

La mission principale du Sénat des nations sera de gérer les litiges territoriaux, de veiller au respect de l'équilibre géopolitique et d'assurer une réelle équité dans la répartition géographique des ressources par une politique planétaire d'aménagement du territoire. Il participera à la rédaction des lois mondiales et obéira aux mêmes règles que l'actuelle Assemblée générale de l'Organisation des Nations unies, laquelle pourra en être la préfiguration. Il rassemblera deux élus par pays, quel que soit le nombre d'habitants de chacun d'eux.

La mission principale de la Chambre de patience sera de veiller au respect des grands équilibres de long terme, à la soutenabilité du développement, au meilleur usage des technologies et des ressources financières, à l'équilibre de l'État planétaire, à l'indépendance et à la compétence de l'administration planétaire. Elle sera composée de 500 membres recrutés par concours et sur des critères objectifs de compétence, tels le prix Nobel ou d'autres récompenses internationalement reconnues. Cette Chambre établira d'abord un projet de très long terme décrivant ce que pourraient être l'humanité et la planète dans un siècle, dans toutes leurs dimensions démographiques, économiques et écologiques. La Chambre de patience devra réfléchir en particulier à des projets de très long terme tels que développer l'altruisme et la gratuité, contrecarrer le changement climatique d'origine anthropique, imaginer de nouvelles façons de boire, de se nourrir, de respirer, de vivre, sous l'eau ou à des températures extrêmes, de coloniser l'univers, voire de « sur-vivre » en se transformant génétiquement pour devenir capable d'affronter des conditions radicalement différentes. Elle devra en déduire un « Plan mondial » à vingt ans, projet évidemment indicatif, révisable tous les cinq ans. Elle proposera ensuite des textes de loi à l'Assemblée mondiale et nommera les responsables d'agences indépendantes dont il sera question plus loin. Le mandat des membres de cette Chambre sera de dix ans, non renouvelable. Il leur sera interdit de cumuler cette fonction avec toute autre, hormis celles susceptibles de maintenir leur niveau d'expertise.

Rattachés à la Chambre de patience, un Conseil économique et social, un Conseil d'expertise technologique et une Agence d'éthique devront vérifier l'impact sur l'espèce humaine et sur la planète des choix faits en matière de technologies.

Un accord entre les trois chambres sera nécessaire pour l'adoption de toutes les lois, sauf pour le budget, qui sera de la compétence exclusive de l'Assemblée mondiale.

Par ailleurs, tout citoyen pourra proposer la tenue d'un référendum mondial sur un sujet quelconque d'importance mondiale. L'initiative sera de droit si la pétition réunit 5 % du corps électoral mondial. Les sujets approuvés par référendum seront préalablement débattus par les chambres.

Un exécutif planétaire

Un *heptavirat* – conseil de sept membres choisis pour sept ans, non rééligibles – symbolisera l'unité du monde et exercera l'autorité morale nécessaire au respect de la Constitution mondiale. Ses membres seront garants des intérêts de l'espèce humaine et ambassadeurs de l'intérêt général. Chacune des trois chambres désignera deux membres de ce conseil, et les six en choisiront un septième. La présidence de l'heptavirat sera annuelle et tournante.

Le gouvernement mondial préparera, proposera, fera voter et exécutera le budget du monde. Un Premier ministre sera choisi pour cinq ans par l'Assemblée. Il choisira ses ministres. Chaque ministre sera assisté par un adjoint haut fonctionnaire (sur le modèle britannique) et par un conseil indépendant. Le gouvernement du monde proposera des textes de loi, contrôlera le respect du *Code mondial* et veillera à la mise en œuvre des investissements nécessaires à la réalisation des objectifs du Plan mondial. Il devra s'assurer de la qualité de la production et de la bonne distribution de biens publics mondiaux. Un système de revenu minimal et de sécurité sociale mondial planétaire sera progressivement mis en place. Il devra prendre toutes les mesures nécessaires, y compris d'ingérence, pour écarter les menaces systémiques évoquées plus haut, en matière écologique, nucléaire, démographique, financière, etc. Il devra également prendre les mesures réglementaires et financières nécessaires pour protéger la diversité des cultures.

Pour remplir ses missions, le gouvernement mondial s'appuiera sur une administration mondiale de haut niveau. Celle-ci définira des méthodes et des critères de recrutement hors de toute interférence politique, sous contrôle de la Chambre de patience.

Elle devra en particulier disposer de moyens de police pour faire respecter le *Code mondial*, lutter contre l'économie criminelle, défendre la démocratie et écarter les menaces systémiques globales. Le chef de cette police sera nommé par le gouvernement mondial, et sa nomination devra être approuvée par les deux chambres hautes. Sans cette force de police planétaire, et sans les moyens judiciaires assurant son efficacité démocratique, tout ce qui précède serait vain.

Par ailleurs, une force de défense et de prévention contre les météorites sera mise en place. Elle sera recrutée sur concours par une Haute Autorité indépendante sous contrôle de la Chambre de patience. Elle disposera de moyens d'analyse, d'observation et de destruction d'astéroïdes.

Un Bureau d'évaluation indépendant estimera la qualité professionnelle et morale des fonctionnaires et jugera de l'éthique des contrats de sous-traitance du Gouvernement mondial, lui aussi sous contrôle de la Chambre de patience.

La gratuité, la disponibilité et l'échange des savoirs devront constituer une de ses premières préoccupations. Une Agence mondiale de valorisation des savoirs sera créée.

L'exécutif et le législatif ne devront pas nécessairement siéger dans une même ville, ni même toujours au même endroit. À terme, ils pourront se réunir en visioconférences holographiques.

Dans chaque pays, un « ministère du Gouvernement du monde » assurera les liens avec le gouvernement du monde.

UN SYSTÈME JUDICIAIRE CRÉDIBLE

Pour faire respecter la Constitution mondiale et l'ensemble des dispositions du *Code mondial*, une Cour suprême, nommée par les trois chambres, coiffera l'édifice judiciaire mondial. Cette Cour suprême jugera si une loi votée par un Parlement mondial est bien de compétence mondiale ou si elle doit être renvoyée à l'échelon continental ou national. Cette Cour suprême servira aussi de Cour de cassation des cours suprêmes nationales.

Les tribunaux nationaux devront appliquer cette législation mondiale et vérifier que les législations nationales ne contredisent pas les principes du *Code mondial*.

Une Autorité mondiale de la concurrence évitera la création de monopoles, en particulier en matière de biens publics.

LES INSTRUMENTS DE LA DÉMOCRATIE

La démocratie suppose une vie politique active, et donc des partis politiques de haut niveau. Un budget spécifique sera alloué à la constitution de partis mondiaux et à l'élaboration de leurs programmes.

La qualité et la neutralité des informations seront essentielles à la qualité de la démocratie planétaire. Pour assurer celle-ci, on ne pourra pas se contenter de celles fournies par le seul secteur privé. Plusieurs agences publiques d'information mondiales, indépendantes du gouvernement et des médias privés, travailleront en concurrence. Ces agences devront aider à la formation de l'opinion internationale et favoriser les échanges entre toutes les cultures. Aucun pouvoir politique ne pourra les révoquer. Leurs budgets devront être assurés pour cinq ans au début de chaque législature. Elles seront financées par un impôt spécifique et des contributions de tous les médias privés. Leurs responsables seront nommés par la Chambre de patience.

UN SYSTÈME FINANCIER MONDIAL SOUS CONTRÔLE

Dans un monde idéal marqué par une parfaite mobilité des citoyens, dans une démocratie de marché idéale dotée d'un système fédéral équilibré, une monnaie unique mondiale sera nécessaire et possible, sur le modèle du *Bancor* proposé par J.M. Keynes. Elle sera émise par une Banque centrale mondiale qui agira envers les banques centrales nationales comme celles-ci le font envers les banques privées, c'est-à-dire en mettant à leur disposition des liquidités. Un système de pénalités (sous forme d'intérêts) pour les pays par trop déficitaires ou par trop excédentaires en fin d'exercice annuel permettra de créer un système financier international équilibré. La Banque centrale mondiale maintiendra la valeur de cette monnaie et surveillera avec rigueur l'ensemble du système financier. Elle mettra en place une régulation du système financier qui séparera nettement les activités de financement de l'économie et les activités de valorisation de l'épargne.

Le crédit devra être considéré comme un bien public mondial dont nul ne devra être exclu et dont chacun devra connaître les risques. Des Banques mondiales d'investissement, propriétés mondiales, financeront en concurrence les grands projets d'infrastructures planétaires par des emprunts mondiaux. Au-delà, les activités gratuites, l'altruisme, l'économie relationnelle participeront à l'épanouissement ultime de cette utopie.

*
* *

Un tel gouvernement du monde devrait permettre non seulement d'écarter autant qu'il est possible les risques systémiques évoqués plus haut, mais de valoriser toutes les potentialités de l'humanité. Cependant, on ne saurait exclure qu'un tel gouvernement mondial, création humaine, puisse être dévoyé. L'expérience des gouvernements fédéraux actuels montre d'ailleurs qu'on ne saurait exclure qu'il puisse devenir bureaucratique, inefficace, corrompu. Il pourrait aussi s'effondrer sous les coups d'ennemis de l'intérieur, de forces centrifuges, incapable d'écarter les risques systémiques mondiaux.

Aussi faut-il le concevoir de façon pragmatique, de manière évolutive, dans l'action, où tout se défait et se construit avec prudence et audace.

10

Demain, le gouvernement
du monde

Sans une grave crise, un gouvernement supranational du monde ne sera jamais mis en place. Ni les États-Unis, ni la Chine, ni l'Inde, ni le Brésil, ni le Japon, ni l'Europe, pas plus que ceux qui peuvent vouloir rivaliser avec l'empire dominant, ne pourront ni ne voudront aider à le créer.

Les puissants du moment n'ont jamais eu, on l'a vu, de raisons de vouloir changer quoi que ce soit à l'ordre existant ; et même s'ils le voulaient aujourd'hui, ils en auraient de moins en moins le pouvoir.

Les nouvelles puissances, elles, ne réclament jamais que leur juste place dans l'économie du monde et dans les institutions internationales existantes. Elles se méfient d'un éventuel gouvernement supranational, qu'elles perçoivent comme un moyen de camoufler le maintien de la suprématie des puissances en déclin.

Pourtant, il est possible de concevoir une stratégie qui conduirait le monde à une maîtrise raisonnable de son futur. Pour le meilleur du monde.

QUELQUES RÉFORMES PROPOSÉES

Tandis que l'ordre du monde continuera de se défaire et que les risques systémiques mondiaux, dont il a été question plus haut, deviendront plus prégnants, conduisant à passer à côté des formidables potentialités de l'avenir, les diplomates continueront de discuter de réformes mineures des institutions internationales.

Bien des réformes de ce genre ont déjà été suggérées depuis l'échec de la révision des statuts de l'ONU en 1955. Elles visent pour l'essentiel à donner plus de visibilité aux travaux de l'Assemblée générale ; à rapprocher les organisations de Bretton Woods de celles de San Francisco en accordant à l'Assemblée générale de l'ONU un droit de regard sur les décisions du FMI et de la Banque mondiale ; à renforcer les moyens dont dispose le secrétaire général pour mener à bien les opérations militaires (en 2000, le rapport Brahimi préconisa notamment d'augmenter ces moyens, d'améliorer l'encadrement et le suivi administratifs, la formation des troupes, de clarifier leur mandat, de mieux l'articuler avec les actions des autorités nationales et régionales ; et surtout à faire entrer de nouveaux membres permanents au Conseil de sécurité).

Pour donner une idée de l'enlisement dans lequel se trouve la réforme des institutions internationales, voici quelques-unes des positions en présence sur cette dernière question.

La composition actuelle de 15 membres, dont 5 permanents, qui écarte le Brésil, l'Inde, le Japon, l'Allemagne, toute l'Afrique et tant d'autres, n'a plus de raison d'être.

L'Inde, le Brésil, le Japon et l'Allemagne (qui forment un G4) proposent de créer, au Conseil de sécurité, six nouveaux sièges permanents (pour les quatre membres du G4 et pour deux pays africains) et quatre sièges supplémentaires de membres non permanents ; l'Inde et le Brésil souhaiteraient que les nouveaux membres permanents disposent du droit de veto (mais ils sont prêts à un compromis temporaire sur ce point), alors que l'Allemagne et le Japon se sont montrés moins exigeants sur la question.

Un autre groupe, dit « Groupe uni pour le consensus », ou « Coffee Club », est mené par l'Italie ; il réunit notamment l'Argentine, le Mexique, la Corée du Sud et le Pakistan. Ce groupe propose de doubler le nombre des sièges non permanents (c'est-à-dire de les faire passer de dix à vingt), en les dotant d'un mandat plus long ; ils reviendraient à des groupes régionaux. Une quarantaine de pays, dont de nombreuses nations européennes, approuvent ces propositions, mais avancent différentes options pour ce qui est de la durée des mandats, avec ou sans possibilité de réélection selon les cas. L'Inde, le Brésil, l'Allemagne, le Japon sont évidemment très hostiles à ces propositions.

L'Union africaine s'oppose aussi aux propositions précédentes et réclame deux sièges permanents et cinq sièges non permanents pour l'Afrique.

La Chine demande une augmentation de la représentation des pays du Sud, tout en respectant un équilibre géographique, culturel et « civilisationnel ». Elle s'oppose aux propositions du G4 et manifeste de l'intérêt pour celles du « Groupe uni pour le consensus », qui présente accessoirement, de son point de vue, l'avantage de ne pas accorder de siège permanent à l'Inde.

La Russie s'oppose à la proposition du G4 et ne souhaite l'admission de nouveaux membres qu'au cas par cas.

Les États-Unis subordonnent l'accession de tout nouveau membre aux critères suivants : importance économique, démographique, militaire, démocratie, respect des droits de l'homme, contribution financière à l'ONU et aux missions de maintien de la paix, engagement dans la lutte anti-terroriste et anti-prolifération nucléaire. Ils appuient la candidature de l'Inde à un siège de membre permanent avec droit de veto.

La France soutient la proposition du G4 (sans droit de veto pour les nouveaux membres permanents) et souhaite aussi une présence des pays africains en tant que membres permanents.

Le Royaume-Uni a la même position que la France, mais y ajoute l'idée de créer une nouvelle catégorie de membres non permanents, bénéficiant d'un mandat plus long que celui des membres actuellement élus. À la fin d'une période intérimaire, ces sièges pourraient éventuellement être transformés en sièges permanents.

En résumé, la multiplication de positions contradictoires est telle que l'impasse est totale.

En 2004, dans *La Démocratie-monde : pour une autre gouvernance globale*, le directeur général de l'OMC, Pascal Lamy, propose la création d'un pouvoir « alternational » démocratique, doté d'un Conseil de sécurité économique en charge de la production des biens publics mondiaux, une solidarité financée par une taxation mondiale des revenus du capital, et la remise en cause des « dispositifs qui minent de l'intérieur la solidarité », c'est-à-dire les paradis fiscaux et bancaires. Il propose plus récemment que le G20 et le FMI rendent compte de leurs actions devant l'Assemblée générale de l'ONU.

En 2009, Angela Merkel a proposé l'élaboration d'une « Charte pour une activité économique durable » visant à instaurer un « nouveau contrat économique mondial » (en fait, une apologie de l'« économie sociale de marché » à l'allemande) qui s'imposerait aux institutions internationales. Dans un communiqué alambiqué, modèle de ce que produit aujourd'hui la bureaucratie internationale, le FMI, l'OMC, la Banque mondiale, l'OIT et l'OCDE se sont unis pour expliquer combien ce projet est intéressant, mais qu'il se contentait de confirmer ce qu'ils font déjà : « Nous avons besoin d'un cadre général soutenu par les États et les organisations internationales, qui prévienne les excès sur le marché et aide à éviter les crises à l'avenir. Les instruments existants de l'OCDE, notamment visant le gouvernement d'entreprise, la lutte contre la corruption ou la coopération en matière fiscale, pourraient servir de base à une nouvelle charte pour une gouvernance économique durable. L'"Agenda pour le travail décent" de l'OIT apporte des éléments complémentaires concernant l'emploi et le développement des entreprises, la protection sociale, des conditions de travail humaines, des relations professionnelles saines et le droit au travail. Une charte générale pourrait aussi inclure l'acquis des autres organisations internationales et pourrait être lancée par les pays du G20. Elle devrait être ouverte, pouvant recevoir le soutien d'autres pays. » Autrement dit : « Confirmez votre appui à ce que nous faisons déjà, et tout ira pour le mieux. » Chef-d'œuvre bureaucratique. Un Conseil européen et deux autres G20 ont depuis lors approuvé poliment l'initiative de la chancelière allemande, qui n'a pas eu d'autres suites.

De nombreux autres projets ont été avancés pour modifier le système financier mondial et mettre en place une monnaie mondiale. Depuis 1985, certains, en particulier en France, ont proposé de créer, à l'image de l'ECU européen qui précéda l'euro, un DEY (Dollar-Euro-Yen), fondé sur un panier des trois monnaies et régulé par les trois banques centrales. En 2009, la Chine a proposé la création d'une monnaie mondiale de réserve sur la base des DTS (droits de tirage spéciaux), en y incluant les monnaies de toutes les grandes économies du monde, y compris bien sûr le yuan, et dont l'émission serait contrôlée par le FMI. Des économistes belges ont proposé le Terra (Trade Reference Currency), monnaie de « complément » fondée sur un panier de neuf à douze produits/marchandises occupant une place primordiale dans le commerce international. D'autres encore, anciens hauts fonctionnaires et banquiers centraux, proposent de transformer le FMI en Banque centrale mondiale. C'est-à-dire exactement ce qu'ils n'ont pas fait quand ils étaient en fonction. Enfin, certains ont proposé comme monnaie internationale une des innombrables monnaies virtuelles circulant aujourd'hui, tel le Ven, utilisée par les membres du réseau social Hub Culture pour acheter et vendre des biens et services, et dont la valeur est déterminée par un panier de monnaies, de marchandises, et indexée sur le prix du carbone.

La France propose, pour sa part, de créer une nouvelle institution mondiale destinée à stabiliser les cours des matières premières. Sa mission serait de mettre à disposition des acteurs des données fiables sur les stocks, ainsi que sur l'évolution de l'offre et de la demande ; édicter des règles contre les abus de marché et les manipulations de cours ; renforcer les instruments de couverture par des instruments financiers d'assurance appropriés ; améliorer la prévention et la gestion des crises alimentaires en veillant à ce qu'elles fassent l'objet d'une réponse concertée et réactive de la part des institutions internationales et en développant l'offre agricole dans les pays émergents.

Rien de tout cela ne se réalisera, en tout cas à court terme, alors que, au regard de l'analyse précédente, la réforme des institutions internationales devrait être bien plus ambitieuse que celle dont débattent aujourd'hui, entre autres, le G8, le G20 ou le Conseil de sécurité. On se retrouve donc dans un chaos total. Comment en sortir ?

LANCER DIX CHANTIERS

Pour mettre en place des réformes efficaces sans se perdre dans les délices des colloques diplomatiques, trois stratégies ont été avancées.

Il suffirait, pour certains, d'emprunter la voie pragmatique qui a réussi pour certains traités, tels le protocole de Montréal ou le traité de Montego Bay : ces procédures de négociation ont démontré qu'il était possible d'instituer un mécanisme global et relativement efficace pour assurer la protection d'un bien public mondial. On pourrait de même suivre la voie pragmatique et informelle de l'opération Atalante ou de la Station spatiale internationale.

Pour d'autres, il faut emprunter systématiquement à l'échelle mondiale le chemin de la construction européenne : commencer par l'intégration des marchés (déjà bien avancée), continuer par celle des normes (en cours), pour s'orienter ensuite vers une monnaie unique, une intégration fiscale, puis – et seulement alors – s'intéresser à une intégration politique et institutionnelle. De fait, l'Union européenne s'est souvent pensée comme un modèle pour l'organisation du monde, et l'un de ses fondateurs, Jean Monnet, écrivait déjà : « La Communauté n'est qu'une étape vers les formes d'organisation du monde de demain. » Il faudrait dès lors, si l'on suit cette stratégie, se concentrer aujourd'hui en priorité sur l'édification d'un système monétaire mondial.

Pour d'autres enfin, il conviendrait de détourner progressivement les institutions multilatérales existantes de leur identité actuelle pour leur conférer une dimension démocratique et supranationale ; autrement dit, les faire évoluer vers le modèle idéal comme les pièces d'un puzzle qui s'emboîtent peu à peu.

En toute hypothèse, il est difficile d'imaginer quel pourrait être le facteur déclenchant d'une telle évolution : à l'échelle du monde, nul ne peut prétendre tenir le rôle du colonisateur ni du conquérant ; on ne peut pas non plus tabler sur une égale volonté de tous, ni même seulement des principaux acteurs. Et il ne faut attendre aucune des catastrophes systémiques, aucune famine, aucune inflation, aucune crise financière.

Pour avancer sans attendre la manifestation d'un risque systémique, il faudrait, en fait, que soient lancés dès aujourd'hui les dix chantiers suivants.

1. Tirer parti pragmatiquement du processus fédéral d'intégration

Il faudra d'abord tirer parti pragmatiquement de la façon dont se sont constitués des gouvernements fédéraux regroupant des peuples, des communautés, des langues et des cultures différents. De fait, près de la moitié des pays du monde, ceux dont les diversités sont les plus marquées, sont organisés en États fédéraux. La formule permet d'appliquer le principe de subsidiarité, c'est-à-dire de ne faire remonter au plan fédéral que les questions intéressant l'ensemble de la fédération. Ces fédérations permettent en particulier d'user de plusieurs langues officielles, et les États fédérés peuvent en compter bien d'autres par surcroît.

Ces fédérations sont en général constituées par un fédérateur, regroupant des entités qui lui abandonnent progressivement un certain nombre de compétences ; le fédérateur peut être une nation, comme ce fut le cas de la Prusse pour l'Allemagne, ou un colonisateur, comme ce fut le cas de la Grande-Bretagne pour l'Inde.

Plus rarement, les fédérations résultent d'une égale volonté de leurs membres face à une menace extrême. C'est le cas de la Suisse, construite au XIIIᵉ siècle, on l'a vu, face à la menace de l'Empire germanique, et qui dispose depuis 1848 d'une Constitution associant 26 cantons et demi-cantons autonomes : 16 germano-phones (dont 9 catholiques et 7 protestants), 4 franco-phones (dont 3 protestants et 1 catholique), 1 canton italophone (catholique). Elle est gérée par un Parle-ment bicaméral, un gouvernement de sept membres et une présidence tournante. Les citoyens ont le droit de demander un amendement de la Constitution par réfé-rendum. C'est un excellent modèle pour une évolution pragmatique du monde.

C'est aussi le cas de l'Union européenne, qui s'est édifiée par la volonté de ses membres face à quatre menaces : celles du démon allemand, de la lâcheté française, de la pression soviétique et de l'abandon américain. Elle est passée du stade de simple marché commun à un marché unique, puis à celui d'une monnaie unique, précédant celui d'un fédéralisme budgétaire qui pourrait déboucher sur un fédéralisme politique.

Mais une fédération peut aussi se défaire quand le ciment de la peur cesse de tenir les peuples ensemble (on l'a vu récemment avec l'URSS, la Yougoslavie, la Tchécoslovaquie), ou quand les plus riches n'ont plus de raison de financer les plus pauvres (comme on pourrait bientôt le voir en Belgique), voire, plus géné-ralement, quand les intérêts des uns et des autres divergent trop ou que disparaît une menace externe (comme ce pourrait être le cas de l'Union euro-péenne).

D'où l'importance première de l'existence d'un sentiment d'appartenance à une communauté, d'appropriation d'enjeux communs, de raisons d'être ensemble.

2. Prendre conscience
de la raison d'être de l'humanité

Si l'humanité n'a pas conscience d'elle-même, ni de claire raison d'être à ses propres yeux, elle ne pourra nourrir aucun respect pour elle-même, elle ne pourra pas s'organiser, et, dans ce cas, elle risque de devenir son pire ennemi : c'est par elle-même, on l'a vu, qu'elle pourrait le plus aisément être détruite dans une sorte de suicide inconscient.

Aussi une première bataille doit-elle avoir pour objectif la prise de conscience par l'humanité de sa raison d'être et des dangers qui pèsent sur son existence. Cette bataille n'a rien à voir avec celle des droits de l'individu, dont la défense vise à contribuer au respect de chaque personne humaine par ses semblables. Cette bataille doit faire en sorte que chacun prenne conscience de son appartenance à une espèce vivante particulière et de la nécessité de la protéger.

Pour survivre, l'humanité doit même aller beaucoup plus loin que l'actuelle prise de conscience d'une vague « communauté internationale ». Elle doit prendre conscience de l'unité de son destin, et d'abord de son existence en tant que telle. Elle doit comprendre que, rassemblée, elle peut faire beaucoup plus que divisée ; qu'elle peut non seulement écarter des menaces, mais aussi se développer plus vite et mieux.

Cette prise de conscience viendra de l'action de ceux qui s'intéressent à l'avenir du monde et que j'ai appelés ailleurs « hypernomades » : militants associatifs, journalistes, philosophes, historiens, fonctionnaires internationaux, diplomates, acteurs de mouvements internationalistes, mécènes, acteurs de l'économie internationale, acteurs de l'économie virtuelle et des réseaux sociaux, créateurs en tout genre, etc. Le rôle de ces hypernomades, fort peu nombreux, peut paraître anecdotique. Il est en fait d'une très grande importance : comme les États-nations se sont développés dans les interstices du féodalisme, comme le capitalisme s'est glissé dans les espaces laissés libres par les corporations, ces acteurs mondiaux d'un genre nouveau créeront une dynamique transfrontalière qui se révélera un jour plus puissante que celle du marché. Ils incarneront le bien public mondial.

Pour accélérer ce courant, leurs organisations – ONG internationales, fédérations syndicales, entreprises sociales planétaires, réseaux sociaux, etc. – doivent devenir plus professionnelles, plus efficaces, plus légitimes dans la désignation de leurs organes dirigeants, plus transparentes dans leur financement.

3. ÊTRE PLUS VIGILANTS
VIS-À-VIS DES MENACES

Par leur action, ces hypernomades devront faire prendre conscience de ce qui menace la survie de l'humanité et de ce qui peut lui permettre de s'épanouir. Il s'agira de montrer non seulement comment l'humanité risque d'être détruite par l'absence de prise en compte de ce qui la concerne à long terme, mais en quoi sa solidarité peut améliorer considérablement son sort.

Ils devront en particulier mettre au point des mécanismes permettant de veiller aux risques systémiques énoncés plus haut. Cette mission n'est pas impossible :

des signes avant-coureurs de menaces existent toujours. Pour les dangers d'ordre démographique, sanitaire, alimentaire, financier ou militaire ou pour ceux affectant les matières premières, nombre de données sont accessibles, même s'il n'existe encore aucune institution mondiale explicitement en charge de les rendre publiques et d'en débattre, si ce n'est l'OMS pour la santé et la FAO pour l'alimentation.

Du côté des périls écologiques, avant même que l'humanité existe, lors des cinq extinctions précédentes de la vie sur terre dont il a été question plus haut, des signaux d'alarme – baisse du nombre des communautés végétales, voire de plantes individuelles – ont averti du déclin des écosystèmes bien avant que les espèces ne commencent à disparaître. Les signes d'un nouveau péril du même genre existent déjà, avec l'accélération en cours de la disparition des espèces. Pour ce qui concerne les tremblements de terre et les tsunamis, des mécanismes d'alerte peuvent se développer.

Pour ce qui concerne les dangers du nucléaire civil, l'accident de Fukushima doit être l'occasion d'une prise de conscience de la nécessité d'une vigilance infiniment plus exigeante.

Pour ce qui concerne les menaces de météorites, on sait maintenant assez bien les analyser et les prévoir : des télescopes optiques peuvent détecter la plus petite météorite entre un et six mois avant son impact éventuel et préciser le lieu de celui-ci quelques semaines à l'avance. Une organisation pragmatique mondiale est possible : un système d'observation efficace devrait suivre 500 000 astéroïdes et connaître leurs orbites au moins quinze ans avant leur chute éventuelle. Pour y parvenir, il faudrait coordonner les deux systèmes existants de surveillance automatisée de tels astéroïdes : Sentry, créé par la NASA, et son équivalent italien, NEODys. Ils rassemblent une batterie considérable de télescopes au sol et dans l'espace, analysant les orbites et les probables points d'impact.

Autrement dit, chaque menace est détectable et son évolution est prévisible pour qui veut bien y consacrer du temps et des moyens.

Plus généralement, l'humanité doit aujourd'hui organiser une veille permanente de sa propre évolution, de celle de ses réserves en matières premières, de ses armements, de ses cultures vivrières et industrielles, du sort des autres espèces vivantes. Des veilleurs identifieraient les menaces susceptibles de détruire l'humanité, et évalueraient les potentialités de son expansion.

En particulier, elle doit mettre en place une comptabilité mondiale permettant de jauger ses produits et sa consommation de la nature, l'état de son patrimoine matériel et intellectuel, les déséquilibres qu'elle entraîne et qui risquent de dégénérer en menaces.

J'ai cité plus haut les rares évaluations disponibles sur l'état du monde aujourd'hui et pour 2030. Il faudrait pouvoir disposer de pareilles données en permanence. Voir comment elles peuvent évoluer selon les actions entreprises. Pour y parvenir, il faudra réunir l'ensemble des compétences existantes dans tous les domaines à évaluer, et pas seulement sur le mode statistique ; il conviendra en particulier d'utiliser les techniques de synthèse des expertises mises au point par le GIEC, organisme mondial qui agrège en permanence les points de vue de très nombreux spécialistes du climat. Selon des procédures du même type, il faudra se doter de tableaux de bord et d'indicateurs d'alerte pour les espèces vivantes, la démographie, la santé, le climat, la finance, les armements, les matières premières, les météorites, etc., avant de traduire cette prise de conscience en réflexion sur la nécessité d'une réponse collective à ces menaces.

4. Faire respecter le droit international existant : un *Codex mondial*

Un premier pas important, sans aucun changement du droit existant, pour rendre l'humanité plus harmonieuse consisterait à regrouper et à classer dans un *Codex mondial* les innombrables traités en vigueur censés s'appliquer à la planète entière, tels les traités créant l'ONU, le FMI, la Banque mondiale, l'OIT, l'OMS, l'OACI, l'UNESCO, ainsi que l'ensemble des décisions prises par ces instances, et les Conventions sur le droit de la mer, le protocole de Montréal, entre tant d'autres. La liste exhaustive de ces entités à compétence universelle se trouve en annexe 2.

Toujours sans modifier le droit international existant, des comités spécifiques, rattachés à chaque institution dont il s'agirait de faire respecter les décisions, seraient chargés d'évaluer systématiquement l'application de ce Codex ; sur le modèle de la Commission européenne, qui vérifie la transposition et l'application du droit européen dans les pays membres, ou des comités *ad hoc* du protocole de Montréal.

Pour aller plus loin, il faudrait doter des institutions judicaires spécifiques de moyens de police et de sanction. Par exemple, l'actuelle Cour pénale internationale pourrait s'estimer compétente pour infliger des sanctions financières à un pays ou à une entité juridique quelconques. L'expérience de la Cour de justice de l'Union européenne montre que de telles sanctions peuvent être efficaces. On pourrait aussi compléter la réforme en cours du traité fondant la Cour pénale internationale en élargissant sa compétence à la poursuite des entreprises en lien avec des personnes physiques poursuivies pour crimes de guerre ou crimes contre l'humanité.

Pour faire respecter ce Codex, on pourrait utiliser comme moyens de police ceux mobilisés par le GAFI ou, en cas extrêmes, ceux utilisés pour les opérations de maintien de la paix de l'ONU ; et faire de l'OTAN, dont la mission initiale a perdu son sens, un agent de surveillance du respect du Codex au service des Nations unies.

De façon plus ambitieuse encore, on pourrait créer une nouvelle cour, un Tribunal écologique, économique et financier international. Pourraient y être engagées des actions en responsabilité civile pour les dommages causés par des sociétés ou des personnes ayant méconnu, où que ce soit dans le monde, les règles fixées par le Codex mondial ; en particulier, en cas de grave dégradation à portée planétaire de biens publics mondiaux ou de mise en jeu d'un risque systémique mondial. Ce tribunal sera aussi compétent en dernière instance pour juger des litiges fiscaux concernant les taxes mondiales dont il sera question plus loin.

L'action d'un tel tribunal, comme celle de l'actuelle Cour pénale internationale, serait dissuasive : aucun chef d'État n'est aujourd'hui à l'abri de la condamnation pour ses crimes politiques. Il doit en aller de même pour les auteurs de crimes écologiques, sanitaires, économiques et financiers, quels qu'ils soient, et pour toute violation sérieuse du Codex.

Ce dernier pourrait être ensuite complété par des règles plus contraignantes contre la spéculation financière, en particulier sur les matières premières agricoles, le blanchiment de l'argent de la drogue, l'usage criminel de la finance légale, le trafic d'êtres et d'organes humains, le commerce illégal d'armements, et toute autre agression impliquant un des risques systémiques mondiaux. Mieux : comme le proposait René Cassin lors de la négociation de 1946, on pourrait inclure la Déclaration universelle des droits de l'homme dans ce Codex mondial et rendre ainsi sa mise en œuvre obligatoire.

Une étape ultérieure, encore plus ambitieuse, consisterait à modifier la charte des Nations unies pour rendre immédiatement applicables en droit interne les délibérations de l'Assemblée générale et des autres organisations internationales dépendant du système de l'ONU.

5. Avancer projet par projet : le minilatéralisme

Pour inciter à une croissance socialement, culturellement, géographiquement et écologiquement durable, et pour prévenir les risques systémiques mondiaux, l'humanité ne devra pas se contenter de mettre en place des règles de droit. Elle devra mener à bien un certain nombre de projets communs.

Sans attendre que des institutions internationales compétentes s'en emparent, les principales puissances concernées par un projet devront mettre en place de façon pragmatique les moyens de le réaliser. Pour être efficaces, ces groupes devront être « mini-latéraux », selon l'expression heureuse de Moisés Naím, c'est-à-dire à géométrie variable. Tout pays extérieur au groupe initiateur sera autorisé à se joindre à l'accord atteint par le groupe minimal.

Une des premières dimensions essentielles du mini-latéralisme sera l'intégration régionale, nécessaire à la fois en soi et à un meilleur gouvernement du monde. On devrait en particulier voir s'intégrer davantage les nations d'Europe, et les nations africaines, les nations arabes, l'Amérique latine ; plusieurs sous-ensembles en Asie devront eux aussi s'intégrer. L'exemple de l'Europe, très en avance sur les autres continents, et qui affronte aujourd'hui des forces centrifuges, donne la mesure des difficultés qui attendent les autres. Chaque peuple devra pouvoir être membre de plusieurs ensembles régionaux voisins. Ainsi, la Turquie pourrait être à la fois membre de l'Europe et du Moyen-Orient ; la Russie, de l'Europe et de l'Extrême-Orient, etc. Chaque région aura en particulier la responsabilité de défendre en son sein la diversité linguistique et culturelle.

On devrait aussi voir progresser l'intégration d'ensembles culturels qui ne seront pas nécessairement connexes sur le plan géographique. Par exemple, une nation doit pouvoir tisser des liens juridiques avec les membres de sa diaspora, même si ceux-ci sont devenus citoyens à part entière d'un autre pays. Devront se développer plus encore les communautés linguistiques, ultimes communautés quand les frontières nationales auront perdu leur sens. Élément essentiel de réponse à l'uniformité que pourrait entraîner la globalisation.

Quelques exemples de projets multilatéraux sont nécessaires : pour mettre en œuvre les projets de maîtrise du système financier mondial et éviter les risques systémiques qui lui sont associés, le Comité monétaire et financier du FMI, qui représente 85 % du PIB mondial, pourrait décider utilement du niveau de fonds propres applicable à tous les établissements financiers, et engager la réforme du système monétaire mondial.

Le même Comité, au niveau de la Banque mondiale, pourrait décider d'investissements porteurs de croissance planétaire. Pour éviter l'uniformisation culturelle entre les régions du monde, le G8 pourrait disposer d'un fonds et de quotas afin de promouvoir les diverses cultures et langues, sur le modèle français.

Pour réduire les émissions de gaz à effet de serre et maîtriser les risques systémiques associés, le G20, responsable de 75 % de ces émissions, pourrait lancer utilement diverses actions, comme, par exemple, la mise au point en commun d'une batterie électrique efficace permettant de produire une voiture électrique à un prix raisonnable. Une telle voiture, réellement commercialisable, représenterait une vraie solution au problème des émissions de gaz carbonique. La mise en commun des savoirs en ce domaine ferait gagner à l'humanité plus de dix ans. À plus long terme, il faudra faire le projet de capturer le CO_2 par la reforestation, et de dévier une fraction du rayonnement solaire par augmentation de la réflectivité de la surface du globe.

Pour améliorer la sécurité des centrales nucléaires, une réunion des 31 pays disposant de telles centrales devrait suffire à établir des normes de sécurité et des mécanismes de contrôle.

Pour organiser le désarmement nucléaire, une réunion d'un G21 rassemblant les cinq puissances officiellement nucléaires et les seize qui le sont en sous-main ou qui cherchent à le devenir suffirait à prendre les décisions nécessaires.

Pour améliorer l'approvisionnement alimentaire, un G15 rassemblerait les principaux producteurs afin de mieux gérer les stocks.

Pour atteindre les objectifs de développement du Millénaire, en particulier en Afrique, un G12 rassemblant les principaux donateurs et les principaux pays de la zone suffirait.

Pour éradiquer le sida, un G19 rassemblera les pays comptant pour les deux tiers de la mortalité ainsi que les principaux pays donateurs.

Enfin, pour réduire la menace d'impacts de météorites, une action pragmatique devra rassembler les quinze pays ayant réellement les moyens scientifiques, humains et techniques utiles. Une fois l'éventuel impact détecté, ce groupe devra évaluer le niveau de risque systémique mondial sur l'échelle dite de Turin. Si le risque est considéré comme sérieux, il faudra envoyer deux missions : l'une pour observer la structure de l'objet, l'autre, si nécessaire, pour le détourner ; si la météorite atteint plus de 400 mètres de diamètre, une explosion nucléaire sera nécessaire. Il faudra réagir bien avant de disposer d'une analyse fiable de sa probabilité d'atteindre notre planète. Il conviendra d'agir dès qu'il y aura au moins plus d'une chance sur dix pour que l'impact se produise et qu'il fasse un cratère de plus de 40 mètres de diamètre. Cela conduira à prendre en moyenne une décision de ce genre tous les dix ans. Un tel processus de décision exige une préparation considérable. L'Association of Space Explorers et l'International Panel on Asteroid Threat Mitigation estiment qu'il faut mettre en place avant dix ans un tel réseau de surveillance, de mécanismes de décision et de moyens d'action.

D'autres configurations regroupant d'autres pays seront nécessaires pour traiter d'autres problèmes systémiques mondiaux, comme ceux de la drogue, du trafic d'êtres et d'organes humains. Et pour lancer d'autres projets porteurs de croissance en matière d'alimentation et de logement.

De tels projets minilatéraux pourraient être financés par de grands emprunts émis sur les marchés des pays associés à chaque projet, et en mettant en relation les entreprises en pointe sur le sujet, sur le modèle très efficace d'Eurêka, qui permit à des innovations de portée mondiale de voir le jour en Europe.

6. Un Conseil de gouvernement

Viendra ensuite le moment de passer à la réforme des institutions internationales pour les faire évoluer vers les institutions idéales décrites au chapitre précédent.

Pour les institutions des Nations unies, l'évolution sera particulièrement difficile : leur réforme suppose l'unanimité du Conseil de sécurité ou les deux tiers des votes de l'Assemblée générale ; or on a vu que les projets qui s'affrontent sont aussi nombreux qu'inconciliables. Ces institutions n'en doivent pas moins se réformer : si elles refusent de le faire, ou si les pays qui y détiennent le pouvoir n'acceptent pas de les laisser évoluer, elles seront de plus en plus discréditées, marginalisées, et n'auront plus aucun impact sur la réalité du monde. En revanche, si elles évoluent à temps, elles peuvent constituer l'architecture du gouvernement du monde.

L'Assemblée générale des Nations unies peut, sans réforme, s'instituer en un Sénat du monde tel que défini au chapitre précédent.

Le Conseil de sécurité doit évoluer vers le gouvernement du monde, tel que défini lui aussi précédemment. Si l'on se fie à l'expérience européenne, l'idée de mettre en place une amorce de gouvernement, à l'image de la Commission, et de faire du Conseil de sécurité un Sénat, à l'image du Conseil européen, est vouée à l'échec.

Une solution simple pour y parvenir consisterait à fusionner le Conseil de sécurité avec le G20, sous le nom de « Conseil de gouvernement », exécutif formé de représentants du Sénat, c'est-à-dire de l'Assemblée générale. Ce nouveau Conseil de gouvernement serait composé de représentants de tous les continents (États-Unis, Union européenne, Russie, Chine, Inde, avec droit de veto ; Japon, Brésil, Indonésie, Nigeria avec futur droit de veto, en alternance avec la Corée, le Mexique, l'Australie et la RDC ; dix autres non permanents, désignés par des ensembles régionaux). Il rendrait compte devant l'Assemblée générale des

Nations unies, qui pourrait remettre en cause ses décisions et qui voterait son budget.

Le Fonds monétaire, la Banque mondiale, l'OMC, le BIT, l'OMS et l'Unesco seraient placés sous l'autorité directe de ce « Conseil de gouvernement ».

Pour qu'il puisse prendre des décisions vraiment supranationales, ce Conseil de gouvernement serait assisté par un « Administrateur général délégué », élu au suffrage universel planétaire à partir de candidats proposés par des partis politiques de dimension mondiale. Cet administrateur assurerait la mise en œuvre des décisions du Conseil de gouvernement. Il dirigerait un « Conseil administratif mondial » où siégeraient les dirigeants des principales institutions internationales actuelles. Ensemble, ils formeraient l'esquisse d'une administration mondiale, rapportant au Conseil de gouvernement.

Dans ce schéma, chaque institution trouverait sa place : le FMI deviendrait l'équivalent du ministère des Finances du monde, assureur et architecte du système financier mondial ; il exercerait la surveillance des politiques budgétaires et financières nationales, le contrôle de la volatilité des taux de change, la gestion de la liquidité et l'émission des DTS. La Banque des règlements internationaux deviendrait la Banque centrale mondiale, avec une monnaie fondée sur trois piliers : le dollar, l'euro, le yuan. La Banque mondiale deviendrait le financier des biens publics mondiaux et l'acteur essentiel de la croissance planétaire. Chacune des autres institutions internationales trouverait sa place dans une dynamique à la fois démocratique et supranationale.

7. Une Chambre
du développement durable

Pour imposer la prise en compte du long terme, dont on a vu qu'elle est la clé de la protection contre les risques systémiques mondiaux, une nouvelle Chambre mondiale devra, ainsi qu'on l'a vu au chapitre précédent, faire valoir ces enjeux et ceux du développement durable, socialement et écologiquement. Elle sera composée de 300 personnalités choisies par les gouvernements. Celles-ci devront avoir une légitimité reconnue : prix Nobel, gouvernants ayant exercé leur mandat dans un univers démocratique, anciens responsables d'institutions internationales, philosophes, anthropologues, etc. Elles devront représenter équitablement les diverses cultures et les diverses façons d'appréhender le destin de l'humanité. Leur mandat sera celui décrit au chapitre précédent pour la Chambre de patience.

Une telle institution sera inévitablement critiquée comme non démocratique. Elle sera pourtant nécessaire pour pousser les autres instances à prendre en compte l'intérêt des générations à venir de la planète. Son mandat sera d'abord consultatif.

8. L'Alliance pour la démocratie

Pour s'assurer que le Conseil de gouvernement ne devienne pas une dictature, ne soit pas au service d'une oligarchie et aide à la généralisation de la démocratie, une nouvelle administration internationale, l'Alliance pour la démocratie, regroupera les seules nations démocratiques. Cette Alliance revendiquera un devoir d'ingérence dans les dictatures et se dotera pour cela de moyens d'aider les peuples soumis à une dictature à accéder à la démocratie ; elle leur fournira des moyens financiers et technologiques pour y soutenir la liberté de la presse, la création et la vie des partis politiques, les ONG pour lutter contre la pauvreté et contre la corruption. Cette institution disposera de ses propres réseaux de satellites et d'un réseau Internet spécialisé pour brouiller les communications des dictateurs et transmettre les images provenant de caméras vidéo distribuées aux associations locales de défense des droits de l'homme. Elle financera des projets ayant pour objectifs le renforcement des institutions démocratiques, la promotion des droits de l'homme, l'éducation civique, l'inscription sur les listes électorales, l'accès des citoyens à l'information, le soutien aux minorités, le droit à la participation, la transparence et l'intégrité.

Aussi longtemps que toutes les nations ne seront pas considérées comme des démocraties, l'Alliance pour la démocratie pourra être en concurrence, ou même en opposition, avec le Gouvernement du monde. Si, un jour, le monde n'est plus qu'un ensemble de démocraties, l'Alliance pour la démocratie deviendra le bras armé du Gouvernement du monde en charge de la protection de la démocratie.

Les embryons d'une telle Alliance existent : en économie, les démocraties de marché sont rassemblées au sein de l'OCDE ; en matière militaire, dans le cadre de l'OTAN ; en politique, dans l'OSCE. De façon plus globale, la Communauté des démocraties et le Fonds des Nations unies pour la démocratie en constituent déjà l'esquisse. Même si la raison d'être de ces cinq institutions a été de renforcer la mainmise des États-Unis sur l'Europe et le monde, on doit pouvoir désormais les utiliser à d'autres fins. La modification de leur gouvernance permettrait d'y faire entrer toutes les grandes démocraties du Sud (Inde, Brésil, Égypte, Indonésie, Nigeria) et ainsi d'échapper à l'emprise américaine. Elles devraient aussi se coordonner avec les nombreuses ONG qui se donnent pour mission de promouvoir la démocratie dans les pays victimes d'une dictature et avec les fondations dont c'est aussi la mission.

En attendant la création de cette Alliance pour la démocratie, une solution minimale serait de créer un Forum rassemblant ces cinq institutions. Celles-ci y étudieraient la situation de chaque dictature et offriraient un appui cohérent et coordonné aux peuples dans leur transition vers la démocratie.

9. Dégager des ressources pour le Gouvernement du monde

Pour mener à bien toutes ces actions, de nouvelles ressources mondiales sont nécessaires. Ces ressources peuvent venir de contributions des États ou d'impôts mondiaux nouveaux.

Les contributions d'États interdisent de passer à un stade supranational, qui suppose de pouvoir contredire les intérêts d'un pays bailleur. Il convient donc de préférer des impôts spécifiques. Ceux-ci peuvent prendre la forme de prélèvements sur des impôts existants, ou de nouvelles taxes internationales, transitant ou non par les budgets nationaux (comme c'est le cas pour les contributions obligatoires des États au budget de l'Union européenne), ou bien versées directement à une institution internationale, comme c'est aujourd'hui le cas pour la taxe perçue par Unitaid. Un budget mondial minimal devrait atteindre 2 % du PIB mondial, soit 1 500 milliards de dollars, en particulier pour atteindre les objectifs du Millénaire, pour lesquels il manque au moins 100 milliards de dollars par an.

On peut imaginer au moins sept taxes mondiales d'application rapide :

1° Un prélèvement de 5 % sur les tickets de première classe et classe affaires existe déjà et finance Unitaid. Il rapporte 200 millions de dollars. S'il était généralisé, il permettrait de dégager environ 8 milliards de dollars par an à l'échelle mondiale ;

2° Une taxe sur les activités polluantes pourrait compléter le marché des « droits à polluer » et financer les programmes des Nations unies pour l'environnement. Elle permettrait de lever des montants équivalents. Une telle taxe fixée entre 20 et 25 dollars la tonne de CO_2 rapporterait 300 milliards de dollars par an. La taxation des seuls transports internationaux (aériens et maritimes) pourrait générer 40 milliards de dollars par an ;

3° Une taxe additionnelle à l'impôt national sur les sociétés transnationales permettrait d'éliminer les paradis fiscaux et ferait des entreprises des contribuables mondiaux, quelle que soit leur nationalité ; elle permettrait de lever environ 100 milliards de dollars ;

4° Une taxe sur les ventes d'armements (en interne et à l'exportation), lesquelles représentent environ 200 milliards de dollars, pourrait atteindre sans difficultés 30 milliards par an ;

5° Une taxe sur les plus-values du capital pourrait représenter autour de 50 milliards de dollars si elle était généralisée, couvrait tous les paradis fiscaux et était soigneusement contrôlée ;

6° Une taxe sur les transactions de change d'un taux de 0,005 % appliquée sur les principaux marchés des changes (dollar, euro, livre et yen) générerait des recettes d'au moins 33 milliards de dollars par an. Elle réduirait le volume des transactions de 14 %. Une taxe de 0,1 % sur les transactions financières procurerait annuellement entre 150 et 300 milliards de dollars. Elle serait aussi un instrument efficace contre la spéculation, comme le démontrent les expériences menées au Chili et en Malaisie dans les années 1990. Une telle taxe commence à être approuvée par plusieurs gouvernements et par le Parlement européen ;

7° Une taxe de 0,05 dollar sur chaque paquet de cigarettes dans les pays riches (et de 0,01 dollar sur chaque paquet dans les pays pauvres) rapporterait 7,7 milliards de dollars par an. Elle toucherait 1,3 milliard de fumeurs de par le monde, dont 900 millions dans les pays du G20. Si elle était plus élevée, elle aiderait à réduire la consommation de tabac, qui coûte 100 millions de dollars en dépenses de santé à l'économie américaine et fait plus de morts que le sida et le paludisme réunis.

De telles taxes ne peuvent être envisagées que si elles s'appliquent à tous les pays de la planète, y compris aux paradis fiscaux. Un Tribunal économique international serait compétent pour juger des délits de fraude concernant ces impôts. Ceux-ci seraient votés par l'Assemblée générale des Nations unies, qui déciderait de leur usage.

De telles taxes existeront. La bataille va commencer pour savoir à quoi les affecter, au-delà des 100 milliards de dollars par an nécessaires pour réaliser les objectifs du Millénaire.

On retrouve ici la logique de toute action collective : pas d'action sans ressources, pas de ressources sans légitimité, pas de légitimité sans volonté populaire, pas de volonté populaire sans appropriation de l'enjeu. Cette volonté n'existe pas aujourd'hui. Sans doute faut-il, pour la créer, passer par des états généraux de la planète.

10. Des états généraux du monde

Comment les organiser ? On ne peut évidemment rien attendre d'un gouvernement mondial inexistant. On peut, en revanche, tout espérer d'une manifestation populaire.

On pourrait d'abord imaginer que quelqu'un, qui que ce soit, tente de faire s'exprimer le monde entier sur une question simple, par référendum. Ce pourrait être l'adhésion à un traité ou le principe d'une réforme, ou le lancement d'un grand projet planétaire. À cette fin, on pourra utiliser le vote électronique soit dans des urnes sédentaires dans des bureaux de vote, soit là où chacun, nomade, souhaite s'exprimer.

Ce n'est pas de la science-fiction : le vote électronique sédentaire est déjà utilisé par de nombreux pays. Introduit en Inde en 1982, appliqué à tout le pays depuis 2004, il permet de faire voter plus de 600 millions d'électeurs. Des bornes de vote électronique sont aussi utilisées au Brésil, au Canada, au Japon, au Kazakhstan, au Pérou, en Russie, aux États-Unis d'Amérique, dans les Émirats arabes unis et au Venezuela. Le vote nomade, c'est-à-dire la possibilité de voter hors d'un bureau de vote, exige une authentification parfaite du votant juste avant qu'il se prononce, et son anonymat le plus complet juste après qu'il a voté. Il est pratiqué en Estonie depuis 2005 sur ordinateur portable, et le sera bientôt sur téléphone mobile. En 2008, il a été utilisé à Zurich. Les militaires américains, connectés au réseau sécurisé de la Défense depuis leurs bases, ont voté en 2004 par Internet. Les astronautes à bord de la station spatiale internationale votent par e-mail sécurisé, une loi du Texas permettant de rapatrier et de comptabiliser leurs votes. Au Canada, douze municipalités de l'est de l'Ontario ont permis à 100 000 électeurs de participer aux élections, en 2003, par Internet et par téléphone. Au total, le système de vote nomade permet d'augmenter la participation de 55 % ; il suppose une grande vigilance à l'égard des pressions que peuvent subir les électeurs et des failles de la sécurité. La cryptographie et l'authentification biométrique permettront, à moyen terme, de rendre efficaces ces systèmes à très vaste échelle.

On pourrait ensuite rêver d'un mouvement plus ouvert où il ne s'agirait plus de répondre à une question fermée, mais de venir s'exprimer sur le « forum virtuel » du monde. On pourrait alors espérer que se manifestent suffisamment de gens pour que leurs voix deviennent audibles, qu'ils commencent à exprimer des vœux, des aspirations, des rages capables de balayer les dictateurs, les criminels et les ploutocrates. Un peu à l'image de ces manifestants qu'on voit se rassembler de plus en plus nombreux sur une place d'abord déserte et qui finissent par faire chuter un dictateur.

Il faudra ouvrir à cette fin un site qu'on pourrait nommer « étatsgénérauxdumonde.org » sur lequel des « e-manifestants » pourront venir poster leurs idées de changement, avec pour objectif de rassembler des millions, puis des milliards d'opinions, et d'en tirer un projet commun qui deviendrait ensuite tellement majoritaire qu'il ne pourrait plus rester virtuel. Des centaines de millions de gens s'exprimeront ainsi en faveur d'une cause, pour le départ d'un tyran ou le lancement d'un projet.

L'entité qui produira, hébergera, modérera et financera le site « états généraux du monde » devra être parfaitement transparente et, si possible, indépendante. Son financement devra être assuré par des dons. Le site devra être ouvert en plusieurs langues ; les « e-manifestants » en rajouteront, sur le modèle de l'interface Facebook, qui gère déjà une vingtaine de langues et permet aux utilisateurs de proposer leur propre traduction des éléments de l'interface, de voter pour les meilleures traductions, d'enrichir le site avec de nouvelles langues. L'exemple de la campagne présidentielle de Barack Obama, de ce qui s'est passé en Tunisie et en Égypte et des travaux de Gene Sharp sur la transition vers la démocratie, ouvre des pistes.

Chaque « e-manifestant » s'inscrira sur ce site avec son blog, son mur Facebook, son fil Twitter. Pas de façon anonyme : on ne manifeste pas sous pseudonyme. Des animateurs du site mettront en ligne des thèmes de débat, de manifestation, de protestation ou d'action, ainsi que des mots-clés. Chacun devra s'y rattacher ou proposer d'autres thèmes et d'autres mots-clés. La modération sera effectuée par les « e-manifestants » eux-mêmes.

Les articles, pamphlets, projets, requêtes les plus demandés seront repris par d'autres « e-manifestants » jusqu'à sortir vraiment du lot, comme c'est le cas sur You Tube, Facebook ou Twitter.

Des équipes de rédacteurs rédigeront en permanence des synthèses. Leur indépendance sera garantie par le fait qu'aucun rédacteur ne synthétisera des contributions dans son propre pays. Une fois rédigées, les synthèses seront soumises au vote de tous.

De telles « e-manifestations » pourront entraîner une vague de demandes appelant au départ d'un leader, à la remise en cause d'un marché ou encore à la rédaction d'une Charte des droits et devoirs de l'espèce humaine qui pourra s'imposer par des milliards de signatures à des dirigeants abasourdis.

Rien de tout cela n'est impossible.

Si nul ne s'y hasarde dès aujourd'hui, ce n'est pas que les gens aient peur : nul ne craint la police imaginaire d'un gouvernement mondial inexistant, ni même les représailles que des polices d'Internet pourraient faire subir à ceux qui parleraient trop librement. C'est parce que nous sommes, pour la plupart, résignés, défaitistes, incapables d'utopies, convaincus que les révoltes mondiales ne sont pas possibles. Or c'est la seule raison pour laquelle elles ne le sont pas ; et il suffira de penser que des états généraux du monde sont réalisables pour qu'ils le deviennent.

Ce sera aussi une bonne occasion de comprendre que penser le gouvernement du monde ne doit pas être un prétexte ou un alibi pour s'abstenir de s'occuper de son plus proche voisin ; au contraire, c'est avec lui, et pour lui, que commence le monde.

Annexe 1

Les instances mondiales

UPU – Union postale universelle. Créée le 9 octobre 1874, l'Union postale universelle est la deuxième plus ancienne organisation internationale (après l'Union internationale des télécommunications). Elle constitue le principal forum de dialogue entre les acteurs du système postal. Outre son rôle de médiation et de conseil, l'UPU fixe les règles des échanges de courrier international et formule des recommandations pour stimuler la croissance en volume des lettres postales, colis et services financiers.

OMT – Organisation mondiale du tourisme. Cette institution spécialisée de l'ONU vise à promouvoir le tourisme en vue de contribuer à l'expansion économique, à la paix et à la prospérité dans ses 139 pays membres. La Journée mondiale du tourisme est instaurée dans les années 1980 pour célébrer l'anniversaire de l'adoption des statuts de l'OMT.

OMI – Organisation maritime internationale. Agence spécialisée de l'ONU, elle régit la réglementation maritime de 169 pays dans les domaines de la sécurité maritime et de la pollution en milieu marin par les hydrocarbures, entre autres. Elle entend aussi faciliter le trafic maritime international par la simplification des documents requis par les ports à l'arrivée et au départ des navires.

OACI – Organisation de l'aviation civile internationale. Agence spécialisée de l'ONU, elle a pour but d'élaborer les normes qui permettent la standardisation du transport aéronautique international. Elle définit les protocoles à suivre lors des enquêtes sur les accidents aériens. En 2007, l'OACI comptait 190 États membres. Depuis 1993, l'Organisation a abaissé les normes d'émission d'oxyde d'azote de 20 %.

IATA – Association internationale du transport aérien. Organisation internationale *privée* regroupant des sociétés de transport aérien spécialement autorisées à se concerter sur les prix. Elle est accusée à ce titre d'agir comme un cartel. C'est elle qui assigne les codes internationaux de 3 lettres aux aéroports, et ceux de 2 lettres aux compagnies aériennes. Elle regroupe 230 compagnies, représentent 93 % du trafic mondial des passagers en 2009.

OMD – Organisation mondiale des douanes. Porte-parole de la communauté douanière internationale, l'OMD assure les contrôles douaniers de plus de 98 % du commerce international. Elle gère la nomenclature internationale des marchandises, appelée « Système harmonisé » (SH), et les aspects techniques des accords de l'OMC sur l'évaluation en douane. Elle dispose de compétences internationalement reconnues en matière de sécurité de la chaîne logistique, de facilitation des échanges internationaux, de lutte contre la fraude et la contrefaçon et de renforcement des capacités dans l'application des réformes douanières.

OIM – Organisation internationale pour les migrations. Agence intergouvernementale basée à Genève, en dehors de la structure administrative onusienne. Appelée à l'origine « Comité intergouvernemental pour les migrations européennes », l'OIM a été créée en 1951 pour aider à la réinstallation des personnes déplacées de la Seconde Guerre mondiale.

OIE – Office international des épizooties (Organisation internationale de la santé animale). Cette organisation voit le jour en 1924 à la suite de l'épidémie de peste bovine survenue en Belgique en 1920 après l'importation de zébus en provenance d'Asie du Sud. Elle rassemble 178 pays membres et joue un rôle majeur dans la collecte et la transmission d'informations sur les zoonoses, c'est-à-dire les maladies naturellement transmissibles de l'animal à l'homme et vice versa (comme la grippe aviaire). L'OIE estime que la circulation des humains et des animaux jouerait un rôle majeur dans la diffusion et l'extension mondiale de nombreux pathogènes et de maladies dites « émergentes ».

Organisation supranationale

OMC – Organisation mondiale du commerce. Cet organisme régit les règles du commerce international. L'OMC ne fait pas partie des agences spécialisées de l'ONU. Elle représente avant tout un cadre de négociation où les gouvernements interagissent afin de résoudre les différends commerciaux qui les opposent. Dans ces négociations, chaque État représente une voix. L'OMC s'est aussi dotée d'un pouvoir judiciaire, l'Organe de règlement des différends (ORD), auprès duquel les pays peuvent porter plainte.

Institutions financières mondiales

FMI – Fonds monétaire international. Le FMI vise principalement la stabilité financière internationale, la coopération monétaire et la facilitation des échanges internationaux. Il subordonne généralement l'octroi de prêts aux pays en difficulté, et met en place des réformes économiques visant à améliorer la gestion des finances publiques à long terme.

BRI – Banque des règlements internationaux. Créée en 1930 dans le prolongement du plan Young qui renégocie le traité de Versailles après la Première Guerre mondiale, on la considère comme l'une des plus anciennes institutions financières internationales. Située à Bâle, en Suisse, on la surnomme « la banque centrale des banques centrales ». Elle a le statut juridique d'une société anonyme dont les actionnaires sont les banques centrales. La BRI prépare, au niveau de son comité de Bâle, des accords définissant un certain nombre de règles et de ratios prudentiels applicables à toutes les banques commerciales du monde. Bâle I est signé en 1988, Bâle II entre 2004 et 2008, et Bâle III, dont les accords sont déjà en gestation, est prévu pour 2015.

BM – Banque mondiale. Elle est créée en 1945, au lendemain de la signature des accords de Bretton Woods, sous le nom de Banque internationale pour la reconstruction et le développement, pour aider à reconstruire l'Europe. Depuis sa création, la BM s'est engagée dans de nouvelles missions : projets de développement rural, d'eau, d'éducation, de santé. Ces projets en matière sont venus compléter une palette d'interventions auparavant limitées au soutien économique aux États et à la mise en place d'infrastructures de base (ports, aéroports, routes, barrages).

AGENCES SPÉCIALISÉES DE L'ONU

ONUDI – Organisation des Nations unies pour le développement industriel. L'objectif de cet organisme est d'accélérer la croissance industrielle des pays en voie de développement. L'ONUDI possède une double casquette de forum mondial et d'agence technique. Sa vision à long terme est celle d'un monde d'opportunités dans lequel « la croissance est équitable, accessible et durable » et où la réduction de la pauvreté relève de la responsabilité internationale.

FAO – Organisation des Nations unies pour l'alimentation et l'agriculture. Comme l'indique la devise latine de l'organisme – *Fiat panis*, « Qu'il y ait du pain pour tous » –, l'objectif de la FAO est d'aider les pays à mieux maîtriser leurs ressources et à anticiper les futurs besoins en nourriture. Elle harmonise les normes dans les domaines de la nutrition, de l'agriculture et de la pêche, et fournit une assistance technique aux pays en développement.

OMS – Organisation mondiale de la santé. Selon sa constitution, l'OMS a pour vocation d'amener tous les peuples du monde au niveau de santé le plus élevé possible. Sa création fut précédée de différents accords internationaux. Dès 1850 par exemple, des dispositions furent prises afin d'harmoniser les mesures de quarantaine destinées à prémunir les États européens contre la peste. Le développement de l'OMS depuis sa création en 1948 illustre le constat selon lequel la santé est une responsabilité partagée supposant un accès équitable aux soins et une « défense collective contre des menaces transnationales ».

FIDA – Fonds international de développement agricole. Il s'agit d'une banque d'aide au développement dont l'objectif est d'aider financièrement les pays souffrant de malnutrition et de pauvreté. Le FIDA vise à améliorer et à moderniser les techniques agricoles existantes en milieu rural, notamment par le biais de projets de microfinance gérés au niveau local.

UNESCO – Organisation des Nations unies pour l'éducation, la science et la culture. L'Unesco vise à contribuer au maintien de la paix et de la sécurité dans le monde à travers le développement de l'éducation, de la science, de la culture et de la communication. Elle est également à l'origine du « Registre international Mémoires du monde », qui recense la richesse du patrimoine documentaire mondial afin d'en assurer la conservation pour les générations futures et d'en faciliter l'accès au public.

BIE – Bureau international de l'éducation. Ce centre de l'Unesco s'est donné pour mission de promouvoir un véritable débat international sur les politiques de l'éducation. Il s'agit donc d'observer les systèmes d'éducation, les contenus et les méthodes utilisées, d'intégrer les résultats à une banque de données comparative, et d'en assurer la bonne diffusion. Tous les ans, le BIE organise une conférence internationale sur l'éducation.

OMPTI – Organisation mondiale de la propriété intellectuelle. Sa mission consiste à élaborer un système international de défense de la propriété intellectuelle qui récompense la créativité, stimule l'innovation et contribue au développement économique.

OMM – Organisation météorologique mondiale. L'OMM joue un rôle crucial dans la standardisation des données météorologiques et dans la prévision climatique. En 1853 s'est tenue la première conférence internationale de météorologie maritime. Les puissances économiques avaient déjà compris l'enjeu que représentait une meilleure compréhension des climats océaniques pour la sécurité de la navigation commerciale entre l'Europe et le reste du monde. Outre les systèmes de veille et d'observation des climats qu'elle a mis en place, l'OMM a lancé plus récemment (2003) un programme de prévention des catastrophes naturelles.

OIT – Organisation internationale du travail. Cette organisation est la seule parmi les agences de l'ONU à être dotée d'une structure tripartite : elle rassemble effectivement sur le même plan gouvernements, employeurs et travailleurs. L'OIT vise principalement à élaborer et à superviser les normes internationales du travail. Elle mène ses campagnes sur le double thème de la promotion des droits du travail et de l'augmentation du nombre d'emplois décents.

D'autres agences spécialisées de l'ONU ont été citées plus haut ou vont l'être ci-après : Organisation de l'aviation civile internationale (OACI), Organisation maritime internationale (OMI), Union postale universelle (UPU), Union internationale des télécommunications (UIT), Organisation mondiale du tourisme (OMT).

INSTITUTIONS SPÉCIALISÉES DE L'ONU

UNITAR – Institut des Nations unies pour la formation et la recherche

UNIDIR – Institut des Nations unies pour la recherche sur le désarmement

UNICRI – Institut interrégional de recherche des Nations unies sur la criminalité et la justice

UNRISD – Institut de recherche des Nations unies pour le développement social

UNU – Université des Nations unies (*think tank* des Nations unies)

UNSTRAW – Institut international de recherche et de formation des Nations unies pour la promotion de la femme

LES DIFFÉRENTS FONDS ET PROGRAMMES DE L'ONU

Le Fonds des Nations unies pour l'enfance (UNICEF)

Le Fonds d'équipement des Nations unies (FENU)

Le Fonds des Nations unies pour la population (FNUAP)

Le Fonds des Nations unies pour les partenariats internationaux (FNUPI)

Le Fonds de développement des Nations unies pour la femme (UNIFEM)

Le Programme alimentaire mondial (PAM)

Le Programme commun des Nations unies sur le sida (ONUSIDA)

Le Programme des volontaires des Nations unies (VNU)

Le Programme des Nations unies pour le développement (PNUD)

Le Programme des Nations unies pour l'environnement (PNUE)

Le Programme des Nations unies pour les établissements humains (PNUEH), également appelé ONU-Habitat

Le Haut Commissariat des Nations unies pour les réfugiés (UNHCR)

L'Office de secours et de travaux des Nations unies pour les réfugiés de Palestine dans le Proche-Orient (UNRWA)

L'Office des Nations unies contre la drogue et le crime (UNODC)

GOUVERNANCE TECHNIQUE ET SCIENTIFIQUE MONDIALE

BIPM – Bureau international des poids et mesures. Le BIPM est l'une des organisations instaurées en vue d'assurer l'uniformité mondiale des mesures et leur traçabilité au sein du Système international d'unités (SI). Le Bureau travaille sous l'autorité de la Convention du mètre (traité diplomatique signé en 1875 par 17 États, puis modifié en 1921).

UIT – Union internationale des télécommunications. Créée en 1865 sous le nom d'« Union internationale du télégraphe », elle fait partie des agences spécialisées de l'ONU. Véritable pôle de convergence mondial où se retrouvent pouvoirs publics et secteur privé, elle est chargée de la réglementation et de la planification des télécommunications dans le monde, et établit les normes au sein de ce secteur.

UIA – Union astronomique internationale (International Astronomical Union). L'UIA est une association internationale non gouvernementale dont l'objectif est de coordonner les travaux des astronomes à travers le monde. C'est la seule organisation habilitée à donner leur nom aux objets célestes.

UGGI – Union géodésique et géophysique internationale. Cette organisation scientifique coordonne les études interdisciplinaires de la Terre et de son environnement spatial dans un cadre international. Les données d'observation obtenues dans le cadre des études faites sous les auspices de l'UGGI sont en principe disponibles à toute la communauté scientifique dans le but d'être utilisées au profit de l'humanité entière.

IERS – **Système international de la rotation terrestre** (International Earth Rotation and Reference Systems Service). Cet organisme étudie l'orientation de la Terre et joue également un rôle fondamental au niveau du Temps universel coordonné (UTC), en décidant l'insertion éventuelle d'une seconde intercalaire en sorte que celui-ci soit maintenu en concordance avec la rotation de la Terre.

OIPC – **Organisation internationale de protection civile**. Organisation intergouvernementale dont l'objectif est de renforcer les structures nationales de protection civile face aux risques d'ouragan, de séisme, d'explosion, d'avalanche, de radioactivité, de tempête, d'inondation, etc. Elle rassemble aujourd'hui une cinquantaine de pays.

GOUVERNANCE PROFESSIONNELLE MONDIALE

AIESEC – **Association internationale des étudiants en sciences économiques et commerciales**. L'AIESEC est la plus grande organisation estudiantine au monde. Entièrement gérée par des étudiants et des diplômés du supérieur, elle entend contribuer à l'édification d'un monde de paix en formant de jeunes leaders porteurs de changements au profit de leurs communautés respectives (offres de stages internationaux). Son réseau compte 50 000 membres à travers 111 pays, répartis dans plus de 1 700 universités.

AIS – **Association internationale de la sociologie**. Regroupement international de sociologues dont l'objectif est de représenter les sociologues du monde entier indépendamment de leur nationalité ou de leur approche disciplinaire. Elle vise à faciliter les recherches en sociologie et à accroître la visibilité internationale de la discipline.

FIJ – **Fédération internationale des journalistes**. Cette fédération rassemble les syndicats et organisations de journalistes de plus de 100 pays. La FIJ mène des actions internationales pour défendre la liberté de la presse à travers le monde et soutient les journalistes dans leur combat pour leurs droits syndicaux. Elle a fait naître un Fonds international de sécurité pour fournir une aide humanitaire aux journalistes dans le besoin.

OICA – **Organisation internationale des constructeurs automobiles**. Fondée en 1919, cette fédération vise à représenter l'industrie automobile au niveau international. Elle a également pour objectif de coordonner la communication entre constructeurs, carrossiers et importateurs.

FMA – Fédération mondiale des annonceurs (World Federation of Advertisers). Cette fédération rassemble un réseau de 55 associations nationales d'annonceurs (publicitaires) et de 50 des 100 multinationales d'*advertising* les plus importantes au monde. La FMA représente près de 90 % de l'investissement « médias » mondial, soit près de 700 milliards de dollars annuels.

FIPA – Fédération internationale des producteurs agricoles. Cette organisation mondiale des agriculteurs représente plus de 600 millions d'exploitations agricoles familiales dans environ 80 pays. La FIPA est membre du Comité pour la promotion et le progrès des coopératives (COPAC) et joue un rôle consultatif auprès des Nations unies.

FIT – Fédération internationale des traducteurs. Cette fédération regroupe les associations de traducteurs d'une cinquantaine de pays. Elle a adopté en 1963 une Charte du traducteur destinée à guider celui-ci dans l'exercice de son métier.

IFAC – Fédération internationale des experts comptables. L'IFAC est l'organisation mondiale de la profession comptable. Elle travaille avec 164 associations établies dans 125 pays en vue d'encourager les comptables du monde entier à respecter des pratiques de haute qualité. L'IFAC élabore des normes internationales portant sur la déontologie, l'audit, l'assurance et la formation, ainsi que les normes comptables du secteur public.

AMM – Association médicale mondiale. L'AMM représente 84 associations médicales nationales et 9 millions de membres. Elle s'efforce de mettre en place les plus hautes normes possible dans le domaine de la médecine, de l'éthique et de la formation médicale.

FDI – Fédération dentaire internationale. Cet organisme est le porte-parole indépendant de la profession dentaire et compte 156 associations membres établies dans 137 pays, représentant plus de 900 000 chirurgiens-dentistes de par le monde.

UIA – Union internationale des architectes. Cette organisation fédère aujourd'hui les organisations professionnelles d'architectes établies dans 123 pays. Tout membre de l'une de ces organisations est d'office membre de l'UIA.

UIA – Union internationale des avocats. L'UIA défend la profession d'avocat et stimule les contacts internationaux, la coopération et l'échange de connaissances entre avocats. Ouverte à tous les avocats du monde, généralistes ou spécialisés, elle regroupe plusieurs milliers de membres et des centaines de barreaux de plus de 120 pays.

UINL – Union internationale du notariat. Elle a pour but de développer la fonction notariale dans le monde entier. L'UINL est représentée à l'ONU et à l'OMC. Elle dispose au sein de l'ONU du statut consultatif dit « spécial ». À ce titre, elle joue un rôle de consultant auprès des gouvernements et du Secrétariat général. On la retrouve aussi à l'Unesco, auprès de la Commission européenne et du Parlement européen.

ISF – Ingénieurs sans frontières.

CIF – Conseil international des infirmières.

EDM – Entrepreneurs du monde.

FÉDÉRATIONS SPORTIVES INTERNATIONALES

IFG – Fédération internationale de gymnastique. Créée en 1881, c'est la plus ancienne fédération sportive internationale.

FIFA – Fédération internationale de football association. La FIFA a été créée en 1904 par une association de fédérations nationales. Si elle organise la Coupe du monde, elle n'est cependant pas décisionnaire pour fixer les calendriers des préliminaires ni leur formule. De même, elle n'a aucune emprise sur l'organisation de chaque fédération nationale. Depuis 2006, la FIFA a fait de l'éthique l'une de ses priorités et entend proposer une meilleure gouvernance et une meilleure transparence au sein du monde du football. Très opposée à la fabrication de ballons par les enfants, la FIFA est signataire d'un accord (1997) concernant le district de Sialkot, au Pakistan, particulièrement concerné par ce phénomène. Depuis 2003, la campagne initiée par la FIFA, « Carton rouge au travail des enfants », continue ce combat.

IAFF – Association internationale des fédérations d'athlétisme. Cette association fondée en 1912 est chargée d'organiser les championnats du monde d'athlétisme et de standardiser les méthodes de chronométrage et de détermination des records du monde. Elle décerne notamment les trophées masculin et féminin de l'athlète de l'année.

Les fédérations sportives internationales sont, dans leur majorité, nées dans les années 1910. Pour ce qui est des sports olympiques, on peut noter l'existence des fédérations mondiales suivantes : fédérations internationales des sociétés d'aviron, de badminton, de baseball, de basketball, de bobsleigh et de tobogganing, de canoë, de curling, d'escrime, de football, de handball, de hockey sur gazon, de hockey sur glace, de luge de course, de judo, de lutte et associées, de natation, de pentathlon moderne, de ski, de softball, de taekwondo, de tennis, de tennis de table, de tir sportif, de tir à l'arc, de triathlon, de voile, de volley-ball, Fédération équestre internationale, Union internationale de biathlon, Union cycliste internationale.

Pour les sports non olympiques, on recense les fédérations internationales de ballon au poing, de bandy, de kickboxing, de course d'orientation, de cricket, de quilles, de floorball, de football américain, de korfball, de motocyclisme, de netball, de pêche sportive en mer, de pêche sportive à la mouche, de pelote basque, de pétanque, de polo, de roller sports, de rugby à treize, de ski nautique, de sumo, de squash, l'Union internationale des associations d'alpinisme et l'Association internationale de surf. Parmi les fédérations mondiales les plus surprenantes, on notera l'existence de la Fédération internationale de balle au tambourin, jeu traditionnel mal connu du grand public et pourtant très exigeant.

GOUVERNANCE MONDIALE DE LA PRODUCTION
DE DENRÉES ALIMENTAIRES

OIV – Organisation internationale de la vigne et du vin. L'OIV réunit les représentants de 44 États membres et se définit comme un organisme intergouvernemental à caractère scientifique et technique, de compétence reconnue dans le domaine des produits issus de la vigne. Elle vise à harmoniser les pratiques et les normes à travers le monde et à élaborer des normes internationales nouvelles afin d'améliorer les produits viticoles, leur commercialisation et la prise en compte des intérêts des consommateurs.

OIC – Organisation internationale du café. Il s'agit d'une organisation intergouvernementale regroupant la plupart des pays producteurs de café (45 pays) ainsi que les principaux pays importateurs (31 pays). Son autorité suprême est le Conseil international du café. Il fournit des prix indicatifs, offre une base de données statistiques ayant trait à cette denrée, ainsi qu'un rapport mensuel sur le marché du café. L'OIC organise depuis 2001 des conférences mondiales sur le café afin de mieux coordonner les politiques et les priorités concernant ce produit.

ICCO – Organisation internationale du cacao. L'ICCO est créée en 1973 sous les auspices des Nations unies pour administrer les dispositions de l'Accord international de 1972 sur le cacao. L'organisation s'est vu donner le mandat explicite d'œuvrer pour une « économie cacaoyère durable ». Outre son rôle de centre d'information, son objectif premier est d'encourager la coopération internationale dans le domaine du cacao en contribuant à la stabilisation du marché et à la production durable de cacao à des prix raisonnables.

ISO – Organisation internationale du sucre (International Sugar Organization). L'ISO est une association intergouvernementale dédiée à l'amélioration des conditions de production du sucre à travers le monde. Elle vise à offrir un forum mondial de débat et de collecte d'informations sur le marché du sucre.

ORGANISATIONS NON GOUVERNEMENTALES

ONG

La Croix-Rouge. C'est le plus important regroupement d'organisations humanitaires au monde. L'organisme a été créé à la suite de la bataille de Solferino afin de mettre en place une structure de secours neutre et permanente pour les soldats blessés. Aujourd'hui, la mission élargie du Mouvement international de la Croix-Rouge est de prévenir et d'alléger les souffrances dans le respect de la personne humaine, en particulier en temps de conflit armé, mais aussi en d'autres situations d'urgence, ainsi que d'œuvrer en faveur de la prévention des maladies et du développement de la santé et du bien-être social.

Action contre la faim
Oxfam International
Amnesty International
Reporters sans frontières
Organisation mondiale contre la torture
Mouvement des sans-terre
Médecins sans frontières
PlaNet Finance
Handicap International
Human Rights Watch
WWF

Commissions et conseils internationaux
(dont la majorité partenaires de l'UNESCO)

Conseil international des archives
Conseil international des musées
Conseil international de la musique
Conseil international des monuments et des sites
Commission internationale des grands barrages
Conseil international de la philosophie et des sciences humaines
Conseil international des sciences de l'ingénieur et de la technologie
Conseil international des organisations de festivals de folklore et d'arts traditionnels
Conseil international du cinéma, de la télévision et de la communication audiovisuelle

Environnement et infrastructures

Agence internationale pour la gestion des eaux de pluie. Le but de cette agence est de promouvoir la collecte d'eau de pluie comme un moyen simple et économique d'approvisionner les pays les plus démunis en eau.

Eau vive. Cette organisation met en place des campagnes d'assainissement de l'eau par la construction de puits, toilettes, ponts, etc.

Organisation internationale des toilettes (World Toilet Organization). ONG internationale ayant pour objectif de promouvoir l'usage des toilettes et d'assurer la santé publique à travers le monde.

Greenpeace

Max Havelaar. Promotion du commerce équitable.

BlueEnergy. Fabrication de systèmes hybrides éolien-solaire dans le but d'électrifier des villages isolés.

Commission internationale de protection radiologique. Protection contre les rayonnements ionisants (radioactivité).

Fondation architectes de l'urgence. Cette fondation assure une assistance technique aux sinistrés de catastrophes naturelles, technologiques ou humaines.

Protection de l'enfance

SOS Villages d'enfants

Orphans International Worldwide

Defence for Children International

End Child Prostitution, Child Pornography and Trafficking of Children for Sexual Purposes (ECPAT). Organisation qui lutte contre la prostitution et l'esclavage sexuel des enfants.

World Vision International. Première organisation de parrainage d'enfants au monde.

Action Innocence. Protection des enfants sur Internet.

Débat politique

Action Sahel

Alliance pour un monde responsable, pluriel et solidaire

Défense de droits

Anti-Slavery International

Survival International. ONG de défense des droits des peuples indigènes.

Organisation internationale des intersexués (OII). C'est la plus grande organisation au monde dédiée aux personnes intersexuées. Elle vise à défendre les droits humains des personnes intersexuées, définies par l'organisme comme « toute personne née dans un corps atypique selon les normes en vigueur pour catégoriser les personnes dans un des deux sexes officiels ».

Organisations culturelles transnationales

Aga Khan Development Network
Réseau virtuel romani. ONG dont le but est de regrouper des informations utiles sur le peuple romani.

International Police Association. La plus grande organisation socio-culturelle mondiale de policiers.

Fédération mondiale des anciens combattants. Apolitique et indépendante, cette fédération internationale regroupe 170 organisations de 89 pays, représentant entre 25 et 30 millions d'anciens combattants à travers le monde.

World Federation of Music Therapy. ONG qui promeut la musique comme outil thérapeutique pour rétablir la santé mentale, physique et émotionnelle des personnes souffrantes à travers le monde.

Protection des animaux

Protection mondiale des animaux de ferme (PMAF)
Fédération cynologique internationale. ONG se proclamant « Organisation canine mondiale » et dont le but est de protéger la cynologie (l'étude des chiens) et les chiens de pure race.

Transparence

Global Cities Dialogue. Association internationale regroupant des maires et de hauts représentants politiques dans le but de bâtir une société de l'information pour tous.

Transparency International. ONG ayant pour principale vocation la lutte contre la corruption des gouvernements du monde.

Guerre et mémoire

Mouvement Pugwash. ONG regroupant des personnalités des milieux universitaire et politique pour tendre à réduire les risques de conflits armés.

Emergency. Rééducation des victimes de la guerre et des mines terrestres.

Memorial. Cherche à prévenir le retour du totalitarisme et à faire éclater la vérité sur les exactions passées et leurs victimes.

International Association for the Study of Pain. ONG professionnelle internationale promouvant la connaissance et la gestion de la douleur.

Droits de l'Internet

Electronic Frontier Foundation. Fondation qui vise à garantir la liberté d'expression sur Internet.

Free Software Foundation ou Fondation pour le logiciel libre. Fondation qui cherche à promouvoir le logiciel libre et à défendre ses utilisateurs.

Quelques organisations humanitaires religieuses

Secours islamique (International Islamic Relief Organization).

Ligue islamique mondiale. ONG musulmane fondée en 1962 à La Mecque par le prince Fayçal d'Arabie Saoudite afin de promouvoir le panislamisme.

Agence adventiste du développement et de l'aide humanitaire (ADRA). Organisation humanitaire créée par l'Église adventiste du septième jour. Elle conduit des programmes de développement communautaire et des actions humanitaires liées aux catastrophes naturelles.

LDS Foundation. L'organisation humanitaire de l'Église de Jésus-Christ des saints des derniers jours fournit une aide aux familles déshéritées partout dans le monde et cherche à améliorer leur autonomie.

Annexe 2

Les traités « universels » :
une ébauche de *Codex mondial* ?

Chaque année depuis 2000, l'ONU organise des cérémonies des traités (la onzième a eu lieu en septembre 2010) pour inviter les États membres à signer, ratifier les traités multilatéraux ou y adhérer. Depuis leur première édition, ces cérémonies ont été l'occasion de près de 1 500 nouvelles signatures, ratifications ou adhésions aux grands traités internationaux.

> *Remarque : ne figurent dans la liste ci-dessous que les traités qui comptent plus de 150 ratifications. Cependant, certains traités importants restent encore sous le seuil des 150 États parties. C'est le cas notamment du Statut de Rome de la Cour pénale internationale, signé le 17 juillet 1998, entré en vigueur le 1ᵉʳ juillet 2002, et qui ne compte que 114 États parties, ou encore de la convention de Vienne sur le droit des traités, signée le 23 mai 1969, entrée en vigueur le 27 janvier 1980, et qui ne compte que 111 États parties.*

SÉCURITÉ ET JUSTICE INTERNATIONALES

La Charte des Nations unies
Signée le 26 juin 1945.
Entrée en vigueur le 24 octobre 1945.
192 parties.
Le Statut de la Cour internationale de justice
Parties : tous les membres de l'ONU.

RELATIONS DIPLOMATIQUES

La Convention sur les privilèges et immunités des Nations unies

Signée le 13 février 1946.
Entrée en vigueur le 17 septembre 1946.
157 parties.

La Convention de Vienne sur les relations consulaires

Signée le 24 avril 1963.
Entrée en vigueur le 19 mars 1967.
173 parties.

La Convention de Vienne sur les relations diplomatiques

Signée le 18 avril 1961.
Entrée en vigueur le 24 avril 1964.
187 parties.

La Convention sur la prévention et la répression des infractions contre les personnes jouissant d'une protection internationale, y compris les agents diplomatiques

Signée le 14 décembre 1973.
Entrée en vigueur le 20 février 1977.
173 parties.

DROITS DE L'HOMME

La Convention internationale sur l'élimination de toutes les formes de discrimination raciale

Signée le 7 mars 1966.
Entrée en vigueur le 4 janvier 1969.
174 parties.

Le Pacte international relatif aux droits civils et politiques

Signé le 16 décembre 1966.
Entré en vigueur le 23 mars 1976.
167 parties.

Le Pacte international relatif aux droits économiques, sociaux et culturels

Signé le 16 décembre 1966.
Entré en vigueur le 3 janvier 1976.
160 parties.

La Convention sur l'élimination de toutes les formes de discrimination à l'égard des femmes

Signée le 18 décembre 1979.

Entrée en vigueur le 3 septembre 1981.

186 parties.

La Convention relative aux droits de l'enfant

Signée le 20 novembre 1989.

Entrée en vigueur le 2 septembre 1990.

192 parties.

DÉSARMEMENT

Le Traité sur la non-prolifération des armes nucléaires

Signé le 1ᵉʳ juillet 1968.

Entré en vigueur le 5 mars 1970.

189 parties.

La Convention sur l'interdiction de la mise au point, de la fabrication et du stockage des armes bactériologiques (biologiques) ou à toxines et sur leur destruction

Signée le 10 avril 1972.

Entrée en vigueur le 26 mars 1975.

163 parties.

La Convention sur l'interdiction de la mise au point, de la fabrication, du stockage et de l'emploi des armes chimiques et sur leur destruction

Signée le 13 janvier 1993.

Entrée en vigueur le 29 avril 1997.

188 parties.

Le Traité d'interdiction complète des essais nucléaires

Signé le 10 septembre 1996.

Non encore en vigueur.

153 parties.

La Convention sur l'interdiction de l'emploi, du stockage, de la production et du transfert des mines antipersonnel et sur leur destruction

Signée le 18 septembre 1997.

Entrée en vigueur le 1ᵉʳ mars 1999.

156 parties.

DROIT DE LA GUERRE ET DROIT HUMANITAIRE

Les Conventions de Genève
Signées le 12 août 1949.
Entrées en vigueur le 21 octobre 1950.
194 parties.

Le Protocole additionnel I aux Conventions de Genève du 12 août 1949 relatif à la protection des victimes des conflits armés internationaux
Signé le 8 juin 1977.
Entré en vigueur le 7 décembre 1978.
171 parties.

Le Protocole additionnel II aux Conventions de Genève du 12 août 1949 relatif à la protection des victimes des conflits armés non internationaux
Signé le 8 juin 1977.
Entré en vigueur le 7 décembre 1978.
165 parties.

QUESTIONS PÉNALES ET LUTTE
CONTRE L'ÉCONOMIE CRIMINELLE

La Convention relative aux infractions et à certains autres actes survenant à bord des aéronefs
Signée le 14 septembre 1963.
Entrée en vigueur le 4 décembre 1969.
185 parties.

La Convention pour la répression de la capture illicite d'aéronefs
Signée le 16 décembre 1970.
Entrée en vigueur le 14 octobre 1971.
185 parties.

La Convention sur les substances psychotropes
Signée le 21 février 1971.
Entrée en vigueur le 16 août 1976.
183 parties.

La Convention pour la répression d'actes illicites dirigés contre la sécurité de l'aviation civile
Signée le 23 septembre 1971.

Entrée en vigueur le 26 janvier 1973.

188 parties.

La Convention sur le règlement international pour prévenir les abordages en mer

Signée le 20 octobre 1972.

Entrée en vigueur le 15 juillet 1977.

153 parties.

La Convention des Nations unies contre le trafic illicite de stupéfiants et de substances psychotropes

Signée le 8 août 1975.

Entrée en vigueur le 8 août 1975.

185 parties.

La Convention internationale contre la prise d'otages

Signée le 17 décembre 1979.

Entrée en vigueur le 3 juin 1983.

168 parties.

Le Protocole pour la répression des actes illicites de violence dans les aéroports servant à l'aviation civile internationale

Signé le 24 février 1988.

Entré en vigueur le 6 août 1989.

171 parties.

La Convention pour la répression d'actes illicites contre la sécurité de la navigation maritime

Signée le 10 mars 1988.

Entrée en vigueur le 1er mars 1992.

157 parties.

La Convention unique sur les stupéfiants de 1961, modifiée par un protocole en portant amendement

Signée le 20 décembre 1988.

Entrée en vigueur le 11 novembre 1990.

184 parties.

La Convention internationale pour la répression des attentats terroristes à l'explosif

Signée le 15 décembre 1997.

Entrée en vigueur le 23 mai 2001.

164 parties.

La Convention internationale pour la répression du financement du terrorisme

Signée le 9 décembre 1999.

Entrée en vigueur le 10 avril 2002.
173 parties.

La Convention des Nations unies contre la criminalité transnationale organisée
Signée le 15 novembre 2000.
Entrée en vigueur le 29 septembre 2003.
159 parties.

ÉCONOMIE, COMMERCE INTERNATIONAL
ET DÉVELOPPEMENT

La Convention de Paris pour la protection de la propriété industrielle
Signée le 20 mars 1883.
173 parties.

SANTÉ

La Convention-cadre de l'OMS pour la lutte anti-tabac
Signée le 21 mai 2003.
Entrée en vigueur le 27 février 2005.
172 parties.

Le règlement sanitaire international de l'OMS
Adopté le 23 mai 2005.
Entré en vigueur le 15 juin 2007.
194 États parties.

TRAVAIL

La Convention internationale du travail n° 29 sur le travail forcé
Adoptée le 28 juin 1930.
Entrée en vigueur le 1er mai 1932.
Ratifiée par 174 États.

La Convention internationale du travail n° 87 sur la liberté syndicale et la protection du droit syndical
Adoptée le 9 juillet 1948.
Entrée en vigueur le 4 juillet 1950.
Ratifiée par 150 États.

La Convention internationale du travail n° 98 sur le droit d'organisation et de négociation collective

Adoptée le 1er juillet 1949.

Entrée en vigueur le 18 juillet 1951.

Ratifiée par 160 États.

La Convention internationale du travail n° 100 sur l'égalité de rémunération

Adoptée le 29 juin 1951.

Entrée en vigueur le 23 mai 1953.

Ratifiée par 168 États.

La Convention internationale du travail n° 105 sur l'abolition du travail forcé

Adoptée le 25 juin 1957.

Entrée en vigueur le 17 janvier 1959.

Ratifiée par 169 États.

La Convention internationale du travail n° 111 concernant la discrimination

Adoptée le 25 juin 1958.

Entrée en vigueur le 15 juin 1960.

Ratifiée par 169 États.

La Convention internationale du travail n° 138 sur l'âge minimum

Adoptée le 26 juin 1973.

Entrée en vigueur le 19 juin 1976.

Ratifiée par 158 États.

La Convention internationale du travail n° 182 sur les pires formes de travail des enfants

Adoptée le 17 juin 1999.

Entrée en vigueur le 19 novembre 2000.

Ratifiée par 173 États.

ENVIRONNEMENT

La Convention internationale pour la protection des végétaux

Adoptée par la FAO en novembre 1951.

Entrée en vigueur le 3 avril 1952.

177 parties.

La Convention relative aux zones humides d'importance internationale particulièrement comme habitats de la sauvagine

Signée le 2 février 1971.
Entrée en vigueur le 21 décembre 1975.
159 parties.

La Convention sur le commerce international des espèces de faune et de flore sauvages menacées d'extinction (CITES)

Signée le 3 mars 1973.
Entrée en vigueur le 1er juillet 1975.
175 parties.

La Convention de Vienne pour la protection de la couche d'ozone

Signée le 22 mars 1985.
Entrée en vigueur le 22 septembre 1988.
196 parties.

Le Protocole de Montréal relatif à des substances qui appauvrissent la couche d'ozone

Signé le 16 septembre 1987.
Entré en vigueur le 1er janvier 1989.
196 parties.

La Convention de Bâle sur le contrôle des mouvements transfrontières de déchets dangereux et de leur élimination

Signée le 22 mars 1989.
Entrée en vigueur le 5 mai 1992.
175 parties.

La Convention-cadre des Nations unies sur les changements climatiques

Signée le 9 mai 1992.
Entrée en vigueur le 21 mars 1994.
194 parties.

La Convention sur la diversité biologique

Signée le 5 juin 1992.
Entrée en vigueur le 29 décembre 1993.
193 parties.

Le Protocole de Kyoto à la Convention-cadre des Nations unies sur les changements climatiques

Signé le 11 décembre 1997.
Entré en vigueur le 16 février 2005.
192 parties.

La Convention des Nations unies sur la lutte contre la désertification dans les pays gravement touchés par la sécheresse et/ou la désertification, en particulier en Afrique

Signée le 14 octobre 1994.

Entrée en vigueur le 26 décembre 1996.

194 parties.

Le Protocole de Carthagène sur la prévention des risques biotechnologiques relatif à la Convention sur la diversité biologique

Signé le 29 janvier 2000.

Entré en vigueur le 11 septembre 2003.

160 parties.

La Convention de Stockholm sur les polluants organiques persistants

Signée le 22 mai 2001.

Entrée en vigueur le 17 mai 2004.

172 parties.

Transports

La Convention pour l'unification de certaines règles relatives au transport aérien international

Signée le 12 octobre 1929.

Entrée en vigueur le 13 février 1933.

152 parties.

La Convention internationale sur les lignes de charge

Signée le 5 avril 1966.

Entrée en vigueur le 21 juillet 1968.

159 parties.

La Convention internationale sur le jaugeage des navires

Signée le 23 juin 1969.

Entrée en vigueur le 18 juillet 1982.

150 parties.

La Convention internationale pour la sauvegarde de la vie humaine en mer

Signée le 1er novembre 1974.

Entrée en vigueur le 25 mai 1980.

159 parties.

La Convention internationale sur les normes de formation des gens de mer, de délivrance des brevets et de veille
> Signée le 7 juillet 1978.
> Entrée en vigueur le 28 avril 1984.
> 154 parties.

DOMAINE PUBLIC INTERNATIONAL : LE DROIT DE LA MER

La Convention des Nations unies sur le droit de la mer
> Signée le 10 décembre 1982.
> Entrée en vigueur le 16 novembre 1994.
> 161 parties.

CULTURE ET SPORT

La Convention de Berne pour la protection des œuvres littéraires et artistiques
> Signée le 9 septembre 1886.
> Entrée en vigueur le 5 décembre 1887.
> 164 parties.

La Convention concernant la protection du patrimoine mondial, culturel et naturel
> Signée le 16 novembre 1972.
> Entrée en vigueur le 17 décembre 1975.
> 187 parties.

La Convention internationale contre le dopage dans le sport
> Signée le 19 octobre 2005.
> Entrée en vigueur le 1er février 2007.
> 154 parties.

Bibliographie

ACOSTA R., « Aztèques », *Encyclopaedia Universalis.*

ADOLPH R. et COUGNY G., *Dictionnaire des parlementaires français de 1789 à 1899*, Bourloton Éditeur, 1899.

AGI Marc, *René Cassin, Prix Nobel de la paix (1887-1976)*, Perrin, 1998.

AGLIETTA Michel, « La régulation des systèmes monétaires dans l'histoire du capitalisme », *in* BEAUJARD Philippe, BERGER Laurent et NOREL Philippe, *Histoire globale, mondialisations et capitalisme*, La Découverte, 2009.

AIGLE Denise, « Le grand jasaq de Gengis-Khan, l'empire, la culture mongole et la sharï'a », *Journal of the Economic and Social History of the Orient*, vol. 47, 2004.

AMALRIC Jacques, « Pékin hausse le ton », *Alternatives internationales*, 3/2010, n° 46, p. 6.

AMBROSIUS Lloyd E., *Wilsonianism. Woodrow Wilson and His Legacy in American Foreign Relations*, Palgrave MacMillan, 2002.

— *Woodrow Wilson and the American Diplomatic Tradition: The Treaty Fight in Perspective*, Cambridge University Press, 1987.

AMIEL Olivier, « Le solidarisme, une doctrine juridique et politique française de Léon Bourgeois à la Ve République », *Revue d'histoire politique*, 2009/1.

ANDRÉANI Gilles, « Gouvernance globale : origines d'une idée », *Politique étrangère*, n° 3, juillet-septembre 2001.

ARCHIBUGI D., *Cosmopolitan Democracy : An Agenda for a New World Order*, Polity and Blackwell Publishers, 1995.

ARCHIBUGI D. et KÖHLER M., *Re-Imagining Political Community*, Polity and Blackwell Publishers, 1998.

ARON Raymond, *République impériale. Les États-Unis dans le monde, 1945-1972*, Calmann-Lévy, 1973.

ASIMOV Isaac, *Le Cycle de fondation*, Gallimard Jeunesse, 2000, 5 tomes.

— *Quand les ténèbres viendront*, Denoël, 1999.

AUDI Paul, « La pitié est-elle une vertu ? », *Dix-huitième siècle*, n° 38, 2006.

AUDIER Serge, *Léon Bourgeois : fonder la solidarité*, Michalon, 2007.

— « Léon Bourgeois (1851-1925), juriste et ange de la paix », *Revue du MAUSS*, 2009/1, n° 33.

AUDOUIN-ROUZEAU Stéphane, AZÉMA Jean-Pierre *et al.*, *Naissance et mort des empires*, Perrin, coll. « Tempus », 2007.

AUERBACK Jeffrey A., *The Great Exhibition of 1851: A Nation on Display*, Yale University Press, 1999.

BAHA'U'LLAH, *The Kitab-I-Aqdas: The Most Holy Book*, Bahai Pub Trust, 1992.

BAIROCH Paul et LEVY-LEBOYER Maurice, *Disparities in Economic Development Since the Industrial Revolution*, Palgrave MacMillan, 1981.

BALARD Michel, GUILLERME Jacques et ROUX Michel, « Gênes », *Encyclopediae Universalis.*

BANCAL Jean, « Pierre Joseph Proudhon », *Encyclopaedia Universalis.*

BARATTA Josep Preston, *The Politics of World Federation : From World Federalism to Global Governance*, Library of Congress, 2004.

BARNETT A. et HENDERSON C., *Debating Globalization*, Polity Press, 2005.

BARTHALAY Bernard, *Le Fédéralisme*, PUF, 1981.

BAUCHAMP Suzanne (dir.), *Le Fédéralisme : les réalités européennes, l'expérience canadienne : actes du débat de Paris*, 11 juin 2002, vol. IV, Les Canadiens en Europe, 2003.

BAUDOU Jacques, *La Science-Fiction*, PUF, 2003.

BAUER Alain, « Les secrets maçonniques », *Pouvoirs*, 2001/2, n° 97.

— « Relations internationales et franc-maçonnerie », *Revue internationale et stratégique*, 2004/2, n° 54.

BEAUJARD Philippe, BERGER Laurent et NOREL Philippe, *Histoire globale, mondialisations et capitalisme*, La Découverte, 2009.

BECK Ulrich, *La Société du risque : sur la voie d'une autre modernité*, Flammarion, 2003.

— « La société du risque globalisé revue sous l'angle de la menace terroriste », *Cahiers internationaux de sociologie* 1/2003, n° 114, p. 27-33.

— « Redéfinir le pouvoir à l'âge de la mondialisation : huit thèses », *Le Débat*, 3/2003, n° 125, p. 75-84, article initialement paru dans la revue *Dissent*, automne 2001.

— *Pouvoirs et contre-pouvoirs à l'heure de la mondialisation*, Flammarion, 2005.

BEN KHEMIS Anne, « Électeurs d'Empire », *Encyclopaedia Universalis online.*

BERCHE Patrick, « Vers des armes biologiques de nouvelle génération », *Politique étrangère*, 2005.

BEREND I., NGUYEN T. et SERVAIS P., *Histoire économique de l'Europe du XXe siècle*, De Boeck, 2008.

BERNARD Jean-Philippe et BRUN Daniel, « Chemins de fer », *Encyclopaedia Universalis.*

BERNASCONI Gabriel, « De l'universalisme au transnational : le Comité international olympique, acteur atypique des relations internationales », *Bulletin de l'Institut Pierre-Renouvin*, n° 31, printemps 2010.

BERSTEIN Serge et MILZA Pierre, *Histoire du XXe siècle*, Hatier, coll. « Initial », 1996.

— *Histoire du XIXe siècle*, Hatier, 2004.

BERTEAU David J., « Resourcing the National Defense Strategy : Implications of Long Term Defense Budget Trends », Statement before the House Armed Services Committee, 18 novembre 2009.

BERTHE Jean-Pierre, « Esclavage », *Encyclopaedia Universalis.*

BERTRAND Maurice, *L'ONU*, La Découverte, 2006.

BHOURASKAR, Digambar, *United Nations Development Aid : A Study in History and Politics*, Academic Foundation, 2007.

BLACHER Philippe, *Droit des relations internationales*, Lexis Nexis Litec, 2008.

BLOOM Oliver, « Nuclear Weapons and the Nation's Long Term Fiscal Future », Center for Strategic and International Studies, mai 2010.

BOEMECKE M.F., FELDMAN G.D. et GLASER E. (dir.), *The Treaty of Versailles. A Reassessment After 75 Years*, Cambridge University Press, 1998.

BOLI J. et THOMAS G.M. (dir.), *Constructing World Culture, INGOs since 1875*, Stanford University Press, 1999.

BONIFACE Pascal, « Les États-Unis pris dans l'engrenage militaire », *Challenges*, 14 février 2008.

BORGEAUD P., « Propositions pour une lecture conjointe des mythes bibliques et classiques », *Le Français aujourd'hui*, 4/2006, n° 155, p. 21-28.

BOSCO David L., *Five to Rule Them All: The UN Security Council and the Making of the Modern World*, Oxford University Press, 2009.

BOUDON Jacques-Olivier, *Histoire du Consulat et de l'Empire, 1799-1815*, Perrin, coll. « Tempus », 2003.

BOULAIRE Alain, « Maîtrise de la navigation (repères chronologiques) », *Encyclopaedia Universalis*.

BOURGEOIS Léon, *Pour la Société des Nations*, Fasquelle, 1910.

— *Solidarité*, Presses universitaires du Septentrion, 1998.

BOURGEOIS Nicolas, *Les Théories du droit international chez Proudhon, le fédéralisme et la paix*, Librairie des sciences politiques et sociales, 1927.

BOURLONTON E., ROBERT A. et COUGNY G., biographie de Félix Esquirou de Parieu, accessible en ligne sur le site de l'Assemblée nationale, *Dictionnaire des parlementaires français de 1789 à 1889*, Bourloton Éditeur, 1891.

BOUWSMA William J., *Concordia Mundi: The Career and Thought of Guillaume Postel (1510-1581)*, Harvard University Press, 1957.

BOWMAN M.J. et HARRIS D.J. (dir.), *Multilateral Treaties : Index and Current States*, Butterworths, 1984.

BRAUDEL Fernand, « Charles Quint, témoin de son temps 1500-1558 », in *Écrits sur l'Histoire,* t. II, Flammarion, coll. « Champs », 1994.

— *Civilisation matérielle, économie et capitalisme, XVᵉ-XVIIIᵉ siècle*, t. 1 : *Les structures du quotidien*, t. 2 : *Les jeux de l'échange*, t. 3 : *Le temps du monde*, Le Livre de poche, 1993.

BREDIN Jean-Denis, « Secret, transparence et démocratie », *Pouvoirs*, n° 97, 2001.

BRIAND Aristide, Discours devant la Xᵉ session de l'Assemblée de la Société des Nations, Genève, Salle de la Réformation, le 5 septembre 1929.

BRINKLEY Douglas et FACEY-CROWTHER David R. (dir.), *The Atlantic Charter*, MacMillan, 1994.

BROUE Pierre, BOIS Jacqueline, BROHM Jean-Marie, STREIFF Andréas, *Du Premier au Deuxième Congrès de l'Internationale communiste : mars 1919-juillet 1920*, Études et documentation internationales, 1979.

BURRIN Philippe, « Adolf Hitler », *Encyclopaedia Universalis*.

BUSKE A. et MUNCH I., *International Law : The Essential Treaties and Other Relevant Documents*, Walter de Gruyter, 1985.

CAHEN Claude, *L'Islam : des origines au début de l'empire ottoman*, Bordas, coll. « Histoire universelle », 1970.

CAIRE Guy, « Léon Bourgeois », *Encyclopaedia Universalis.*

CAMELOT Pierre Thomas, « Gélase Iᵉʳ, saint, pape », *Encyclopaedia Universalis*.

CARCASSONNE Guy, « Le trouble de la transparence », *Pouvoirs*, n° 97, 2001.

CARROUE Laurent, COLLET Didier et RUIZ Claude, *Les Mutations de l'économie mondiale du début du XXᵉ siècle aux années 1970*, Bréal, 2005.

CHABALIER Lucas, *Les Néoconservateurs et la question irakienne de la guerre du Golfe à 2005*, chapitre 2 : « Le néoconservatisme de troisième âge », n. p.

CHABOUD Jack, *La Franc-Maçonnerie : histoire, mythes et réalités*, Librio, 2004.

CHAMPION Jean-Marcel, « Jules Sébastien Dumont d'Urville », *Encyclopaedia Universalis*.

CHAPONIÈRE Corinne, *Henry Dunant, la croix d'un homme*, Perrin, 2010.

CHARLE Christophe, « Le monde britannique, une société impériale (1815-1919) ? », *Cultures et Conflits* (en ligne : http://conflits.revues.org/index17849.html).

CHENU Lucie, « Isaac Asimov », *Encyclopaedia Universalis.*

CHESNE Dora, « République populaire de Chine – Bilans annuels de 1981 à 2011 », in *L'État du monde*, La Découverte, 2011.

CHESNEAUX Jean, « Chine, histoire jusqu'en 1949 », *Encyclopaedia Universalis.*

CHONGGUO C., *Chine : l'envers de la puissance*, Mango, 2005.

CHUA Amy, *Day of Empire. How Hyperpowers Rise to Global Dominance – And Why They Fall*, Doubleday, 2007.

CLASTRES Patrick, « La renaissance des Jeux olympiques, une invention diplomatique », *Outre-Terre*, 2004/3, n° 8.

— « Le Comité international olympique : allié ou rival de l'ONU ? », *Outre-Terre*, 2004/3, n° 8.

— « Playing with Greece. Pierre de Coubertin and the Motherland of Humanities and Olympics », *Politique, culture, société*, n° 12, septembre-décembre 2010.

CLINGINGSMITH David et WILLIAMSON Jeffrey G., « Deindustrialization in 18th and 19th century India : Mughal decline, climate shocks and British industrial ascent », *Explorations in Economic History*, 45 (2008), p. 209-234.

CLOVER Frank M., « Geiseric and Attila », *Historia : Zeitschrift für alte Geschichte*, vol. 22, n° 1, 1973.

COMBE Jean-Marc, « Traction ferroviaire (France) – (repères chronologiques) », *Encyclopaedia Universalis.*

CONSTANT Fred, *La Citoyenneté*, Montchrestien, coll. « Clefs », 2000.

CORDESMAN Anthony H., HAMMOND Robert et D'AMATO Jordan, « The Macroeconomics of US Defense Spending, Problems in Federal Spending, and Their Impact on National Security », Center for Strategic and International Studies, novembre 2010.

COUFFIGNAL Georges, « Amérique latine – Évolution géopolitique », *Encyclopaedia Universalis.*

COULMAS Peter, *Les Citoyens du monde. Histoire du cosmopolitisme*, Albin Michel, coll. « Idées », 1995.

COUTANSAIS Cyrille P., « La Chine au miroir de la mer », *Revue internationale et stratégique*, n° 78, février 2010.

CRANE Keith, « Forecasting China Military Spending Through 2025 », Research Brief, 2005.

CROISAT Maurice, *Le Fédéralisme dans les démocraties contemporaines*, Montchrestien, 1999.

CROZIER Michel, HUNTINGTON Samuel P. et WATANUKI Joji, *The Crisis of Democracy : Report on the Governability of Democracies to the Trilateral Commission*, New York University Press, 1975.

DAILLIER Patrick et PELLET Alain, *Droit international public*, LGDJ, 2002.

DALE Frederic, *The Muslim Empires of the Ottomans, Safavids, and Mughals*, Cambridge University Press, 2010.

DALMEDICO Amy Dahan, *Les Modèles du futur*, La Découverte, 2007, chap. V.

DAUMAS François, « Égypte antique (histoire) – L'Égypte pharaonique », *Encyclopaedia Universalis*.

DAVIS G., *My Country is the World*, Nwo Pubns, 1984.

DEBOUZY Marianne, « Franklin Delano Roosevelt », *Encyclopaedia Universalis*.

DEGENHARDT H.W., *Treaties and Alliances of the World*, Cartermill International, 1981 (3ᵉ éd.).

DELPECH Thérèse, « Le biologique, arme du XXIᵉ siècle », *Politique étrangère*, 2005.

DELPERÉE Francis, *Le Fédéralisme en Europe*, PUF, 2000.

DENT Martin J., *Identity Politics : Filling the Gap Between Federalism and Independence*, Ashgate Publishing, 2004.

DERAISON Max, *La Franc-Maçonnerie dans tous ses états*, L'Harmattan, 2007.

DESCHAMPS Hubert, « Formation des empires africains », *Encyclopaedia Universalis*.

DESQUILBET Jean-Baptiste et NENOVSKY Nikolay, « Confiance et ajustement dans les régimes d'étalon-or et de caisse d'émission », *Mondes en développement*, 2/2005, n° 130.

DEVIN Guillaume, *L'Internationale socialiste*, Presses de la Fondation nationale des sciences politiques, 1993.

DEVINE Michael J., « Welles, Sumner », in *American National Biography*, Oxford University Press, 1999, v. 23.

DEVRIES Jan, « On the Modernity of the Dutch Republic », *The Journal of Economic History*, vol. 33, n° 1, mars 1973.

D'HOMBRES E., « Pour la Paix par la Société des Nations : la laborieuse organisation d'un mouvement français de soutien à la Société des Nations (1915-1920) », *Revue d'éthique et de théologie morale*, 2010/3, n° 260.

DIAMOND William, *The Economic Thought of Woodrow Wilson*, The Johns Hopkins University Press, 1943.

DIENG Bassirou et KESTELOOT Lilyan, *Les Épopées d'Afrique noire*, Karthala, 2009.

DIESBACH Ghislain de, « Thomas Paine ou Payne », *Encyclopaedia Universalis*.

DILKE C.W., *Greater Britain. A Record of Travel in English-speaking Countries, during 1866 and 1867*, MacMillan, 1866-1867, 2 volumes.

DOYLE Michael W., « Stalemate in the North-South Debate: Strategies and the New International Economic Order », *World* Politics, vol. 35, n° 3, avril 1983.

DREYER Edward L., *Zheng He : China and the Oceans in the Early Ming Dynasty, 1405-1433*, Longman, 2006.

DUDDEN Arthur P. (dir.), *Woodrow Wilson and the World of Today*, University of Pennsylvania Press, 1957.

DUNANT H., *Un souvenir de Solferino*, Academische Boekhandel, Delsman et Xolthenius, 1902.

— *Mémoires*, L'Âge d'homme, 1971.

DUNCAN Ewing, *The Calendar: The 5000-Year Struggle to Align the Clock and the Heavens, and What Happened to the Missing Ten Days*, Fourth Estate, 1998.

DUMEZIL Bruno, *Les Racines chrétiennes de l'Europe*, Fayard, 2005.

— *Pouvoirs, Église et société dans les royaumes de France, de Bourgogne et de Germanie aux Xe et XIe siècles*, Ellipses, 2008.

DUPUY Lionel, *Jules Verne espérantiste ! Une langue universelle pour une œuvre atemporelle*, SAT Amikaro Éd., 2009.

DUTA Promeet, « Mali : historical Empire », *Encyclopaedia Britannica.*

DUVERGER Christian, « La fin des Mayas : un mythe qui a la vie dure », *L'Histoire*, n° 316, 2007.

EAGLETON C., « The Charter adopted at San Francisco », *The American Political Science Review*, vol. 39, n° 5, octobre 1945.

EINAUDI Luca, *Money and Politics : European Monetary Unification and the International Gold Standard (1865-1873)*, Oxford University Press, 2001.

ELAZAR Daniel J., « Diversité religieuse et fédéralisme », *Revue internationale des sciences sociales*, 2001/1, n° 167, p. 65-69.

EPSTEIN Steven A., *Genoa and the Genoese. 958-1528*, The University of North Carolina Press, 1998.

ETIENNE Gilbert, « La Chine et les Chinois de l'extérieur », *Relations internationales*, n° 141, janvier 2010.

FABRE Thierry, « L'incroyable parcours des produits "made in monde" », *Capital*, n° 186, mars 2007.

FAY B., *Complocratie*, Éditions du Moment, 2011.

FELDMAN Jean-Philippe, *La Bataille américaine du fédéralisme*, PUF, 2004.

FICQUET Eloi, « Somalie », *Encyclopaedia Universalis.*

FLEINER Thomas, « Gérer la diversité », *Revue internationale des sciences sociales*, 2001/1, n° 167, p. 35-42.

FOHLEN Claude, « Doctrine de Monroe », *Encyclopaedia Universalis.*

FOLZ Robert, « Charlemagne », *Encyclopaedia Universalis.*

FOMERAND Jacques, « Nations unies (O.N.U.) », *Encyclopaedia Universalis.*

FONTENAY Elisabeth de, « Le propre de l'homme », *in* Pascal PICQ et Yves COPPENS (dir.), *Aux origines de l'humanité*, t. 2, Fayard, 2001.

FORBES MANZ Beatrice, « Tamerlane and the Symbolism of Sovereignty », *Iranian Studies*, vol. 21, 1988.

FOURIER C., *Œuvres complètes, 1841-1845*, Anthopos, 1966-1968.

FRAYSSE Olivier, « Le coût de la "guerre contre la terreur" : Afghanistan, Irak, États-Unis », *Outre-Terre*, n° 13, 2005.

FREIESLEBEN John, *Managing Change at the United Nations*, Center for UN Reform Education, 2008.

FROMKIN David, « What is Wilsonianism ? », *World Policy Journal*, printemps 1994.

GAINOT Bernard, « L'abbé Grégoire et la place des Noirs dans l'histoire universelle », *Gradhiva*, n° 10, février 2009.

GAUCREAULT-DESBIENS J.-F. et GELINAS F. (dir.), *Le Fédéralisme dans tous ses états : gouvernance, identité et méthodologie*, textes issus du colloque international sur le fédéralisme tenu à la faculté de droit de l'université McGill à Montréal, Bruxelles, Bruylant, Cowansville (Québec), Y. Blais, DL, 2005, p. 3-191.

GHEORGHIU Virgil, *La Vie de Mahomet*, Éditions du Rocher, 2002.

GIBB Hamilton Alexander Rosskeen, *The New Encyclopaedia of Islam*, Brill, 1960.

GILCHRIST H., « Political Disputes : Dumbarton Oaks and the Experience of the League of Nations », *Proceedings of the Academy of Political Science*, vol. 21, n° 3, mai 1945.

GODECHOT Jacques, « Napoléon Ier Bonaparte empereur des Français », *Encyclopaedia Universalis*.

GOODRICH Leland M. et HAMBRO E., *Charter of the United Nations: commentary and Documents*, World Peace Foundations, 1946.

GOUILLARD Jean et MESLIN Michel, « Césaropapisme », *Encyclopaedia Universalis*.

GOUKOWSKY Paul, « Alexandre le Grand », *Encyclopaedia Universalis*.

GOURDON Vincent, « Naissance de la Société des Nations », *Encyclopaedia Universalis.*

GRANET Marcel, *La Pensée chinoise*, Albin Michel, 1980, chapitre 3.

— *La Civilisation chinoise*, Albin Michel, 1994.

GREEN P., *Alexander the Great and the Hellenistic Age*, Weidenfeld & Nicolson, 2008.

GREENE Francis R., « Madison's View of Federalism in "The Federalist" », *Publius*, vol. 24, n° 1, hiver 1994.

Grieve Ann Daphné, « Aldous Huxley », *Encyclopaedia Universalis*.

Grosdidier de Matons José, « Justinien Ier », *Encyclopaedia Universalis*.

Griaule Marcel, *Dieu d'eau*, Fayard, 1966.

Grin François, *L'Enseignement des langues comme politique publique*, rapport au Haut Conseil à l'évaluation de l'école, France, septembre 2005.

— « Les enjeux financiers de l'hégémonie linguistique en Europe », in *Conseil supérieur de la langue française*, Bruxelles, Duculot, 2006.

Grousset René, *L'Empire des steppes. Attila, Gengis-Khan, Tamerlan*, Payot, 2001.

Grunwald Constantin de, « Ivan IV le Terrible », *Encyclopaedia Universalis*.

Guérin Jean-Yves, « 1984, livre de George Orwell », *Encyclopaedia Universalis*.

Guieu J.-M., « De la "paix armée" à la paix "tout court", la contribution des pacifistes français à une réforme du système international, 1871-1914 », *Bulletin de l'Institut Pierre-Renouvin*, 2/2010, n° 32, p. 81-109.

— « Léon Bourgeois (1851-1925) », *Guerres mondiales et conflits contemporains*, 2006/2, n° 222.

Guttmann Allen, *The Olympics: A History of the Modern Games*, University of Illinois Press, 1992.

Habermas Jürgen, *Après l'État-nation. Une nouvelle constellation politique*, Fayard, 2000.

Hadot Pierre, « Ambroise de Milan 339-397 », *Encyclopaedia Universalis*.

Hamilton Marci A., « The Elusive Safeguards of Federalism », *Annals of the American Academy of Political and Social Science*, vol. 574, « The Supreme Court's Federalism : Real or Imagined ? », mars 2001.

Hampate Ba Amadou, *Aspects de la civilisation africaine*, Présence africaine, 1995.

Harouel Véronique, *Histoire de la Croix-Rouge*, PUF, 1999.

HARRIS D.J. et SHEPHERD J.A., *An Index of British Treaties*, vol. 4 : *1969-1988*, HMSO, 1991.

HART Marjolein T., « Cities and Statemaking in the Dutch Republic, 1580-1680 », *Theory and Society*, vol. 18, n° 5, *Special Issues on Cities and States in Europe, 1000-1800*, septembre 1989.

HEADLEY John M., *The Emperor and His Chancellor : A Study of the Imperial Chancellery Under Gattinara*, Cambridge University Press, 1983.

HEBERT J.-P., « L'Europe, vraie puissance militaire mondiale », *L'Économie politique*, n° 020, octobre 2003.

HEGEL G.W.F., *La Philosophie de l'histoire*, La Pochothèque, 2009.

— *Principes de la philosophie du droit*, Flammarion, 1999.

— *Phénoménologie de l'esprit*, Gallimard, 1993.

HELD David, *Democracy and the Global Order : From the Modern State to Cosmopolitan Governance*, Polity Press, 1995.

HELD David, McGREW Anthony, GOLDBLATT David et PERRATON Jonathan, *Global Transformations : Politics, Economics and Culture*, Polity, 1999, chap. I.

HEMMER H. et LEJAY P., *Les Pères apostoliques*, Éditions du Cerf, 1926.

HENDRICKSON David C., *Union, Nation or Empire, The American Debate over International Relations, 1789-1941*, University Press of Kansas, 2009.

Histoire de l'Internationale : 1862-1872, Éditions d'histoire sociale, 1968.

HOBSBAWM Eric, *Industry and Empire : From 1750 to the Present Day*, Penguin, 1999 (rééd.).

HOLSTI K.J., « Governance without Government, Polyarchy in 19th Century European International Politics », *in* J. ROSENAU et E. CZEMPIEL (dir.), *Governance Without Government*, Cambridge University Press, 1992, p. 30-57.

HOOPES Townsend et BRINKLEY Douglas, *FDR and the Creation of the U.N.*, Yale University Press, 1997.

HORNUNG Erik, *Les Dieux de l'Égypte*, Le Rocher, 1995.

HOURCADE Jean-Claude, « Des liens compliqués entre sciences et politique à propos du GIEC », *Projet*, 2009/6, n° 313.

HUGH-JONES E.M., *Woodrow Wilson and American Liberalism*, English Universities Press, 1947.

HUGO Victor, *Actes et paroles*, in *Œuvres complètes*, Robert Laffont, 2002.

HUXLEY Aldous, *Le Meilleur des mondes*, Plon, 1933.

IMMERMAN Richard H.I., *Empire for Liberty. A History of American Imperialism from Benjamin Franklin to Paul Wolfowitz*, Princeton University Press, 2010.

Institut international d'études stratégiques, *The Military Balance*, 2010.

IROKO ABIOLA Félix, *L'Homme et les Termitières en Afrique*, Karthala, 1996.

ISRAEL Jonathan, *The Dutch Republic: Its Rise, Greatness, and Fall, 1477-1806*, Clarendon Press, 1995.

JACQUET Pierre, PISANI-FERRY Jean, TUBIANA Laurence, *Gouvernance mondiale*, rapport au Conseil d'analyse économique, 23 mai 2002.

JAEGER Gérard A., *Henry Dunant, l'homme qui inventa le droit humanitaire*, L'Archipel, 2009.

JAFFRELOT Christophe, POUCHEPADASS Jacques, « Inde (le territoire et les hommes) – Histoire », *Encyclopaedia Universalis.*

JENNINGS Francis, *The Creation of America. Through Revolution to Empire*, Cambridge University Press, 2000.

JOANNES Francis, « La ville au centre du monde », *L'Histoire*, n° 301, septembre 2005.

JOQUIN Jacques, *Parlons esperanto. La langue internationale*, L'Harmattan, 2004.

KAGAN Frederick, « Wishful Thinking on War. The National Defense Panel Gets It Wrong », *The Weekly Standard*, 15 décembre 1997.

KAGAN Robert, « A Retreat From Power ? », *Commentary*, juillet 1995.

— *La Puissance et la Faiblesse. Les États-Unis et l'Europe dans le nouvel ordre mondial*, Hachette, 2003.

KAPLAN Michel et ZIMMERMANN Michel, « Les carolingiens, genèse et échec de l'unité chrétienne », in *Moyen Âge, IVe-Xe siècle*, Bréal, 1994.

KASPI André, « Thomas Jefferson », *Encyclopaedia Universalis*.

— « Thomas Woodrow Wilson », *Encyclopaedia Universalis.*

KAVASS I.I. et SPRUDZS A., *UST Cumulative Index 1950-1970 United States Treaties and Other International Agreements*, W.S. Hein, 1973.

KAYA A., *Global Inequality*, Polity, 2007.

— *Global Inequality*, Polity Forthcoming, 2006.

KERSHAW Ian, *Hitler*, Flammarion, 2010.

KESSLER Denis, « L'entreprise entre transparence et secret », *Pouvoirs*, n° 97, 2001.

KEYNES J.M., *Théorie générale de l'emploi, de l'intérêt et de la monnaie*, Payot, 1963.

KISS Alexandre, « Isolationnisme », *Encyclopaedia Universalis*.

KOCH H.W., « Hitler and the Origins of the Second World War : Second Thoughts on the Status of Some of the Documents », *The Historical Journal*, vol. 11, n° 1, 1968.

KRIEGEL Annie, *Les Internationales ouvrières (1864-1943)*, PUF, 1970.

KRISTOL William, cité *in* Gary SCHMITT, « Response to Asmus and Pollack », 24 juillet 2003.

LABORIE Léonard, « En chair et en normes. Les participants aux conférences de l'Union internationale des télécommunications, de sa fondation à sa refondation (1865-1947) », *Flux*, 4/2008, n° 74, p. 92-98.

— « Mondialisation postale. Territoires et innovations tarifaires dans la seconde moitié du XIXe siècle », *Histoire, Économie et Société*, 2007/2, p. 15-27.

LAGIER Raphaël, « Un outsider de la fondation de l'anthropologie : Georg Forster », *Revue d'histoire des sciences humaines*, n° 14, janvier 2006.

LAMOUROUX Christian, « Les Song : le grand essor », *L'Histoire*, n° 300, juillet 2005.

LAMY Pascal, *La Démocratie-Monde : pour une autre gouvernance globale*, Seuil, coll. « La République des idées », 2004.

— « Gouvernance globale : leçons d'Europe », discours devant la Commission économique des Nations unies pour l'Europe, pour la conférence Gunnar Myrdal, Genève, 22 février 2005.

— « Vers une gouvernance mondiale ? », Leçon inaugurale à l'Institut d'études politiques de Paris, 21 octobre 2005.

— discours à l'occasion de la cérémonie de remise du grade de Docteur Honoris Causa, au 450ᵉ anniversaire de l'université de Genève, 5 juin 2009.

— « The Role of the Multilateral Trading System in the Recent Economic Crisis », discours à l'université de Warwick, 15 juillet 2009.

— « La place du droit de l'OMC dans le droit international », conférence à l'École normale supérieure, 2 octobre 2009.

— « Gouverner l'interdépendance », intervention pour l'inauguration de l'année académique du Collège européen de Parme, 11 janvier 2010.

— « Globalizing Social-Democracy », discours à la Progressive Governance Conference on Jobs, Industry and Opportunities, Policy Network, Londres, 19 février 2010.

— « La gouvernance globale sur les pas de William Rappard », discours au club diplomatique de Genève, 15 mars 2010.

— Discours au Bahrain Global Forum, Manama, 16 mai 2010.

— « L'expérience européenne et la gouvernance mondiale », *Commentaire*, été 2010.

— « The Changing Patterns of World Trade », discours pour le dixième anniversaire du World Trade Institute de Berlin, 1ᵉʳ octobre 2010.

— « Global Governance: From Theory To Practice », intervention en clôture d'une conférence de l'European University Institute, Florence, 19 février 2011.

LANERY Cécile, « Du magistère au ministère : remarques sur le *De officiis* d'Ambroise de Milan », *L'Information littéraire*, 3/2006, vol. 58.

LAPEYRE Henri, « Charles Quint », *Encyclopaedia Universalis*.

LAPORTE N., MORGAN K. et WORLEY M., *Bolshevism, Stalinism and the Comintern: Perspectives on Stalinization 1917-53*, Palgrave MacMillan, 2008.

LAURENT Éloi, « Écologie : de l'âge économique à l'âge social », *Les Grands Dossiers des sciences humaines*, 6/2010, n° 19.

LAVAU Georges, « 1984 (Nineteen Eighty-Four) de George Orwell », *Revue française de science politique,* vol. 59, 2009.

LE BOHEC Yann, « Trajan », *Encyclopaedia Universalis*.

LECOQ Patrice, « Incas », *Encyclopaedia Universalis*.

LEACH Edmund, « L'unité de l'homme : histoire d'une idée », communication au colloque « Les origines et le maintien des systèmes d'égalité et d'inégalité dans la société humaine », Columbia University, mars 1976. Repris dans *L'Unité de l'homme et autres essais*, Gallimard, 1980.

LECOURS André, « Nationalisme et fédéralisme au Canada : le débat sur la dualité », *Fédéralisme Régionalisme,* vol. 1, 1999-2000, « Nationalisme et démocratie ».

LEFORY Jean, *L'Aventure cartographique*, Belin, 2004.

LÉGER Alexis, *Mémorandum sur l'organisation d'un régime d'Union fédérale européenne*, 1er mai 1930.

LE GLAY Marcel, LE BOHEC Yann et VOISIN Jean-Louis, *Histoire romaine*, PUF, 2005.

LEROY Claude, « Emmène-moi autour du monde !... Ou comment Phileas Fogg est devenu reporter », in *Littérature et reportage : colloque international de Limoges*, 26-28 avril 2000.

LEVILLAYER Amaury, « Quelques réflexions sur l'universalisme romano-byzantin (IVe-VIIe siècle) », *Hypothèses*, 2007.

LÉVI-STRAUSS Claude, *Race et histoire*, Denoël, coll. « Médiations », 1952.

— *Le Regard éloigné*, Plon, 1983.

LÉVY-LEBOYER Maurice et BAIROCH Paul, *Disparities in Economic Development Since the Industrial Revolution*, Palgrave MacMillan, 1981.

MACALOON John J., *This Great Symbol : Pierre de Coubertin and the Origins of the Modern Olympic Games*, Routledge, 2008.

MACGREW A., *Governing Globalization*, Polity, 2002.

MADDISON A., *Contours of the World Economy, 1-2030 AD. Essays in Macro-Economic History*, Oxford University Press, 2007.

MADDISON Angus, « La Chine dans l'économie mondiale de 1300 à 2030 », *Outre-Terre*, n° 15, février 2006.

MAIN Steven J., « The Mouse That Roared, or the Bear that Growled ? Russia's Lastest Military Doctrine (February 2010) », Defense Academy of the United Kingdom, septembre 2010.

MALLOY W.L., *Treaties, Conventions, International Acts, Protocols, and Agreements Between the United States and Other Powers, 1776-1919*, Governement Printing Office, 1910.

MANTRAN Robert, « Islam (Histoire) de Mahomet à la fin de l'Empire ottoman », *Encylopaedia Universalis online*.

— « Soliman le Magnifique ou Sulayman », *Encyclopaedia Universalis*.

— « Tamerlan, Timour ou Timur Leng dit », *Encyclopaedia Universalis*.

MARCHAL Roland *et al.*, « Somalie – Bilans annuels de 1983 à 2011 », in *L'État du monde*, La Découverte, 2011.

MARIN Armel, « Georges Clemenceau », *Encyclopaedia Universalis*.

MARITAIN Jacques, *Human Rights: Comments and Interpretations*, Wingate, 1949.

MARTINI E., « Restarting negotiations for the reform of the Security Council », Instituto Affari Internazionali, mai 2010.

MATHIEX Jean, *Civilisations impériales*, t. 1, Éditions du Félin, 2000.

MAULNY Jean-Pierre, « L'Union européenne et le défi de la réduction des budgets de défense », IRIS, septembre 2010.

MÉLANDRI Pierre, « Les États-Unis : "un empire qui n'ose pas dire son nom" ? », *Cités*, n° 20, avril 2004.

MÉNISSIER Thierry, « Concilier communauté des hommes et souveraineté mondiale : l'empire selon Dante », *Cités*, n° 20, 2004.

MERAND Jacques, « Alfred Nobel », *Encyclopaedia Universalis.*

MERCKLÉ Pierre, « La "science sociale" de Charles Fourier », *Revue d'histoire des sciences humaines*, 2006, n° 15, p. 69-88.

MEUNIER S. et NICOLAIDIS S., « The European Union as a Trade power », in *The International Relations of the European Union*, Hill & Smith, 2005.

MICHEL H., *Les Fascismes*, PUF, 1979.

MILLAR T.B. et WARD R., *Current International Treaties*, New York University Press, 1984.

MILZA Pierre, *Les Relations internationales de 1918 à 1939*, Armand Colin, coll. « Cursus », 2006.

MIRANDA Lin, MORSON Adrian, MURAVSKA Julia et VERLI Dorina, « Russia and the G8: An overview of Russia's integration into the G8 », University of Toronto, juin 2006 (http://www.g7.uto-ronto.ca/evaluations/csed/cs_integration.pdf).

MITRA S., « Langue et fédéralisme : le défi de la multi-ethnicité », *Revue internationale des sciences sociales*, 2001/1, n° 167, p. 53-63.

MOATTI Sandra, « Le nouveau Bretton Woods attendra », *Alternatives économiques*, 5/2009, n° 280, p. 53-53.

MOEZZI Mohammed Ali Amir, *Dictionnaire du Coran*, Robert Laffont, 2007.

MOLINARI Gustave de, *L'Abbé de Saint-Pierre, sa vie et ses œuvres*, Guillaumin & Cie, 1857.

MOLINIE-BERTRAND Annie et DUVIOLS Jean-Paul (dir.), *Charles Quint et la monarchie universelle*, Presses de l'université Paris-Sorbonne, 2001.

MOLLAT DU JOURDIN Michel, « Navigation maritime », *Encyclopaedia Universalis*.

MOLNAR Miklos, *Le Déclin de la Première Internationale: la Conférence de Londres de 1871*, Droz, 1963.

MOOREHEAD C., *Dunant's Dream: War, Switzerland and the History of the Red Cross*, HarperCollins, 1998.

MORIN Edgar et PIATTELLI-PALMARETTI Massimo, L'*Unité de l'homme, invariants biologiques et universaux culturels*, Seuil, 1974.

MOTLEY John Lothrop, *The Rise of the Dutch Republic*, Bickers & Son, 1883.

MOTT Tracy, « Kenneth Boulding, 1910-1993 », *The Economic Journal*, vol. 110, n° 464, Features, 2000.

MUSSO Pierre, *Saint-Simon et le saint-simonisme*, PUF, coll. « Que sais-je ? », 1999.

— *Les Télécommunications*, La Découverte, coll. « Repères », 2008.

NAUDON Paul, *Histoire générale de la franc-maçonnerie*, Office du livre, 1987.

N'DIAYE Tidiane, *La Longue Marche des peuples noirs*, Publibook, 2007.

NEGRI T. et HARDT M., *Empire*, Harvard University Press, 2001.

NELIS Jan, « Constructing fascist identity: Benito Mussolini and the myth of romanita », *The Classical World*, vol. 100, n° 4.

NICOLET Claude, « César », *Encyclopaedia Universalis*.

— *La Franc-Maçonnerie*, PUF, coll. « Que sais-je ? », 2002.

NIEROP T., *Systems and Regions in Global Politics : An Empirical Study of Diplomacy, International Organization and Trade 1950-1991*, John Wiley, 1994.

ORBAN Edmond, *Fédéralisme ? Super-État fédéral ? Association d'États souverains ?*, Hurtubise HMH, 1992.

ORWELL George, *1984*, Gallimard, 1950.

OSTROM Vincent, *The Meaning of American Federalism : Constituting a Self-Governing Society*, Institute for Contemporary Studies Press, 1991.

PACAUT Marcel, « Saint Empire Romain germanique », *Encyclopaedia Universalis*.

PARLARD J., GAGNON A.-G. et GAGNON B. (dir.), *Diversité et identités au Québec et dans les régions d'Europe*, P.I.E.-Peter Lang/ Presses de l'université de Laval, DL, 2006, p. 13-117.

PARRY C., *The Consolidated Treaty Series*, vol. 226, Oceana Publications, 1919.

PELZ S., « Present at the Misconception ? The Negotiation of the New World Order, 1942-1946 », *Reviews in American History*, vol. 19, n° 3, septembre 1991.

PENIN Marc, « Expéditions maritimes de Zheng He », *Encyclopaedia Universalis*.

PETERSON W.J., TWITCHETT D.C. et FAIRBANK J.K., *The Cambridge History of China*, vol. 3 à 9, Cambridge University Press, 2002.

PETITEAU Natalie, *Napoléon de la mythologie à l'histoire*, Seuil, 1999.

PICQ Jean, *Une histoire de l'État en Europe. Pouvoir, justice et droit du Moyen Âge à nos jours*, Presses de Sciences Po, 2009.

PORTAL Roger, « Pierre Ier le Grand », *Encyclopaedia Universalis*.

PORTELLI Hugues, *L'Internationale socialiste*, Éditions ouvrières, 1983.

POTTER Pitman B., « The United Nations Charters and the Covenant of the League of Nations », *The American Journal of International Law*, vol. 39, n° 3, juillet 1945.

PRAT André, *L'Ordre maçonnique. Le droit humain*, PUF, 2003.

PRITHWINDRA Mukherjee, *Sri Aurobindo*, Desclée de Brouwer, 2000. (Contient une bibliographie en anglais et en traduction française.)

RAMEL Frédéric et JOUBERT Jean-Paul, *Rousseau et les relations internationales*, L'Harmattan, 2000.

RAMONET Ignacio « Espoirs écologiques », *Manière de voir*, 6/2005, n° 81.

RAWLS John, *The Law of Peoples*, Harvard University Press, 1999.

RÉBÉRIOUX Madeleine, « Jean Jaurès », *Encyclopaedia Universalis*.

RENAUD F., « L'indice de gouvernance mondiale (IGM) : pourquoi évaluer la gouvernance mondiale, pour quoi faire ? », *Forum pour une nouvelle gouvernance mondiale*, coll. « Cahiers de propositions », octobre 2008.

RENUCCI Paul, « Dante Alighieri », *Encyclopaedia Universalis.*

REQUEJO Ferran, « Diversité sociale et fédéralisme », *Revue internationale des sciences sociales*, 2001/1, n° 167, p. 43-51.

RICHARDOT Philippe, *Les Grands Empires : histoire et géopolitique*, Ellipses, 2003.

ROBERT Jean-Noël, *De Rome à la Chine. Sur les routes de la soie au temps des Césars*, Les Belles Lettres, 1997.

ROCKEFELLER Nelson, *The Future of Federalism*, Harvard University Press, 1962.

ROCLE Ronan, « Le GIEC, une institution d'expertise scientifique au service du politique », *Regards croisés sur l'économie*, 2009/2, n° 6.

ROHN P.H., *World Treaty Index*, V1-5, ABC Clio Information Services, 1975.

RUSSELL B., *Education and the Social Order*, Allen & Unwin, 1932.

— *In Praise of Idleness and Other Essays*, Allen & Unwin, 1935.

— *Has Man A Future ?*, Harmondsworth, 1961.

— *War Crimes in Vietnam*, Allen & Unwin, 1967.

SACHWALD F., *La Chine, puissance technologique émergente*, IFRI, 2007.

SAINT-PIERRE (abbé de), *Projet pour rendre la paix perpétuelle en Europe* [1713], Fayard, 1987.

SALLES Catherine, *L'Antiquité romaine*, Larousse, 2002.

SANDFRY Ralph, « China's military modernization: A look toward 2030 », Rand Corporation, Air War College, février 2008.

SAUVAGET Daniel, « George Orwell », *Encyclopaedia Universalis*.

SCHIMDT Rodney, « The Currency Transaction Tax: Rate and Revenue Estimates », Institut Nord-Sud, octobre 2007.

SHARP A., *The Versailles Settlement*, Palgrave MacMillan, 2008 (2ᵉ éd.).

SHEEHAN Colleen A., « Madison v. Hamilton : The Battle over Republicanism and the Role of Public Opinion », *The American Political Science Review*, vol. 98, n° 3, août 2004.

SHIH-SHAN Henry Tsai, *Perpetual Happiness : The Ming Emperor Yongle*, University of Washington Press, 2001.

SLOTERDIJK Peter, *Si l'Europe s'éveille. Réflexions sur le programme d'une puissance mondiale à la fin de l'ère de son absence politique*, Mille et une nuits, 2003.

SMITH Adam, *Théorie des sentiments moraux*, PUF, 1999.

SOURDEL Janine et Dominique, *Dictionnaire historique de l'Islam*, PUF, 1996.

SPITZ Pierre, « Fondation Nobel », *Encyclopaedia Universalis*.

SRI AUROBINDO, *Social and Political Thought : The Human Cycle – The Ideal of Human Unity – War and Self-Determination*, Birth Centenary Library, vol. 15, Pondichéry, 1971.

STARR Steven, « The Climatic Consequences of Nuclear War », *Bulletin of the Atomic Scientists*, 12 mars 2010.

STRAUSS Léon, « Guillaume II empereur d'Allemagne », *Encyclopaedia Universalis*.

STRESEMANN Gustav, Discours devant la Xᵉ session de l'Assemblée de la Société des Nations, Genève, Salle de la Réformation, le 5 septembre 1929.

SY-WONYU Aïssatou, « Construction nationale et construction impériale aux États-Unis au XIXᵉ siècle. Les paradoxes de la république impériale », *Cités*, n° 20, avril 2004.

TALADOIRE Éric, « Mayas », *Encyclopaedia Universalis*.

TAPIE Victor-Lucien, « Louis XIV roi de France », *Encyclopaedia Universalis*.

THOMPSON E. A., « Attila roi des Huns », *Encyclopaedia Universalis*.

THOMPSON John A., *Woodrow Wilson : Profiles in Power*, Pearson Education Limited, 2002.

THORNTON E.W., « The United Nations' Debt to the League of Nations », *Social Studies*, 47/5, mai 1956.

TINGYANG Zhao, « La philosophie du Tianxia », *Diogène*, n° 221, 2008/1, « Tendances actuelles de la philosophie politique en Chine ».

— *No World View for the World*, China People's University Press, 2003.

— *Studies of a Bad World, Political Philosophy as First Philosophy*, China People's University Press, 2009.

TOBIN J., entretien in *Der Spiegel*, 1er septembre 2001.

TOON Owen B. et ROBOCK Alan, « Local Nuclear War, Global Suffering », *Scientific American*, 2009.

TOON Owen B., ROBOCK Alan et TURCO Richard P., « Environmental Consequences of Nuclear War », *Physics Today*, décembre 2008.

TOULOUSE Anne, « Chroniques électorales américaines n° 15, La Défense », e-note de l'IFRI, avril 2009.

TRACHTENBERG Marc, « Versailles after Sixty Years », *Journal of Contemporary History*, vol. 17, n° 3, juillet 1982.

TROPER Michel, « Hans Kelsen », *Encyclopaedia Universalis.*

TUCKER Robert, « The Triumph of Wilsonianism ? », *World Policy Journal*, hiver 1993-1994.

TULARD Jean, *Dictionnaire Napoléon*, Fayard, 1987.

— *Napoléon, le pouvoir, la nation, la légende*, Le Livre de poche, 1997.

— *Les Empires occidentaux de Rome à Berlin*, PUF, 1997.

— *La France de la Révolution et de l'Empire*, PUF, 2004.

VAISSE Justin, « Les États-Unis sans Wilson : l'internationalisme américain après la guerre froide », *Critique internationale*, n° 3, printemps 1999.

Vaisse Maurice, Les *Relations internationales depuis 1945*, Armand Colin, 2005.

Van Praag Nicholas, « Deadlock in the North-South Dialogue », *The World Today*, vol. 36, n° 12, décembre 1980.

Venayre Sylvain, « Abolition de l'esclavage dans le monde – (repères chronologiques) », *Encyclopaedia Universalis.*

— « Abolition de l'esclavage dans les colonies françaises », *Encyclopaedia Universalis.*

— « Victoria reine du Royaume-Uni de Grande-Bretagne et d'Irlande », *Encyclopaedia Universalis.*

Verdoodt Albert, *Naissance et signification de la Déclaration universelle des droits de l'homme*, Éditions Nauwelaerts, 1963.

Vergniolle de Chantal François, *Fédéralisme et antifédéralisme*, PUF, 2005.

Verne Jules, *Le Tour du monde en quatre-vingts jours* (avec un dossier de Simone Vierne), GF-Flammarion, 1978.

— *Le Tour du monde en quatre-vingts jours* (avec un dossier de Valérie Lagier et Françoise Spiess), Gallimard, coll. « Folioplus classiques », 2004.

Vieille Blanchard Élodie, « Croissance ou stabilité ? », in *Les Modèles du futur*, La Découverte, 2007, p. 19-43.

Vincent Philippe, *Droit de la mer*, Larcier, 2008.

Vindt Gérard, « Quand la Chine s'endormait », *Alternatives économiques*, n° 263, 2007.

Wakeman Frederic Jr, « Voyages », *The American Historical Review*, vol. 98, 1993.

Wallstein René, « Télécommunications : Histoire », *Encyclopaedia Universalis.*

Watts Ronald L., « Les principales tendances du fédéralisme au xxᵉ siècle », *Revue internationale de politique comparée*, 2003/1, vol. 10, p. 11-18.

Weisser Henry, *British Working-Class Movements and Europe : 1815-1848*, Manchester University Press, 1975.

Wiarda Howard J., « Cancún and after: The United States and the Developing World », *Political Science*, vol. 15, n° 1, hiver 1982, p. 40-48.

WIDMER Ted, *Ark of the Liberties, America and the World*, Hill and Wang, 2008.

WILL Pierre-Étienne, « Huit cents ans d'expansion », *L'Histoire*, n° 300, juillet 2005.

— « Les Ming, dynastie chinoise », *Encyclopaedia Universalis.*

YARBROUGH Jean, « Rethinking the Federalist's View of Federalism », *Publius*, vol. 15, n° 1, hiver 1995.

ZORGBIBE Charles, « L'Internationale socialiste : structure et idéologie », *Politique étrangère*, n° 1, 1969.

*

* *

Documentaire

Le Vrai Pouvoir du Vatican, de Jean-Michel Meurice (2010).

Sites Internet

www.ledevoir.com/2007/03/31/137677.html

http://classiques.uqac.ca/classiques/Proudhon/PJ_proudhon_ textes_choisis/5_mutuellisme_federalisme/mutuellisme_ federalisme. pdf

www.hdr.undp.org/en/media/hdr_2004_slides_fr.ppt

www.cqpress.com/incontext/constitution/docs/bkgd_federalist html

www.taurillon.org/Espagne-vers-une-Constelacion

www.tlfq.ulaval.ca/axl/Europe/espagnecatalognestatut- 2006.htm

www.ameriquebec.net/actualites/2008/03/16-le-400eme-anniversaire-de-quebec-ne-doit-pas-etre-un-evenement-comme-les-autres.qc

www.resistancequebecoise.org/militantetunr%E9sistant. php

www.eurosduvillage.com/spip.php?page=forum&id_article= 170&id_forum=687

http://portfolio.lesoir.be/main.php?g2_itemId=128391

www.droit.org/jo/19990321/INTX9800159L.html

www.conseil-constitutionnel.fr/textes/constit.htm

www.bundestag.de/htdocs_f/parlement/fonctions/cadre/
   loi_fondamentale. pdf
www.linternaute.com/histoire/motcle/46/a/1/1/tour_du_ monde.shtml
www.esperanto-sat.info/article669.html
www.linternaute.com/histoire/motcle/46/a/1/1/tour_du_monde.shtml
www.bruno-latour.fr/poparticles/poparticle/p096.html
www.banquemondiale.org
www.un.org/fr
www.ilo.org
http://web.worldbank.org
www.imf.org
www.unesco.org
www.minefi.gouv.fr/fonds_documentaire/pole_ecofin/international/
   rap_ multilateral.htm
www.assemblee-nationale.fr pour les discours de Jean Jaurès
www.interpol.int
www.cia.gov/library/publications/the-world-factbook/
www.liberal-international.org/editorial.asp?ia_id=508
www.dinosoria.com/maya_science.htm

Documents

CHAUVEAU Guy-Michel, LELLOUCHE Pierre et WARHOUVER Aloyse,
   Rapport d'information sur la prolifération des armes de destruc-
   tion massive et de leurs vecteurs, Assemblée nationale, 2000.
Union of International Associations, *Yearbook of International
   Organizations*, Various Annuals, 1991
United Nations Treaty Series (www.un.org)
UN Centre of International Trade Law (www.un.org)
Stockholm International Peace Research Institute – Annual Year-
   book and Other Publications
US Arms Control and Disarmament Agency – Arms Trade Statis-
   tics International
Institute for Strategic Studies – Annual Yearbook
National Defence Statistics Collections
UN Arms Trade Register

LALUMIÈRE Catherine et LANDAU Jean-Pierre (dir.), *Rapport sur les négociations commerciales multilatérales*, 1999.

LANDAU Jean-Pierre (dir.), *Les Nouvelles Contributions financières internationales*, La Documentation française, 2004.

Résolution 60/1 « 2005 World Summit Outcome » adoptée par l'Assemblée générale le 24 octobre 2005.

Résolution 62/277 adoptée par l'Assemblée générale le 7 octobre 2008.

Résolution 64/301 adoptée par l'Assemblée générale le 14 octobre 2010.

« Rapport du Groupe de haut niveau du Secrétaire général sur la cohérence de l'action du système des Nations unies dans les domaines du développement, de l'aide humanitaire et de la protection de l'environnement : unis dans l'action », 21 février 2007.

Report of the Secretary-General's High-level Advisory Group on Climate Change Financing, 5 novembre 2010.

Index

Remerciements

Je remercie Timothée Arnera, Jane Auzenet, Christophe Blias, Lucas Chabalier, Florian Dautil, Julien Durand, Florian Guyot, Camille Le Coz, Laurine Moreau, Pritwhin Mukherjee, Farah Outeldait, Éléonore Peyrat, Caroline Soubeyrou, Jullien Sylvestre, Clara Tardy, Claire Tissot, qui ont bien voulu mener des recherches sur des points spécifiques pour me permettre de préciser tel ou tel point de mon argumentation. Je remercie Rachida Azzouz, Murielle Clairet et Betty Rogès pour avoir su déchiffrer les innombrables manuscrits successifs. Je remercie tous ceux avec qui je parle de ces sujets depuis longtemps, bien avant que l'idée me vienne d'écrire ce livre. Et, en particulier, Boutros Boutros-Ghali, Michel Camdessus, Jacques Delors, Nathan Gardels, Pascal Lamy, Jean-Pierre Landau, Moisés Naím, Shashi Taroor. Je remercie enfin Sophie de Closets, Claude Durand et Denis Maraval pour avoir relu très attentivement l'intégralité de ce manuscrit. Il va sans dire que je porte seul la responsabilité de ce livre, dont les lecteurs sont invités à m'écrire à j@attali.com.

Table des matières

TABLE DES MATIÈRES

DU MÊME AUTEUR

Essais

Analyse économique de la vie politique, PUF, 1973.

Modèles politiques, PUF, 1974.

L'Anti-économique (avec Marc Guillaume), PUF, 1975.

La Parole et l'Outil, PUF, 1976.

Bruits. Économie politique de la musique, PUF, 1977, nouvelle édition, Fayard, 2000.

La Nouvelle Économie française, Flammarion, 1978.

L'Ordre cannibale. Histoire de la médecine, Grasset, 1979.

Les Trois Mondes, Fayard, 1981.

Histoires du Temps, Fayard, 1982.

La Figure de Fraser, Fayard, 1984.

Au propre et au figuré. Histoire de la propriété, Fayard, 1988.

Lignes d'horizon, Fayard, 1990.

1492, Fayard, 1991.

Économie de l'Apocalypse, Fayard, 1994.

Chemins de sagesse : traité du labyrinthe, Fayard, 1996.

Fraternités, Fayard, 1999.

La Voie humaine, Fayard, 2000.

Les Juifs, le Monde et l'Argent, Fayard, 2002.

L'Homme nomade, Fayard, 2003.

Foi et Raison – Averroès, Maïmonide, Thomas d'Aquin, Bibliothèque nationale de France, 2004.

Une brève histoire de l'avenir, Fayard, 2006 (nouvelle édition, 2009).

La Crise, et après ?, Fayard, 2008.

Le Sens des choses, avec Stéphanie Bonvicini et 32 auteurs, Robert Laffont, 2009.

Survivre aux crises, Fayard, 2009.

Tous ruinés dans dix ans ? Dette publique, la dernière chance, Fayard, 2010.

Dictionnaires
Dictionnaire du XXIe siècle, Fayard, 1998.
Dictionnaire amoureux du judaïsme, Plon/Fayard, 2009.

Romans
La Vie éternelle, roman, Fayard, 1989.
Le Premier Jour après moi, Fayard, 1990.
Il viendra, Fayard, 1994.
Au-delà de nulle part, Fayard, 1997.
La Femme du menteur, Fayard, 1999.
Nouv'elles, Fayard, 2002.
La Confrérie des Éveillés, Fayard, 2004.

Biographies
Siegmund Warburg, un homme d'influence, Fayard, 1985.
Blaise Pascal ou le Génie français, Fayard, 2000.
Karl Marx ou l'Esprit du monde, Fayard, 2005.
Gândhî ou l'Éveil des humiliés, Fayard, 2007.
Phares. 24 destins, Fayard, 2010.

Théâtre
Les Portes du Ciel, Fayard, 1999.
Du cristal à la fumée, Fayard, 2008.

Contes pour enfants
Manuel, l'enfant-rêve (ill. par Philippe Druillet), Stock, 1995.

Mémoires
Verbatim I, Fayard, 1993.
Europe(s), Fayard, 1994.
Verbatim II, Fayard, 1995.
Verbatim III, Fayard, 1995.
C'était François Mitterrand, Fayard, 2005.

Rapports
Pour un modèle européen d'enseignement supérieur, Stock, 1998.
L'Avenir du travail, Fayard/Institut Manpower, 2007.

300 décisions pour changer la France, rapport de la Commission pour la libération de la croissance française, XO/La Documentation française, 2008.

Paris et la Mer. La Seine est Capitale, Fayard, 2010.

Une ambition pour 10 ans, rapport de la Commission pour la libération de la croissance française, XO/La Documentation française, 2010.

Beaux livres

Mémoire de sabliers, collections, mode d'emploi, Éditions de l'Amateur, 1997.

Amours. Histoires des relations entre les hommes et les femmes, avec Stéphanie Bonvicini, Fayard, 2007.

COLLECTION PLURIEL

ACTUEL

ADLER Alexandre
Le monde est un enfant qui joue
J'ai vu finir le monde ancien
Au fil des jours cruels
L'Odyssée américaine
Rendez-vous avec l'Islam
Sociétés secrètes
ASKENAZY Philippe,
COHEN Daniel
27 questions d'économie
contemporaine
16 nouvelles questions d'économie
contemporaine
ATTALI Jacques
Demain, qui gouvernera le
monde ?
ATTIAS Jean-Christophe,
BENBASSA Esther
Les Juifs ont-ils un avenir ?
Encyclopédie des religions
AUNG SAN SUU KYI
Ma Birmanie
BACHMANN Christian,
LE GUENNEC Nicole
Violences urbaines
BAECQUE (de) Antoine
Les Duels politiques
BALLADUR Édouard
Conversations avec
François Mitterrand
BARBER Benjamin R.
Djihad versus McWorld
L'Empire de la peur
BARLOW Maude,
CLARKE Tony
L'Or bleu
BEN-AMI Shlomo
Quel avenir pour Israël ?

BENBASSA Esther
La Souffrance comme identité
BERGOUGNIOUX Alain,
GRUNBERG Gérard
Les Socialistes français et le
pouvoir (1905-2007)
BEURET Michel,
MICHEL Serge,
WOODS Paolo
La Chinafrique
BHUTTO Benazir
Autobiographie
BIASSETTE Gilles,
BAUDU Lysiane J.
Travailler plus pour gagner moins
BLAIS Marie-Claude,
GAUCHET Marcel,
OTTAVI Dominique
Conditions de l'éducation
BORIS Jean-Pierre
Le Roman noir des matières
premières
BRETON Stéphane
Télévision
BROWN Lester
Le Plan B
BRZEZINSKI Zbigniew
Le Grand Échiquier
CARRERE D'ENCAUSSE Hélène
La Russie entre deux mondes
CHALIAND Gérard
Guérillas
CHARRIN Ève
L'Inde à l'assaut du monde
CHEBEL Malek
Manifeste pour un islam des
Lumières
CLERC Denis

Photocomposition Nord Compo
Villeneuve-d'Ascq

Imprimé en Espagne, par
BLACKPRINT CPI IBÈRICA S L
27-02-0791-7/01
Depôt légal: avril 2012